A Casa Verde

Júlia Lopes de Almeida

Romance

VERMELHO MARINHO
Rio de Janeiro
2023

Editor chefe
Tomaz Adour

Design
Light Criacão
Ilustrações
Hermes Ursini
Diagramação
Carlos Borges Jr

Revisão e Preparaçãode texto
Equipe Vermelho Marinho

Texto revisado e atualizado conforme
definições do novo Acordo Ortográfico
da Língua portuguesa de 2009

Dados Internacionais de Catalogação na Publicação (CIP)
Fabio Osmar de Oliveira Maciel – CRB-7 6284

A447c

Almeida, Júlia Lopes de, 1862-1934

A casa verde / Júlia Lopes de Almeida e Filinto de Almeida. –
1. ed. – Rio de Janeiro : Vermelho Marinho, 2023.

338 p. ; 21 cm.

ISBN 978-85-8265-345-6

1. Romance brasileiro. I. Almeida, Filinto de, 1857-1945.

II. Título.

689-208-23 CDD : 869.93

Índice para catálogo sistemático:
1. Romance: Literatura brasileira 869.93

VERMELHO MARINHO

Editora Vermelho Marinho Usina de Letras Ltda Rio de Janeiro
Departamento Editorial Avenida Gilka Machado, 315-bloco2-casa 6
Recreio dos Bandeirantes - Rio de Janeiro - RJ CEP 22795-5670
www. editoravermelhomarinho.com.br

Sumário

Capitulos

BOX JULINTO: APRESENTAÇÃO

Anna Faedrich

Esse sentimento de mútua admiração é um dos encantos daquele lar. Filinto esquece os seus versos e pensa nos romances da esposa. Leva-a a certos trechos da cidade para observar o meio onde se desenvolverão as cenas futuras, é o seu primeiro leitor, ajuda-a com um respeito forte e másculo. D. Julia ama os versos do esposo, quer que ele continue a escrever, coordena o volume prestes a entrar no prelo. E ambos, nessa serena amizade, feita de amor e de respeito, envolvem os filhos numa suave atmosfera de bondade.

João do Rio
O momento literário (1908)

Neste Box Julinto, a editora Vermelho Marinho reúne obras da notável escritora Julia Lopes de Almeida (Rio de Janeiro, 1862-1934) e de seu marido, o poeta e dramaturgo Filinto de Almeida (Porto, 1857 - Rio de Janeiro, 1945). *Ânsia eterna*, de Julia, *Dona Julia*, de Filinto, e *A casa verde*, assinado por A. Julinto (junção de Julia e Filinto), compõem esta coleção. O casal Julinto – como se autodenominavam – marcou a cena literária carioca da *Belle Époque*. Em seu casarão no bairro Santa Teresa, ofereciam os celebrados saraus do "Salão Verde", onde recebiam grandes nomes da literatura. Ambos participaram da idealização da Academia Brasileira de Letras, embora somente Filinto tenha se tornado imortal, na cadeira de número 3. Por ser mulher, Julia não figurou no panteão dos acadêmicos, mas também nunca se manifestou a respeito da exclusão. Decorreram oitenta anos para uma escritora poder se candidatar a uma vaga e entrar na ABL, caso de Rachel de Queiroz em 1977. Vale notar que a proibição de mulheres não era uma decisão unânime. Filinto e outros acadêmicos, como Lúcio de Mendonça e Valentim Magalhães, se opunham à restrição.

Em entrevista a João do Rio, Filinto lamenta que a maior romancista do país esteja fora da Academia:

— Há muita gente que considera D. Julia o primeiro romancista brasileiro.
Filinto tem um movimento de alegria.
— Pois não é? Nunca disse isso a ninguém, mas há muito que o penso. Não era eu quem devia estar na Academia, era ela.

Rumores há sobre a mediocridade da poesia de Filinto e sobre sua entrada no lugar da esposa como uma "gentileza compensatória". Fernando Jorge anota que Filinto recebeu a alcunha de "acadêmico consorte": "Lá vem 'O Acadêmico Consorte', que como poeta está sem sorte...", dizia Carlos de Laet ao ver Filinto[1]. Claudio Lopes de Almeida, neto do casal, tem interpretação diversa. Alega que Filinto gozava de prestígio e influência à altura de sua vaga na ABL. Para Claudio, o avô não entrara *no lugar* de Julia, pois os dois integrariam à Academia. É inegável a notoriedade do poeta, basta folhear exemplares dos periódicos da época para comprová-la. Nos registros da filha Margarida, consta a sua posição de destaque na Literatura Brasileira após publicar *Lyrica*: "O livro teve imenso sucesso, o que lhe facilitou ser escolhido para ir acompanhar em Lisboa a impressão dos *Anais da Câmara dos Deputados de São Paulo*, trabalho que, naquela época, não podia ser feito no Brasil. A bordo, aproximando-se da terra em que nascera, mas que deixara aos nove anos de idade, extravasava em versos a sua ansiedade"[2]. A obra de Filinto acabou esquecida. Ao trazer à luz *Dona Julia* abre-se espaço para análise e consideração de seus sonetos, bem como um juízo mais independente de sua qualidade, ao contrário das avaliações forjadas nos círculos de relações da época e reproduzidas ainda hoje sem o devido exame.

Julia Lopes de Almeida é uma entre tantas escritoras que tiveram sucesso no período da *Belle Époque* brasileira, mas cuja obra foi desvanecendo nos registros literários posteriores. Não havia razão de ser assim. Para a crítica literária Lúcia Miguel Pereira (1901-1959), a autora de *Ânsia eterna* é "a maior figura entre as mulheres escritoras de sua época, não só pela extensão da obra, pela continuidade do esforço, pela longa vida literária de mais de quarenta anos, como pelo êxito que conseguiu

1 JORGE, Fernando. *A Academia do fardão e da confusão*. A Academia Brasileira de Letras e os seus "imortais" mortais. São Paulo: Geração Editorial, 1999, p. 25.

2 ALMEIDA, Margarida Lopes. Biografia de Dona Julia. In: ALMEIDA, Julia Lopes. O funil do diabo. Organização e introdução Zahidé Lupinacci Muzart. Florianópolis: Ed. Mulheres, 2015, p. 193.

com os críticos e com o público; todos os seus livros foram elogiados e reeditados, vários traduzidos, sendo que se consumiu em três meses a primeira tiragem de *Família* Medeiros"[3]. Felizmente, a obra de Julia tem sido reeditada, estudada e recobra gradualmente espaço no rol dos escritores canônicos. Romancista de mão cheia, os romances de Julia foram publicados em folhetim com invejável repercussão. Escreveu peças teatrais, alguma delas encenadas no Teatro Municipal do Rio de Janeiro, crônicas, publicadas na coluna semanal "Dois dedos de prosa" no jornal *O Paiz*, e textos voltados para o público infantil, desempenhando papel importante neste gênero literário junto com sua irmã, a poeta Adelina Lopes Vieira (1850-1923).

No livro de contos *Ânsia eterna*, o prazer da leitura está garantido. O domínio e maestria da escrita caracterizam o estilo literário inconfundível de Julia, bem como a variedade e a ousadia temáticas. Ao mesmo tempo em que os contos pincelam a sociedade patriarcal do início do século XX, há ainda atualidade nos temas: feminicídio; abusos, estupro e violência doméstica; gravidez; maternidade; preconceitos diversos, conservadorismo e "bullying"; submissão feminina; desigualdades de gênero. Sua obra dá protagonismo às mulheres e esbanja estratégias de ficcionalização dos perfis femininos. Os contos abordam temas polêmicos, criticam e denunciam as intempéries vividas pelas mulheres em sua diversidade, e contém desfechos frequentemente desconfortáveis ao leitor. A imprevisibilidade é capaz de arrebatar e emudecer o(a) leitor(a). A escrita de Julia é esperta e traiçoeira, pois parece conduzir por caminhos de interpretação seguros, até que nos surpreende pela quebra repentina de expectativa. Você não sairá indiferente após a leitura de "Os porcos", por exemplo. Ainda mais quando se sabe que o caso não é pura imaginação, mas uma história que Julia ouvira na fazenda: "Os homens do mato são em geral maus. A narração era feita com indiferença, como se fosse um fato comum. Horrorizou-me"[4]. Alguns contos se inscrevem na vertente do fantástico e na tradição gótica; brincam com o sobrenatural. Mas quando convencidos de se tratar de uma boa ficção de horror, a narração nos puxa para um realismo estarrecedor.

Filinto de Almeida foi poeta, dramaturgo, tradutor, jornalista e apaixonado por Julia Lopes de Almeida. A coletânea de sonetos *Dona Julia*

3 PEREIRA, Lúcia Miguel. *História da Literatura Brasileira:* prosa de ficção (de 1870 a 1920). Belo Horizonte: Itatiaia; São Paulo: Editora da Universidade de São Paulo, 1988, p. 260.

4 RIO, João do. *O momento literário*. Fundação Biblioteca Nacional: Departamento Nacional do Livro. Disponível em: <http://www.dominiopublico.gov.br/download/texto/bn000134.pdf>. Acesso em: 7 jul 2021.

contida neste box foi publicada em 1938, quatro anos após o falecimento da esposa. O livro não foi exposto à venda – "Não, não são para o público estes gritos, / Estes soluços e lamentações"[5] – por isso, a circulação da obra é inédita. Filinto encarna o "Poeta da Dor" e registra em versos seu pranto. Trata-se de uma ode ao amor e a elegia de um viúvo arrebatado pela perda irrecuperável. O livro é dividido em duas partes: "Em vida de D. Julia", composta por três poemas anteriores à morte de Julia – "Excelsa" (1908), "No seu dia" (1913) e "O que tu és" (1932); e "Dona Julia", com 60 poemas-luto. A leitura nos dá a medida da força dos vínculos de uma vida conjunta por quase 50 anos. Em carta a Filinto, Cecília Meireles registrou sua admiração por Julia e a comoção com os versos do poeta desolado: "Com a mais viva emoção, li os formosos sonetos de *Dona Julia*. Não poderia haver homenagem mais justa e mais enternecedora àquele belíssimo espírito que estes seus versos impregnados de tão religiosa devoção. E eu, que sempre a venerei com o mais doce carinho, sinto a minha saudade feliz, vendo-a altamente imortalizada na sua poesia".

Romance escrito a quatro mãos, *A casa verde* era o preferido de Julia, por ter sido escrito com o marido e lembrar "uma porção de momentos felizes". O título é uma referência à casa que compõe o cenário do romance, situada em Niterói, com as paredes revestidas de heras e uma figueira imensa no jardim. Daí a cor verde, que representa também o apreço de Julia pela ecologia, sobretudo pelas árvores frutíferas (um de seus livros se intitula *A árvore*). É possível que o leitor sinta alguma familiaridade com o título, pois anos antes uma "casa verde" aparecia em *O alienista* (1882), de Machado de Assis, espaço para abrigar os loucos de Simão Bacamarte. A casa verde de Julinto possivelmente alude ao salão verde do casarão de Santa Teresa, espaço dos saraus literários, que recebeu este apelido por ficar no jardim.

O romance inicia com uma tendência ao horror: "Dizia a lenda que naquele sítio fora assassinada uma mulher, que o marido enterrara ainda agonizante, plantando-lhe sobre a sepultura uma cruz feita com um galho verde de figueira brava. Fora dessa cruz tosca, fincada na terra pela mão de um pecador, que tinha rebentado a árvore que ali estava agora, imensa e tenebrosa". A casa era vista como assombrada por todos, menos por seu comprador, o inglês Mr. Lane, cuja racionalidade não permitia acreditar em almas penadas: "Só a peso de ouro os operários consentiram em pernoitar nas obras como vigias; mas nunca sozinhos. Um deles afirmava ter visto pelas madrugadas uma mulher chorando, encostada à

5. Primeiros versos do poema "Pórtico", de Filinto de Almeida, em *Dona Julia* (1938, p. 15).

figueira. Outro sentira alisar-lhe o rosto mãos finas e geladas, em carícias lentas. Mr. Lane não os ouvia".

A história gira em torno de Mr. Lane e sua filha Mary, órfã da mãe baiana. Uma série de intrigas e peripécias se desenrolam em narrativa fluida, bem escrita e gostosa de se ler! Assim como nas comédias de Molière, salvo o fato de não provocar riso, o leitor não fica ileso às tramas e aos golpes do vilão, nem aos encontros e desencontros amorosos, tamanha a vontade de interagir com a narrativa. Outra semelhança é o tom crítico aos costumes conservadores e machistas da época, que levavam as mulheres insubordinadas ao desfecho trágico.

Reeditar *Ânsia eterna*, *Dona Julia* e *A casa verde* é trazer ao público-leitor a chance fruir uma literatura envolvente – nos três gêneros literários: conto, poesia e romance –, e passear pela atmosfera moderna do início do século XX com um dos casais mais queridinhos da *Belle Époque* carioca. Vida longa a iniciativas como esta da Vermelho Marinho, que redescobrem e ampliam a difusão de autores esquecidos e dão ensejo a reescritas mais abrangentes e menos enviesadas da história da literatura brasileira.

Anna Faedrich

Os mistérios d'A casa verde

Nathalia Kimberly[1]
Anna Faedrich[2]

A casa verde, de Julia e Filinto de Almeida, é um romance diferenciado. A fluidez da narrativa e o misto de emoções despertado na leitura estão garantidos. Escrita a quatro mãos, a história é repleta de estratégias do gênero dramático e do insólito, a começar pela descrição da casa verde — "assim denominada por ter agora as paredes inteiramente revestidas de hera" —, mansão abandonada, em Niterói (RJ), que inspira medo nos moradores da cidade: "uma casa que a gente do lugar tinha na conta de mal-assombrada. [...] Ninguém se atrevia a entrar ali. Para quê? Se lá dentro só havia ruínas e perigos?". Apenas ao lermos essas páginas, desvendaremos os mistérios da casa aparentemente mal-assombrada, elemento fundamental para a instauração do estranhamento. O que podemos adiantar é que ninguém ousa entrar nela, exceto o inglês Mr. Lane, seu comprador, cuja racionalidade o protege de qualquer ameaça sobrenatural. Ele e sua filha Mary vão morar na casa que compõe boa parte do cenário do romance, apesar de haver "quem o avisasse: ele ia cometer uma imprudência; por sobre aquelas tábuas deslizavam passos de seres invisíveis, havia bulhas suspeitas...". Mas o inglês "sorriu e levantou os ombros. Armaria ratoeiras e não teria dentro de pouco tempo nem um só camundongo que lhe desacreditasse a casa". Assim, inicia-se o jogo entre fantasia e realidade, razão e emoção.

1 Graduanda em Letras (UFF). Foi bolsista de Iniciação Científica pela Faperj. Integrante do projeto de pesquisa "Literatura de autoria feminina na belle époque brasileira: memória, esquecimento e repertórios de exclusão", coordenado pela professora Dra. Anna Faedrich.

2. Doutora em Letras – Teoria da Literatura (PUCRS). Professora de Literatura Brasileira na Universidade Federal Fluminense (UFF). Coordenadora do projeto de pesquisa "Literatura de autoria feminina na *belle époque* brasileira: memória, esquecimento e repertórios de exclusão". Autora de *Teorias da autoficção* (Eduerj, 2022) e *Escritoras silenciadas* (Macabéa/Fundação Biblioteca Nacional, 2022).

Julia e Filinto jogam com as noções do real e os fragmentos da verdade, conforme diferentes pontos de vista. A história é repleta de lacunas, preenchidas de acordo com a imaginação das personagens, capazes de envolver o leitor. Fantasia ou realidade? Assombração ou imaginação? Por um lado, lendas populares e descrições sugestivas corroboram o aspecto assustador da residência em ruínas; de outro lado, o espírito positivista de um inglês avesso a superstições e sentimentalismos. O insólito e o extraordinário, que aqui nos surpreenderão, são conhecidos de quem já explorou as páginas dos instigantes contos de Julia em *Ânsia eterna*. Também as intrigas e peripécias, encontros e desencontros, mentiras e armações do vilão, são típicas do drama, gênero praticado pelo casal.

A mãe de Mary, já falecida, era baiana, católica e raiz do sentimentalismo hereditário de sua filha. Seu perfil faz oposição ao do viúvo inglês, que era protestante, prático e racional. Essa diferença frequentemente reforçada representa a tensão entre as personalidades que povoam as linhas deste enredo, de um modo geral. Guiados por essa ambiguidade e por uma rica multiplicidade de perspectivas, observaremos as histórias de personagens pertencentes a núcleos aparentemente sem conexão da narrativa se entrelaçarem de modo inteligente e surpreendente. Assim, veremos uma devoção ingênua transfigurar-se em um plano racionalmente maniqueísta de ascensão social — não sem que o alvo dessa adoração, Mary, levante suas suspeitas, utilizando sua intuição. Por outro lado, o pai de Mary terá de se dar conta de que sua razão não o preveniu do passado sombrio do pretendente de sua filha, seu funcionário Guilherme Boston, a quem dá total apoio.

A partir de então, os segredos mantidos sob os panos motivarão ações que desencadearão todo tipo de consequências, mais ou menos graves. Tais consequências afetam principalmente personagens femininas e nem sempre serão reversíveis. Nessa trama, a representação da mulher é tanto carregada da perspectiva positivista que a diminui enquanto sujeito pensante ("— Não sabes o que dizes! És mulher, e como todas as brasileiras, muito pouco prática!"), quanto parece subverter essa ordem, na medida em que Mr. Lane, figura que melhor sintetiza aqueles ideais, vê seus princípios, tão lógicos, frequentemente revelarem-se fonte de equívocos. O olhar do homem e suas práticas em relação às mulheres nessa narrativa colocam em xeque concepções problemáticas marcantes da época e das quais ainda temos resquícios.

Apesar de Mary crescer sem a mãe, é cercada de mulheres e estabelece com elas todo tipo de relação. Rivalidade e amizade femininas se fazem presentes na trama de modo natural e humano, evidenciando contradições internas que garantem profundidade às personagens. Desse modo, somos colocados diante de retratos de mulheres únicas e complexas, pertencentes a diferentes classes sociais, cada qual lidando com suas próprias questões. O explorar da subjetividade feminina é marca da autoria de Julia Lopes e, como de costume, nos atenta para práticas que, apesar de arraigadas, são antiquadas e favorecem a submissão da mulher. Nesse sentido, *A casa verde* alinha-se ao projeto de escrita que podemos identificar na obra de Julia, se a contemplamos como um todo, uma vez que a escritora atua em prol da emancipação feminina.

O romance é composto de um enredo principal: Mary atira, sem querer, no cigano (Luís Ulka) que estava em cima da figueira no jardim de sua casa. Ele estava lá vigiando a casa, com intuito de roubá-la. Com medo de ser considerada uma assassina e com receio do pai descobrir o acidente trágico, Mary decide esconder o corpo do cigano em seu quarto, chama o médico da cidade, Dr. Eduardo Abrantes, e passa a cuidar do ferido às escondidas. Sendo assim, a história principal se passa dentro da casa verde. A partir daí desenrolam-se uma série de peripécias, que permitem aos leitores uma aproximação com os costumes e valores da época, guiados pele espírito criativo do casal Julinto.

UM LAR DE ARTISTAS

Publicado em "O Momento Literário", de João do Rio, pela Livraria Garnier, 1905.

— Pois eu em moça fazia versos. Ah! Não imagina com que encanto. Era como um prazer proibido! Sentia ao mesmo tempo a delícia de os compor e o medo de que acabassem por descobri-los. Fechava-me no quarto, bem fechada, abria a secretária, estendia pela alvura do papel uma porção de rimas...

De repente, um susto. Alguém batia à porta. E eu, com a voz embargada, dando volta à chave da secretária: já vai! Já vai!

— A mim sempre me parecia que se viessem a saber desses versos em casa, viria o mundo abaixo. Um dia, porém, eu estava muito entretida na composição de uma história, uma história em verso, com descrições e diálogos, quando senti por trás de mim uma voz alegre:

— Peguei-te, menina!

Estremeci, pus as duas mãos em cima do papel, num arranco de defesa, mas não me foi possível. Minha irmã, adejando triunfalmente a folha e rindo a perder, bradava: — Então a menina faz versos? Vou mostrá-los ao papá!

— Não mostres!

— É que mostro!

— Vai fazê-lo zangar comigo. Não sejas má!

Ela ria, parecendo refletir. Depois deitou a correr pelo corredor. Segui-a comovidíssima. Na sala, o papá lia gravemente o *Jornal do Comércio*.

— Papá, a Júlia faz versos!

— Não senhor, não lhe acredites nas falsidades!

— Pois se eu os tenho aqui. Olha, toma, lê tu mesmo...

Meu pai, muito sério, descansou o *Jornal*. Ah! Deus do céu, que emoção a minha! Tinha uma grande vontade de chorar, de pedir perdão, de dizer que nunca mais faria essas coisas feias, e ao mesmo tempo um vago desejo que o pai sorrisse e achasse bom. Ele, entretanto, severamente lia. Na sua face calma não havia traço de cólera ou de aprovação. Leu, tornou a ler.

A folha branca crescia nas suas mãos, tomava proporções gigantescas, as proporções de um grande muro onde na minha vida acabara a alegria... Então, que achas? O pai entregou os versos, pegou de novo o *Jornal*, sem uma palavra, e a casa voltou à quietude normal. Fiquei esmagada. Que fazer para apagar aquele grande crime? No dia seguinte fomos ver a Gemma Cuniberti, lembra-se? Uma criança genial. Quando saímos do espetáculo, meu pai deu-me o seu braço.

— Que achas da Gemma?

— Um grande talento.

— Imagina! O Castro pediu-me um artigo a respeito. Ando tão ocupado agora! Mas o homem insistiu, filha, insistiu tanto que não houve remédio. Disse-lhe: não faço eu, mas faz a Júlia...

Minha Nossa Senhora! Pus-me a tremer, a tremer muito. O pai, esse, estava impassível como se estivesse a dizer coisas naturais:

— Estamos combinados, pois não? O prometido é devido. Fazes amanhã o artigo.

Sei lá o que respondi! O certo é que não dormi toda a noite, nervosa, imaginando frases, o começo do artigo. Pela madrugada julgava impossível escrevê-lo, tudo parecia banal ou extravagante. Mas depois do almoço, antes de sair, o pai lembrou-me como se lembra a um escritor:

—Vê lá, Júlia, o artigo é para hoje. Tenho que o levar à noite.

Havia um jornal que exigia o meu trabalho. Era como se o mundo se transformasse. Sentei-me. E escrevi assim o meu primeiro artigo... Só mais tarde, muito mais tarde, é que vim a saber a doce invenção de meu pai.

O Castro nunca exigira um artigo a respeito da Gemma..."

***

Estávamos na casa de Filinto de Almeida, um *cottage*[1] admirável, construído entre as árvores seculares da estrada de Santa Teresa. Eu descera do *tramway*[2] sob uma forte carga de chuva e, enlameado, molhado, embaixo da branca escada de mármore, não sabia como explicar tão lamentável estado. Filinto, porém, com um ar levemente imperioso, o seu ar quando começa a simpatizar com alguém, tomara-me o chapéu e D. Júlia sorria, cheia de bondade.

— Entre. Ninguém vê, estamos combinados que ninguém reparará na má ação do temporal.

1 Traduzido do inglês: chalé.
2 Traduzido do inglês: bonde.

Fora assim que eu ousara entrar e já trinta minutos havia que ouvíamos deliciados a dona daquele lar.

A casa de Filinto fica a dez minutos da cidade e é como se estivesse perdida num afastado bairro. Não há vizinhos; não há trânsito pela estrada, a não ser o bonde de quarto em quarto d'hora. Uma grande paz parece descer das árvores. Todas as janelas estão abertas.

A sala, de um largo conforto inglês, tem uma biblioteca com os livros preferidos dos poetas, um vasto *bureau*[3] cheio de papéis e revistas, e uma porção de quadros com assinaturas notáveis de Sousa Pinto, Amoedo, Parreiras... Um perpétuo cenário de apoteose divisa-se das janelas — o cenário do Rio com o seu estrépito de sons e de cores, o tumulto das ruas estreitas, os montes escalavrados de casas, o perfume dos jardins e a enorme extensão da baía ao fundo.

Toda a cidade, estendendo por monte e vale o formigamento dos seus bairros, trechos da Gamboa, trechos centrais, torres de igrejas, a cúpula da Candelária, tetos envidraçados de frontões, altas chaminés de fábricas, palácios, casas miseráveis, pedaços de mar obstruídos de mastros, parece cantar o ofertório da vida. Ah! A humanidade da grande colmeia!

Quantos soluços, quantas alegrias, quantas raças! A chuva passara, o mormaço ia a pouco e pouco esfacelando as nuvens baixas e o panorama aumentava, crescia, assombrava com leves tons de azul e ouro, um panorama épico de porto de mar latino...

— Este cenário lembra-me sempre aquele livro seu, *A viúva Simões*. Não imagina a impressão desse trabalho na minha formação de pobre escrevinhador.

Que intensidade de vida! Sempre perguntava a mim mesmo: onde foi buscar D. Júlia um tipo de tão penetrante realidade?

— Onde? Mas é uma história inventada.

— Não é um livro à *clef*?[4]

— Não, não é, não há trabalho meu, com exceção dos *Porcos* e de *A Família Medeiros*, que não seja pura imaginação. O caso dos *Porcos* eu ouvi contar numa fazenda, quando ainda era solteira. Os homens do mato são em geral maus. A narração era feita com indiferença, como se fosse um fato comum. Horrorizou-me. *A Família Medeiros* tem dois ou três tipos que guardam impressões reais. Os outros não, são fantasia.

3 Traduzido do francês: escrivaninha.

4 Romance à clef é uma expressão francesa que significa uma narrativa onde o autor cria personagens ficcionais baseados em pessoas reais.

"Não imagina como me aborrece a ideia de fazer romances com histórias verdadeiras. E, entretanto, sou vítima dessa suposição. *A Viúva Simões* é a história de uma senhora conhecida; *A intrusa*, ainda outro dia Afonso Celso perguntou a meu marido se era um romance *à clef*... Andava muito contente com aquele conto: *A valsa da* Fome. Mandei o volume a uma das minhas primas em Lisboa e recebi logo uma carta sua. Oh! *A valsa da Fome*, a verdade dessas páginas! Há dezesseis dias em Cascais deu-se um fato idêntico. Apenas o fim é que é diverso. Os rapazes levaram o pianista a jantar e ele desmaiou..."

Nós sorríamos.

— Que se há de fazer? Quantos há por aí copiando a verdade, que são sempre falsos? D. Júlia tem a luminosa faculdade de criar, e trata os personagens da fantasia como educa os seus filhos. É a vida.

— Oh! Os meus personagens. Às vezes são até inconvenientes. A gente inventa-os e no meio do livro eles começam a discutir, a ter desejos, a forçar as portas da atenção. *A Intrusa*, por exemplo, quando a fantasiei, devia aparecer muito pouco...

Uma criança loira, de uma beleza de narciso, aparece à porta. É a Margarida. As suas longas mãos no ar, chamando a mãe, são tão finas e rosadas que recordam as pétalas dos crisântemos. D. Júlia levanta-se.

— Vou ver o Albano, coitadinho... Já não o vejo há muito tempo.

Ficamos sós um instante.

— Há muita gente que considera D. Júlia o primeiro romancista brasileiro.

Filinto tem um movimento de alegria.

— Pois não é? Nunca disse isso a ninguém, mas há muito que o penso. Não era eu quem devia estar na Academia, era ela.

Esse sentimento de mútua admiração é um dos encantos daquele lar. Filinto esquece os seus versos e pensa nos romances da esposa. Leva-a a certos trechos da cidade para observar o meio onde se desenvolverão as cenas futuras, é o seu primeiro leitor, ajuda-a com um respeito forte e másculo. D. Júlia ama os versos do esposo, quer que ele continue a escrever, coordena o volume prestes a entrar no prelo. E ambos, nessa serena amizade, feita de amor e de respeito, envolvem os filhos numa suave atmosfera de bondade.

— Tens no teu questionário uma pergunta a respeito da influência do jornalismo. Nós todos somos um resultado do jornalismo. Antes da geração dominante, não havia bem uma literatura. O jornalismo criou a profissão, fez trabalhar, aclarou o espírito da língua, deu ao Brasil os seus melhores prosadores. Não é em geral um fator bom para a arte literária, e talvez no Brasil não o seja muito em breve, mas já foi e ainda o é. Falas também das literaturas à parte. Tivemos a *Mina* da Bahia, a *Padaria* do Ceará, temos os ocultistas decadentes do Paraná, mas tudo isso mais ou menos desaparece ou tende a desaparecer. A literatura centralizou-se no Rio. Os rapazes de talento abandonam a província pela capital, e quando lá estão, são sempre reflexos daqui. Não existirá nunca a arte regional.

Mas aparece a Lúcia, a outra filha, uma beleza brasileira, morena, redondinha, acariciadora.

Filinto abandona a arte regional, a *Mina*, a *Padaria*, os decadentes, para cobri-la de beijos,

— Sabes como eu a chamo? *Sinhá Midobi*. Ai! A minha filha! E faz versos. Esta casa está perdida, fazem todos versos, são todos poetas, o menos poeta sou eu...

D. Júlia volta.

— Então o Albano?

— Bem, está direito. Sabe o Sr. que é muito dificil responder ao seu inquérito? Tem tanta coisa! Começa logo com uma pergunta complexa a respeito de formação literária. Tive duas criaturas que a fizeram, meu pai e meu marido. Em solteira, meu pai dava-me livros portugueses, o Camilo, o Júlio Diniz, Garrett, Herculano. Já publicara livros quando casei, e só depois de casada é que li, por conselho de meu marido, os modernos daquele tempo, Zola, Flaubert, Maupassant.

— Maupassant causou-lhe uma grande impressão. *A Viúva Simões*...

— Eu li Maupassant depois de publicada *A Viúva Simões*. Sou de muito pouca leitura. Era capaz de passar a vida lendo, mas uma dona de casa não pode perder tanto tempo. E até fico nervosa quando vejo livros por abrir. Seria tão agradável gastar a existência lendo!... Quem, entretanto, cuidaria dos filhos, dos arranjos da casa?

— Como faz os seus romances, D. Júlia?

— Aos poucos, devagar, com o tempo. Já não escrevo para os jornais porque é impossível fazer crônicas, trabalhos de começar e acabar. Idealizo o romance, faço o *canevas*[5] dos primeiros capítulos, tiro uma lista dos personagens principais, e depois, hoje algumas linhas, amanhã outras, sempre consigo acabá-lo. Há uma certa hora do dia em que as coisas ficam mais tranquilas. É a essa hora que escrevo, em geral depois do almoço. Digo às meninas: — Fiquem a brincar com os bonecos que eu vou brincar um pouco com os meus. Fecho-me aqui, nesta sala, e escrevo. Mas não há meio de esquecer a casa. Ora entra uma criada a fazer perguntas, ora é uma das crianças que chora. Às vezes não posso

5 Traduzido do francês: resumo, rascunho. Tem origem na palavra italiana *canovaccio*, que significa os elementos básicos da trama de uma peça, sem entrar nos detalhes.

absolutamente sentar-me cinco minutos, e é nestes dias que sinto uma imperiosa, uma irresistível vontade de escrever...

— E apesar disso — diz Filinto —, tem doze volumes publicados e começa a escrever um grande romance.

— Oh! Um livro muito difícil, apenas esboçado, sobre a vida das praias, dos pescadores.

D. Júlia está sentada na sombra, fala dos livros e dos filhos ao mesmo tempo. Estou a crer que os confunde e pensa nos personagens da fantasia criadora como beija os meigos frutos da sua vida. É calma, repousada, doce a sua voz, como são maternais os gestos seus. Qualquer coisa de suave e de simples aureola-lhe o semblante, impõe a veneração. Uma grande sinceridade, tal que decerto, ao ouvi-la, as almas mais retraídas lhe devem confessar a vida e pedir-lhe conselhos, como se pede aos bons e aos misericordiosos.

— E que me diz das escolas em luta, do socialismo, do nefelibatismo[6], do feminismo?

— Há tudo isso?

— Pelo menos parece. A *Regeneração*, o *Ideólogo*, Tolstoi, e logo depois Stirner, Nitzsche, o naturismo; o simbolismo...

— Deus do céu! É verdade que eu leio pouco. Algum desses senhores, entretanto, (creio que os nefelibatas) são por demais complicados. A arte, para mim, é a simplicidade. Ser simples e sóbrio é um ideal. Eles, ao contrário, confundem, torturam, torcem.

— A verdade é que nós atravessamos um período estacionário — intervém Filinto. — Esse mesmo nefelibatismo passou. A geração vitoriosa é ainda a de Bilac, Alberto, Raimundo na poesia e Machado de Assis, Neto, Aluísio na prosa.

— E o feminismo, que pensa do feminismo?

Parece-me ver nos olhos de D. Júlia um brilho de vaga ironia.

— Sim, com efeito, há algumas senhoras que pensam nisso. No Brasil o movimento não é, contudo, grande. Acabo de receber um convite de Júlia Cortines para colaborar numa revista dedicada às mulheres. Descanse! Há uma seção de modas, é uma revista no gênero da *Femina*...

Já passa de duas horas o tempo em que eu, numa *causeuse*[7] de couro, interrogo inquisitoriamente os dois artistas. Levanto-me.

— Vai-se embora? Tão cedo?

6 Movimento de escritores que não tendiam a seguir uma regra literária. Alguns poetas brasileiros seguiram as ideias de Baudelaire, Mallarmé e Verlaine e por isso eram considerados decadentes ou nefelibatas, porque ninguém compreendia o que escreviam.

7 Traduzido do francês: pequeno sofá de dois lugares.

— Duas horas! Há lá embaixo, naquela fornalha, uma outra fornalha que me espera, o jornal. Despeço-me. Ainda uma pergunta: dos seus livros qual prefere?

— Vai ficar admirado.

— É *A Falência*?

— Não.

— O primeiro?

— Não, é *A Casa Verde*, porque foi escrito de colaboração com meu marido. *A Casa Verde* lembra-me uma porção de momentos felizes...

— Imagina eu fazendo romances! Era porque ela queria. Também só me sentava à mesa depois que me dizia: tem que fazer um capítulo hoje com estes personagens, dando-lhe este desenvolvimento.

D. Júlia sorri. Como o *tramway* passe, precipito-me, e, ao tirar o chapéu, já dentro do carro, vejo no terraço os três airosos perfis dos três petizes de Filinto, que adejam no ar as mãozinhas de rosas.

Então, enquanto o *tramway* descia a montanha, com a visão daquelas duas horas embaladoras, eu pensei que o adeus perfumado das crianças fora como um resumo e um símbolo do espírito daquele lar. Filinto dividiu o tempo entre o esforço material e o verso, para lhes dar o conforto. D. Júlia, a criadora genial, tem a doce arte de ser mãe. E os seus livros não são outra coisa, na sua intensa verdade, que a evocação do Amor, do Amor multiforme, fatal como o viver, o Amor em que se desnastra como um harpejo de alegria, como a esperança mesma da vida presente, crendo no futuro, o riso cantante das crianças...

Capítulo I
A CASA VERDE

A dois quilômetros da praia de Icaraí existia, ainda nos primeiros anos da República, uma casa que a gente do lugar tinha na conta de mal-assombrada. O prédio era antigo e sólido, dentro de um enorme jardim sem flores onde, sob capas de limo, jaziam estátuas derrocadas e tanques esborcinados e vazios. Sobre as pilastras do portão principal, um portão nobre de grandes dimensões, dois perdigueiros de velha faiança portuguesa, injuriados por alguma pedrada irreverente, pareciam ainda, na sua impassibilidade, quererem defender o lar destruído. De um lado do edifício o pomar, todo emaranhado em cipós e em ervas-passarinho, confinava com um trecho de mata negro e bárbaro, onde havia muito não penetrava o machado, com medo das cobras e dos espinheiros. Do outro lado, uma árvore imensa assombrava a parte do jardim a que se seguia a lavanderia com as suas bacias de pedra e os seus coradouros, agora cobertos de tiririca e de vassourinha. Na tristeza de tamanho abandono, as grossas paredes do casarão se esverdinhavam à umidade das chuvas, enferrujavam-se as grades e as portas batiam ao sopro de ventania. Ninguém se atrevia a entrar ali. Para quê? Se lá dentro só havia ruínas e perigos?

Dizia a lenda que naquele sítio fora assassinada uma mulher, que o marido enterrara ainda agonizante, plantando-lhe sobre a sepultura uma cruz feita com um galho verde de figueira brava. Fora dessa cruz tosca, fincada na terra pela mão de um pecador, que tinha rebentado a árvore que ali estava agora, imensa e tenebrosa. Mais tarde, alguém, desejando converter essas terras inaproveitadas em lavouras férteis e parques amenos, construiu nelas o seu solar amplo e tranquilo, bem pousado em formidáveis alicerces, bem defendido por paredes grossas.

Esse alguém tivera amor àquilo. Sentia-se ainda isso nas largas barras de azulejo que revestiam o corredor, nas pinturas já fanadas do teto da capela e no brasão esculpido em mármore na pia do refeitório, em que dois leões alados se olhavam de face, separados por um escudo e duas espadas em x. Pouco tempo, porém, a casa fora habitada, de tal modo os dias tinham nela decorridos tristes e aflitivos para os seus moradores, de que apenas se dizia que tinham tido seges, cadeirinhas, numa vaga tradição de luxo, sem traço firme.

Era assim, mais ou menos, contada a história da Casa Verde, assim denominada por ter agora as paredes inteiramente revestidas de hera. Estava ela assim em absoluto abandono quando apareceu em Niterói um inglês, homem já grisalho e de ar asseado, chamado Jorge Lane.

Mr. Lane, viúvo de uma senhora baiana, viera do Norte para estabelecer-se no Rio. Depois de ter escolhido Niterói para a montagem da sua fábrica e de a ter organizado, pôs-se a procurar pelos arredores um sítio aprazível onde pudesse acomodar a filha, moça já de vinte e poucos anos e que era toda a luz dos seus olhos. E nessas pesquisas topou com a casa assombrada, solitária, no meio da sua verdura agreste e rude.

Encantou-o, sobretudo, a velha figueira de copa ramalhuda. Indagou. A propriedade era de um ricaço que habitava na Europa. Procurou o seu correspondente e fez a transação.

Houve quem o avisasse: ele ia cometer uma imprudência; por sobre aquelas tábuas deslizavam passos de seres invisíveis, havia bulhas suspeitas... Ele sorriu e levantou os ombros. Armaria ratoeiras e não teria dentro de pouco tempo nenhum só camundongo que lhe desacreditasse a casa. Dias depois, deu começo às obras.

Acudiram logo arquitetos modernos propondo-se a modificar com pavilhões de linhas quebradas e ornamentações de estuque a forma de caixote da Casa Verde. Mr. Lane repelia-os docemente. Agradava-lhe exatamente aquela simplicidade, aquela naturalidade acomodada e serena. Amigo do conforto, ele transformava muitas coisas no interior, renovando, rasgando portas, fazendo banheiros com instalações modernas, modificando, limpando, envernizando, mas aproveitando ao mesmo tempo tudo quanto pudesse conservar à residência o seu tipo primitivo. Gostava da tradição, mesmo em país estranho.

A casa abandonada, em que almas penadas pernoitavam aos uivos, surgia agora risonha e fresca para uma vida nova.

Decididamente os ingleses são maníacos, diziam entre si os operários. Para que quereria este deixar de pé tantas árvores inúteis no jardim e algumas estátuas já esfoladas ou sem nariz?

Só a peso de ouro os operários consentiram em pernoitar nas obras como vigias; mas nunca sozinhos. Um deles afirmava ter visto pelas madrugadas uma mulher chorando, encostada à figueira. Outro sentira alisar-lhe o rosto mãos finas e geladas, em carícias lentas.

Mr. Lane não os ouvia. Entretanto, os mais afamados floricultores da capital foram chamados à concorrência para os jardins da Casa Verde, e a todos ele recomendavam que não esquecessem dos cravos vermelhos, que era a flor predileta da sua Mary.

Ao ver tudo concluído, Mr. Lane escreveu ao sogro pedindo-lhe que mandasse a neta em companhia da sua preceptora, Mme. Girard, e da Rita, mulata de confiança da família Guerra. O pedido foi atendido.

Escrevia ele uma manhã no seu escritório da fábrica, quando lhe entregaram um telegrama:

"Sigo Danúbio.
Mary"
Enfim!

Capítulo II
A FIGUEIRA BRAVA

Quando o *Danúbio* parou no ancoradouro, já a lancha de Mr. Lane o vigiava de perto. No tombadilho Mary esperava o pai com impaciência. Filha de baiana, o seu tipo compartilhava das duas raças, inglesa e brasileira. Se os cabelos eram negros, a pele era alva e os olhos de um azul escuro, por vezes límpido, por vezes sombrio.

A originalidade do seu tipo e o seu modo aparentemente frio e concentrado faziam-na parecer antipática às pessoas vulgares; mas as que dela se aproximassem, ou mesmo de longe observassem com atenção a doçura do sorriso e a harmonia no gesto, sentiam-se logo vencidas pela sua finura e o seu encanto. Como o seu tipo, a sua alma era modelada pela influência das duas raças fundidas. Ímpeto e reflexão; obstinação e piedade; independência e meiguice.

"Ela é fiel até aos seus erros", costumava dizer o avô, ao corrigir-lhe em pequena os seus cadernos de ortografia. Ao que a avó acrescentava:

— Mary não dá nem dará nunca o seu braço a torcer. Quando embirra que uma coisa seja como ela entende o que quer que seja, ninguém a persuadirá a fazê-la de outro modo. Nisso parece-se com o pai, que é um teimoso.

Dentro de poucos minutos Mr. Lane apertava a filha ao coração.

— Boa viagem?

— Excelente.

— Teus avós?

— Ficaram bem. Deixa-me apresentar-te ao capitão...

A preceptora, Mme. Girard, despedia-se dos outros passageiros em trânsito, distribuindo cartões de visita e apertos apressados de mão, sorrindo através do veuzinho de filó que lhe embelezava o rosto redondo, bem conservado para os seus quarenta e seis anos. Rita, a mulata, relíquia familiar dos Guerra, da Vitória, carregava a bolsa de Mary, olhando com desprazer para tudo. Ela notou logo, num relance, que as laranjas e os abacaxis, que via ali empilhados numa catraia, não eram tão bonitos como os da Bahia.

— Bem diz Ioiô que as nossas frutas são as melhores do mundo — resmungou ela, atirando para as coisas do Sul a sua antipatia de nortista.

Mary apresentou Mr. Lane ao comandante, e foi de pé, na sala do bar, que eles se saudaram tocando as suas taças de champanhe.

Caía a tarde quando a família Lane entrou na Casa Verde. A francesa achou logo aquilo muito solitário. O que a seduzira, o que a empolgara fora a entrada do porto. *Quelle merveille!*[1]

Rita esgotava-se em muxoxos. Se isso se podia comparar à sua doce terra de S. Salvador! Nem mesmo vira para os lados da cidade tantas torres de igreja como há lá. Virgem Nossa Senhora!

Mr. Lane mal as ouvia, todo voltado para a filha. No jardim, ela teve exclamações de alegria diante dos cravos rubros e em frente à figueira estacou maravilhada:

— *What a beautiful tree!*[2]

Àquela exclamação — que bela árvore — Mr. Lane disse com vivacidade:

— Não é verdade? Eu bem dizia; tu sim, tu sabes compreender as coisas. É linda!

E ficaram-se os dois contemplando a árvore.

Mme. Girard achou-a logo muito sombria e disse:

— Boa árvore para enforcados, Mr. Lane!

O inglês mal pôde dissimular um movimento de mau humor.

— Será... Será... Entremos.

Mary percorreu toda a casa. Nas mínimas coisas se lhe revelava o carinho do pai. Os seus aposentos tomavam toda a parte direita do edifício, onde se alinhavam os seus quartos de dormir e de vestir, sala de estudos e aposentos da mestra e da Rita. No seu quarto, além de duas amplas janelas, havia uma porta alpendrada, com um banco de pedra junto ao patamar que lhe facilitaria montar a cavalo, para os seus passeios matinais. E gozava já em imaginação os lindos passeios que havia de fazer por aquelas cercanias.

Mr. Lane reservara para si a parte esquerda do prédio, um pouco entristecida pela sombra da árvore negra. Agradava-lhe aquela luz atenuada, propícia à tranquilidade dos seus olhos cansados. A frente era ocupada pela sala de música, o salão de visitas e o bilhar.

Nos primeiros dias de instalação ninguém saiu; Rita desarrumava as malas para encher os armários; Mme. Girard fazia o seu diário, em atraso, semeando-o de citações de versos franceses, que a sua memória retinha

1 Traduzido do francês: "Que maravilha!"
2 Traduzido do inglês: "Que árvore linda!"

com segurança; Mary revia tudo, mexia em tudo, imprimindo nas coisas em que tocava um pouco do seu gosto e da sua graça.

— Olha, Mary — disse um dia o inglês, barrando o seu pão com a manteiga fresca do almoço —, esta noite o diacho de uma coruja fez um tal barulho na figueira que não me deixou dormir sossegado. Dize ao jardineiro para logo a noitinha disparar alguns tiros para dentro das ramas. De baixo para cima, rente ao tronco. Era o que se fazia em Clifford, na herdade de meus pais, para afugentar as aves noturnas e proteger as frutas.

— *Yes, father!*[3] Entretanto, acho bom guardarmos segredo deste caso — disse ela, rindo. — A nossa figueira já está tão desacreditada...

— Está cada vez mais bonita, é o que ela está.

Foi no entardecer desse dia que Mary saiu a pé com a Mme. Girard num passeio pela estrada, falando sobre coisas de espírito. A francesa abusava dos recitativos; com uma memória de anjo, declamava Musset e Lamartine a propósito de tudo ou mesmo fora de propósito. Mary ouvia-a, às vezes com prazer, outras sem atenção.

A caminhada foi longa; sabiam que Mr. Lane só voltaria para casa à noite, interessado com a montagem de uma máquina nova. Na estrada encontraram o jardineiro, que ia à capital comprar ferramentas, e o ajudante da cavalariça, que levava um animal de sela a passeio. O cocheiro seguira com o carro para buscar o patrão.

— A Rita ficou muito desacompanhada — observou Mary.

— A cozinheira e o copeiro não estão lá?

— A cozinheira só; o copeiro saiu.

— Parece que se combinaram. Que pessoal! Mas descanse, que a Rita não se perde. Já passou a idade perigosa e é bastante forte para defender, até, uma praça de armas.

— Coitada, mas como ela se aborrece nesta solidão... E, entretanto, eu cada vez gosto mais disto. Este sossego, este mar, este mato cheiroso e sobretudo a amplitude do céu que nos envolve, transmitem ao meu coração uma doçura infinita. Os últimos dias da Bahia, com as desinteligências do avô com o tio Eduardo, puseram os meus nervos doentes. Aqui não me sinto num determinado ponto. Sinto-me no universo...

Mme. Girard interrompeu-a com um verso de Hugo:

Dieu n'a fait l'univers que pour faire l'amour![4]

3 Traduzido do inglês: "Sim, pai!"
4 Traduzido do francês: "Deus não criou o universo a não ser para fazer o amor!"

— E o que eu temo, minha querida, é que a Casa Verde se converta numa espécie de convento em que o amor não possa florescer por falta de aplicação! Há tantos dias que aqui estamos e ainda não tivemos uma só visita masculina interessante...

Atrás delas alguém ficara, que não fora visto por se ter ocultado rente à cerca de estrada em frente à Casa Verde. Só depois de ver desaparecerem os vultos das duas senhoras muito ao longe, foi que este alguém ousou saltar a cerca e aproximar-se da grade fronteira. Olhou, não havia ninguém no jardim; esgueirou-se então sorrateiramente pelo portão entreaberto e entrou. Era um rapaz magrinho, pálido e mal vestido. Ele parou ainda um momento, perplexo e deslumbrado.

As murtas e as dracenas em flor enchiam o ar com seu aroma capitoso. Nos relvados largos e macios, já a noite próxima estendia um leve lençol de sombra. Um sussurro de águas mansas cantava lá ao fundo uma canção monótona e dolente. A ocasião era propícia: tudo deserto, nem uma só janela da casa aberta para a frente da estrada. Aventurando-se com uma cautela que afetava naturalidade, o moço dirigiu-se para a parte do jardim que lhe pareceu poder observar melhor, sem correr tanto risco de ser percebido. A figueira ramalhuda como que lhe assegurava a sua proteção.

Tinham-lhe descrito os hábitos da família. Jantava-se à noite, e a essa hora os aposentos da esquerda ficavam em abandono. Ora, era exatamente aí que estavam localizados o escritório e o quarto de dormir do inglês... Um pouco de ousadia e tudo estaria concluído dentro de poucas horas. O essencial era estar do lado de dentro, bem rente à porta ou às janelas do escritório para, quando estivessem todos entretidos com o *roast-beef*[5] e a bulha dos talheres na sala de jantar, ele penetrar sem muito perigo até onde o tinham mandado. Conquanto a empresa estivesse começando bem, vinha-lhe agora repentinamente um medo estúpido de prosseguir, de entrar naquela casa desconhecida. Aproximou-se do terraço e agachou-se por um instante atrás dos seus balaústres. E se de repente se escancarasse a porta? O coração bateu-lhe, tornou a erguer-se e. olhando para todos os lados, conseguiu ir apalpar uma das venezianas. Retirou, porém, logo a mão, com um estremecimento nervoso por ter ouvido bulha de passos dentro da sala. Preparou-se para a eventualidade de ser descoberto, disfarçando a atitude e formulando uma pergunta já ensaiada. Ele fingiria procurar por alguém que não existia nem ali nem em parte nenhuma. Esperou um momento; ninguém apareceu; resolveu então esconder-se no jardim e aguardar melhor oportunidade para entrar

5 Traduzido do inglês: Rosbife.

na casa, fosse pela porta ou por uma janela. Quando o inglês chegasse do trabalho, era natural que fosse aos seus aposentos e os abrisse ao frescor da noite; se ele não pudesse aproveitar dessa ocasião, meter-se-ia mais tarde por uma das portas do fundo.

Que diabo, valia bem arriscar a pele para roubar uma casa daquelas!

De repente, um sopro mais forte do vento trouxe-lhe um som de vozes femininas. Amaldiçoou as senhoras que voltavam tão depressa do seu passeio e, temendo ser surpreendido por elas, procurou com a vista um esconderijo; deu logo com a figueira brava, toda ramalhuda e negra. Em dois segundo encarapitou-se num dos seus galhos, todo oculto pela folhagem espessíssima. Entretanto, não perderia o tempo. Do seu poleiro poderia observar admiravelmente bem os aposentos do inglês assim que ele os abrisse e, enquanto o não fizesse, ele, bem acomodado, poderia até fumar ali um cigarrinho... O vento ou a imaginação haviam-no enganado; as senhoras só voltaram à noite.

Capítulo III

A FIGUEIRA BRAVA

Mary vinha falando dos seus exercícios de *sport*[6] nos jardins do tio Euclides, na Bahia, exercícios aos quais Mme. Girard era completamente indiferente.

— Se não fosse tão tarde, iria atirar ao alvo. Tenho a arma carregada...

— É verdade. Seu pai esta manhã recomendou-lhe que fizesse espantar as corujas. Você deu alguma ordem nesse sentido?

— Não, não dei... Pois vou eu mesma fazer esse serviço.

E Mary correu para casa. Mme. Girard refastelou-se em um banco e declamou Musset, em voz alta:

Il faut dans ce bas monde aimer beaucoup de choses[7].

Divagava ainda de olhos cerrados, quando a discípula voltou.

— Prepare os ouvidos, madame, que aí vai o tiro. Eu já avisei lá dentro que se não alarmassem com o barulho.

— Vai ao acaso?

— Ao acaso. É só para espantar as aves...

A professora, acostumada àquelas coisas, nem sequer alterou a sua posição de repouso.

Mary foi para debaixo da figueira, ergueu a arma e um tiro partiu com um estalido seco. Mas logo a figueira teve um farfalhar esquisito e o baque de um corpo, caindo aos pés de Mary, fê-la recuar e erguer-se a preceptora com um estremeção.

— Que foi?

O susto era tamanho que as duas permaneciam agora estarrecidas, hirtas de pavor, até que Mary, mal dominando a sua impressão, curvou-se para ver. A poucos passos jazia de costas na areia um rapazinho lívido, com o peito manchado de sangue.

6 Traduzido do inglês: esporte.

7 Traduzido do francês: "É preciso neste mundo amar muitas coisas."

— Mme. Girard, matei um menino! — gritou Mary com desespero.

— *Mon Dieu! Mon Dieu!*[8]

— Matei uma criança, sou uma assassina! Mme. Girard, sou uma assassina!

— *Mon Dieu!*

— E agora?

— Talvez não tenha morrido... espere... — E a francesa curvou-se por sua vez e sacudiu os ombros do pequeno. — *Oui, oui... au secours!*[9]

— Não grite — exclamou Mary, imperiosamente. — Chame a Rita. Precisamos escondê-lo antes que meu pai chegue. Que ninguém saiba disto, ouviu? Ninguém!

— *Pas possible. Mon Dieu...*[10]

— Ninguém!

— *Mais au contraire!*[11] Devemos chamar a polícia e contar a verdade. Eu corro ao telefone.

— Se chamarem a polícia, eu mato-me. Entendeu bem? Eu mato-me.

Era tal a expressão de desespero da moça, que a Mme. Girard, toda a tremer, correu a chamar a Rita. A mulata veio como os braços no ar.

— Que me diz, senhora!

— Rita — gemeu a moça de joelhos, voltando para a ama o rosto inundado de lágrimas —, acode-me que sou uma desgraçada...

— Qual história! Você não podia ter adivinhado, uê?

— Precisamos transportá-lo para o meu quarto para que ninguém o veja. Ninguém!

— Você está maluca? Seu quarto é de virgem, é sagrado.

— Não digam que não.

— Digo. Onde é que se viu!

— Pelo amor de Deus, Rita!

— Não pode sê. Se Ioiô velho lá na Bahia sabe disso, aos despois, que há de dizê?

— Mas eu não quero que meu avô saiba, nem meu pai, nem ninguém. Seria uma humilhação para todos e a minha morte. Prefiro morrer a ser presa... tudo, tudo, mas que ninguém saiba!

— Tão vendo só... mas menina, por que é que ele há de ir para o seu quarto?

— Porque eu quero. Porque é o único aposento que tem porta para o lado do bosque, onde alta noite poderemos ir enterrar o cadáver sem

8 Traduzido do francês: "Meu Deus! Meu Deus!"
9 Traduzido do francês: "Sim, sim... ajuda!"
10 Traduzido do francês: "Não é possível. Meu Deus..."
11 Traduzido do francês: "Mas pelo contrário!"

sermos vistas por ninguém... Entenderam agora? Se não quiserem ir, levá-lo-ei sozinha, embora de rastos...

Os olhos de Mary tinham-se feito de um azul quase negro. Uma expressão de energia assustadora irradiava de toda ela. Rita e Mme. Girard cederam, trêmulas de susto.

"É a psicologia de todos os criminosos", pensava a francesa depois consigo; "cometido o crime, mesmo involuntário, eles procuram sempre fugir-lhe à responsabilidade. Nunca pensei que a Mary fosse capaz de tanta fraqueza... O meu dever é contar tudo ao Sr. Lane, e hei de cumprir o meu dever..."

Foi ao deitarem o rapazinho sobre o divã que verificaram estar ele ainda vivo. Mme. Girard caiu logo de joelhos, rezando em ação de graças, enquanto Rita, prática e decidida, ajeitava o ferido e corria em seguida a pôr-lhe compressas de "maravilha" sobre o ferimento.

— Já que não morreu até agora, há de ficar bom...

Resolvendo novas complicações, Rita ordenou a Mary, que se agitava febrilmente de um lado para o outro, que escrevesse imediatamente para a botica, reclamando um médico. Ela encarregaria o Félix de o ir buscar de automóvel, dizendo-lhe ser para a pobre da madama Girard. Já agora correria tudo por sua conta. O que fora feito pela sua iaiá, passaria a ter sido feito por ela, que nada tinha a perder, uê! O Félix faria entrar o doutor pela portinha do bosque e ela pedir-lhe-ia segredo de tudo. Entretanto, seria preciso que Mary entretivesse o pai no salão, como nas outras noites. E aconselhava:

— Vá se vestir, minha filha, disfarce. Você está mais branca que aquele lençol. Se Iaiá velha visse a neta dela assim! Credo! Foi para isto que a gente saiu da Bahia? Vá se enfeitar... sua manga está suja de sangue.

Mary correu horrorizada para o quarto de *toilette*[12] e tirou o vestido com gesto louco, arrancando os botões. Mme. Girard chorava de piedade, vendo com que fúria nervosa a moça mergulhava agora os braços na água fria e a sua expressão de angustiado desespero. Para dar-lhe coragem, Rita veio dizer-lhe que o mocinho abrira os olhos e estava melhor. Que Mary fosse jantar tranquila. Ela respondia pelo doente.

— Você não está mentindo, Rita?!

— Uê... com essas coisas a gente não brinca...

Mme. Girard ajudava a discípula a vestir-se para o jantar. Mas Mary nem se quis ver ao espelho; tomara pavor à sua própria imagem; e recomendava, toda aflita:

12 Quarto de vestir, maquiar, pentear.

— Morto ou vivo, é indispensável que ele seja levado esta noite mesmo para fora daqui...

—Vá descansada. Nós arranjaremos tudo com o doutor...

—Vá descansada! Que inconsciência a sua, Rita, em dizer isso!

— Entonces[13]...

— O que eu exijo é segredo... só... muito segredo.

Segredo! – pensaram consigo a francesa e a mulata. – Como se fosse possível guardarem-no em semelhantes condições! Por menos que os criados se chegassem para aquela parte da casa, como permanecer nela uma pessoa estranha sem ser percebida? Depois contassem com o cheiro do iodofórmio e outras drogas que os médicos põem nas chagas e varam as casas, por maiores que sejam, desde a sala até à cozinha... Previdente, a Rita recomendou:

— Será bom ir imaginando uma ferida para o pé da madama...

— Mas que fazia este rapaz encarapitado na árvore? – perguntou a francesa.

— Esperava a hora para descer e entrar pela porta. Quem não sabe! Ele achou jeito de penetrar no jardim, porque as senhoras, na forma de costume, deixaram naturalmente o portão aberto. Dentro, procurou esconder-se em lugar onde não fosse visto. Mas bem diz o povo, que Deus castiga!

— Rita, a castigada sou eu!

— Cale a boca; você não teve culpa; o culpado é ele e é bom que sofra as consequências. Seu avô dizia que a gente devia ter prêmio quando matasse um gatuno. Mas o mocinho não morre, eu já escutei o coração dele. Mr. Lane já está aí, estou ouvindo o barulho do carro... é preciso que você o receba como todos os dias, senão... temos o caldo entornado. E madama fica aqui: cortou o pé em um vidro, uma garrafa de água de colônia que ela deixou cair no banheiro... ouviu? Vá tranquila.

Mary mal sabia dominar a sua perturbação. Quedou-se gelada. Os passos de Mr. Lane, já no terraço, chamaram-na por fim à realidade e ela correu ao seu encontro num movimento instintivo, enquanto Rita lhe recomendava ainda:

— Olhe que a madama cortou o pé em um caco de vidro, ouviu?

***

— Oh! Temos recepção em *Green House*[14]? — perguntou o inglês à filha, todo risonho.

13 Então.
14 Traduzido do inglês: casa verde.

— Não... por quê?

— Estás muito elegante... mas tão pálida! Sentes-te mal... Estás com uma expressão esquisita.

— Não sinto nada...

— Então por que este ar tão diferente!... Tão...

Mary interrompeu-o com vivacidade:

— Mme. Girard levou para o banheiro um frasco de água de colônia, deixou-o cair ao chão e pisando um caco de vidro, cortou um pé. A vista do sangue impressionou-me muito... talvez fosse por isso.

— Bem, mas agora estás da cor daquele hibisco — disse o inglês, apontando para o hibisco escarlate que rutilava numa jarra. E depois: — *Poor*[15] Mme. Girard; e é fundo o golpe?

— É...

— Nesse caso mandaste chamar um médico?

— Um médico?...

— Então! Havia de ser um pianista?

— A Rita já tratou de tudo; ela tem prática dessas coisas... Parece que mandou chamar um médico...

— Realmente aquela tua ama é preciosa. Entretanto, deverias ter intervindo diretamente no caso. Não teremos então a professora à mesa?

— Não...

— Pois hoje eu vim mais tarde porque tive muito trabalho. Ando como Diógenes[16], à procura de um homem e não o encontro! — e Mr. Lane relatou à filha as dificuldades de obter um empregado como ele desejava.

Luziam já no céu as primeiras estrelas quando foram para a mesa do jantar. Mary mal tocava nos alimentos, sempre com o ouvido à escuta e o coração aos saltos. O pai esboçava a traços largos, mas com muita influência, o plano de uma grande ideia comercial que o assaltara nesta manhã, ao ler o correio de Londres. Tratava-se da montagem de um grande estabelecimento agrícola e de criação de carneiros importados da Nova Zelândia. Escrevera já a Mr. Dyson, da City, o seu correspondente, pedindo livros e tratados sobre a criação de carneiros. Já tinha planos absolutamente novos de tratamento, conservação, cardagem, matança e transporte, e trataria dentro de poucos dias de comprar uma fazenda no Estado do Rio, apropriada a essa espécie de criação. Venderia a lã para a Inglaterra para a fábrica de casimiras do seu amigo Newcomb e a carne congelada para o mercado de Londres.

15 Traduzido do inglês: pobre, coitada.

16 Referência à Diógenes de Sinope (412 a.C. – 323 a.C.), conhecido como Diógenes, o Cínico, que vivia de forma austera procurando por homens verdadeiros (homens autossuficientes e virtuosos).

A filha ouvia-o sem perceber nada. Ao levantarem-se da mesa, o pai exigiu um pouco de música, como nas outras noites. Ele não tinha conseguido que Mary simpatizasse com as melodias britânicas, no que tinha desgosto. Para ele não havia outras mais líricas. Por sua vez, detestava a música italiana, mas dava-se por feliz em ouvir uma ou outra peça alemã ou francesa. Ele mesmo cantava, às vezes, e a sua voz de barítono, embora fraca, não perdera com a idade muito da sua frescura.

—Vai cantar um pouco, enquanto eu fumo um cigarro — disse à filha, sentando-se numa cadeira de balanço, a olhar pelo terraço para o céu escuro, pontilhado de ouro.

Obedecendo a um esforço tremendo, Mary sentou-se ao piano; mas logo ao primeiro acorde levantou os dedos como se os tivesse queimado.

— Que é isso?! — interrogou o inglês.

— Magoei o dedo.

— Pois canta sem acompanhamento... Eu, já agora, não vou dormir sem música...

Para fazer a vontade do pai, completamente, Mary lembrou-se de cantar uma canção inglesa e começou com voz límpida, mas mal segura:

The hours I spent with thee, dear heart
Are as a string of pearls to me.
I count them over every one apart,
My rosary![17]

Era demais. Já não podendo conter a sua comoção, Mary fincou os cotovelos no teclado, escondeu o rosto entre as mãos e desatou a chorar.

Mr. Lane levantou-se de chofre.

— *What is the matter with you?*[18]

— Não é nada... passou...

— Oh! Mary!...

— Foi uma nuvem...

O inglês contemplava a filha com atenção. Era a primeira vez que a via chorar sem causa conhecida. A sua natureza forte enchia-o de orgulho; atribuía-a à sua raça. Era como que um fio da Inglaterra transpassando

17 Traduzido do inglês, essa música se chama The Rosary (O Rosário) e foi composta por Ethelbert Nevin sobre letra de Robert Cameron Rogers, em 1898: "As horas que passei contigo, querido coração / São como um colar de pérolas para mim. / Eu as conto cada uma à parte, / Meu Rosário!"

18 Traduzido do inglês: "Qual é o problema com você?"

de bom senso o temperamento tropical da moça e fazendo-a nesse ponto mais sua do que da terra em que nascera e da mãe de que viera. Via agora que as coisas mudavam e não estava contente. Não era homem de sentimentalidades e procurara por isso mesmo dar à filha uma educação libérrima, fazendo-a praticar a ginástica, a natação, os exercícios a pé e a cavalo, a par dos estudos de música, de desenho, de história natural e de línguas, que eram, a seu ver, esteios magníficos para lhe ampararem a imaginação de latina. Tudo até então correspondera a seu esforço; Mary era desembaraçada, bem-humorada e serena. Eis que de um momento para o outro ela lhe parecia piegas como qualquer menina cuja educação não tivesse sido tão sabiamente dirigida, interrompendo o canto para se dar ao disparate de um acesso de nervos...

Todavia Mr. Lane acariciou a filha com curiosidade e ternura, fixando-lhe no rosto os olhinhos inteligentes, acostumados a serem obedecidos.

— Vamos, Mary, que é isso? Então!

— Não é nada...

— Bem, bem! Vai para o teu quarto... dorme... Dize à Rita que fique ao pé de ti... Manda-a cá: preciso falar-lhe.

À Rita, Mr. Lane recomendou severamente que não deixasse Mary só, e que o chamasse caso houvesse novidade.

Saindo para um giro no jardim, ele julgava descobrir a causa daquilo tudo. *Green House* era por demais solitária. Ele fora um asno e um mau pai. Deveria ter se instalado na Capital. Como ela gostaria de Botafogo, com a sua linda baía larga e mansa como um lago; ou do vale das Laranjeiras, tão poético... e demais teriam ali a companhia dos Bryce... Oh, fora um asno!

A noite estava sossegada. Os pés de murta em flor cheiravam bem. Uma hora suave para idílios, aquela, mas o inglês não a sentia assim; caminhava a largas passadas de um lado para outro, amaldiçoando a ideia de ter escolhido aquele bairro isolado para moradia da filha. Quando poderia ele ter imaginado tão extravagantes consequências? Ah! O seu egoísmo estava bem castigado, bem castigado!...

Entretanto, a porta do quarto se entreabria e a figura de uma mulher escorregava para o terraço alpendrado.

Era Mme. Girard, ansiosa por ir falar ao chefe da casa e contar-lhe lealmente o sucedido. A francesa ia já descer o degrau da casa, quando se sentiu agarrada pela mão forte e imperiosa de Mary.

— Entre. Nem uma palavra a meu pai. Eu já lhe disse: nem uma palavra.

Mme. Girard vergou-se àquela imposição. Conhecia o caráter de Mary e o modo por que ela punha em ação tudo que prometia. Afirmara que se mataria se dissessem a verdade ao pai, e via agora, pela expressão quase feroz do seu olhar, que seria capaz de o fazer. *Elle est folle, elle est absolument folle*[19], pensou consigo e depois:

— Mas a minha consciência, Mary?

— É mais fraca do que a minha vontade. Entre!

Nesse instante Mr. Lane caminhava no fundo da alameda, fazendo planos para uma mudança. A filha iria passar um tempo na Tijuca, perto da família *Green-Wood*. Mandaria para lá o seu cavalo e o seu automóvel para que ela passeasse. Os filhos do *Wood* eram joviais e a mocidade precisa de alegria.

Fora um idiota enterrando a pobre Mary naquele sítio tão selvagem; mas estava em tempo de remediar tudo...

Ao dar volta ao jardim, distinguiu um vulto junto ao portão. Foi ao seu encontro. Era um empregado da fábrica que o vinha chamar para a ver arder.

O industrial não fez nenhuma exclamação, limitou-se a perguntar, muito agastado:

— Não me podia ter dito isso pelo telefone?!

— Não foi possível. Parece que o seu aparelho está com defeito. Mas os bombeiros estão trabalhando... — E prevendo outra pergunta, concluiu: — e eu não sei andar de bicicleta!

— Oh, que gente, que não sabe nada! Bem, espere! Você vai voltar de auto, comigo.

Dentro de poucos minutos eles rodavam para a fábrica.

19 Traduzido do francês: "Ela é louca, ela está completamente louca!"

Capítulo IV
O JURAMENTO

O médico, chamado à pressa de S. Domingos, foi introduzido no quarto de Mary sem que outras pessoas, além da preceptora e de Rita, o percebessem.

Era um rapaz de uns trinta anos, de feições enérgicas e maneiras frias. Apesar de moço, era já considerado entre os colegas como um espírito superior. Embora delicado, ele procurava chegar a todas as conclusões com pequeno dispêndio de palavras, cortando discursos que lhe parecessem enfadonhos e desnecessários com uma palavra que não excluía a cortesia, mas que valia por um ponto final.

O seu nome, Eduardo Abrantes, era já bem conhecido e estimado, não só no meio em que ele vivia, como na roda científica do país, que lhe admirava a argumentação dos artigos na *Gazeta Médica*. Em *Green House,* porém, ninguém o conhecia, ele entrava ali por acaso, por ter sido o primeiro médico encontrado na ocasião e nada mais. Depois de ter examinado o doente, ele declarou-o em estado melindroso e tratou de extrair a bala, alojada entre duas costelas.

Mme. Girard simpatizou logo com o Dr. Abrantes pela maneira porque ele lhe falava em francês. Rita ia e vinha, esperta, facilitando as coisas. Teve de mandar logo outro portador à cidade buscar tiras de gaze, algodão, remédios, o diabo! E era a pobre da preceptora que levava a culpa de tantas caminhadas... O médico percebeu que o tinham empurrado para dentro de um mistério. Mal abriam as portas, apressavam-se logo em fechá-las e ainda lhes corriam por cima os reposteiros, com a intenção manifesta de abafar tudo o que se passava ali dentro do quarto. As duas mulheres que via diante de si, pareciam-lhe indecisas, quer nas falas, curtas e medrosas, quer no olhar, com que fugiam à interrogação do seu. A sua estranheza se acentuou ao chegar-lhe aos ouvidos o som da conversa de Mr. Lane e da filha na sala de jantar. Ele mal conhecia esse senhor; vira-o uma vez de relance na barca, apontado pelo seu amigo Carlos Ramos como um velho elegante, de que tinha agora apenas a ideia do conjunto: um rosto magro, bem barbeado e um corpo esbelto, metido em casimiras cor de avelã com uma florinha na lapela. Era tudo. Achava pouco, agora que estava no interior da sua casa, à cabeceira de um doente cujo estado requeria certas explicações... O seu espanto, porém, chegou ao auge quando momentos depois ouviu uns acordes de piano e uma voz de mulher cantar, como se nada de anormal se estivesse passando em casa. Receando que o barulho da música prejudicasse o doente, o médico voltou-se para as duas mulheres e perguntou com indignada aspereza:

— Mas quem se lembra de cantar agora?!

Rita e a Girard entreolharam-se interditas:

— É Miss Lane...

— Ah!... E não podem pedir à miss que não cante?

— Não senhor.

— Nesse caso saibam que o médico tem às vezes o direito de ordenar, quando não possa pedir. Assim, façam-me o favor de ir dizer lá dentro àquela senhora que feche o piano.

— É impossível — respondeu Rita, com firmeza. — O sr. Lane ignora tudo, e é indispensável que continue a ignorar tudo até o fim. Mary não tarda... Vê? Já parou de cantar. O senhor desculpe, mas nós ainda não tivemos tempo de lhe dar todas as explicações... Tenha paciência e acuda o doente primeiro.

— Mas que estou eu fazendo?

Realmente ainda não houvera uma pausa para a exposição clara da situação, tanto que o médico cuidava estar tratando de um filho de Mme. Girard, cuja palidez e cuja atitude o comoviam. Depois, como era seu o nome que aparecia no receituário, mais essa desconfiança se tornava em persuasão.

Quando Mary entrou no quarto, ele não pode reter um estremecimento de surpresa. A *toilette*[20] elegante da moça dava-lhe um ar insolente, um ar de indiferença pelo sofrimento e pela morte. Mary caminhou até a beira do largo divã, que a Rita tinha transformado em leito do ferido e contemplou o doente longamente, interrogativamente. Uma profunda expressão de tristeza se derramava agora pelo seu lindo rosto.

Mme. Girard, cansada de tantas emoções e sentindo também fraqueza pela falta do jantar, tinha acabado por adormecer em uma poltrona num vão da janela. O médico, de pé, contemplava aquela cena com espanto. Que significava aquela piedade de Mary, tão oposta ao seu canto ainda de há pouco? Conquanto o segredo do lar fosse uma coisa sagrada para o médico, parecia-lhe que não se devia sujeitar a um tal mistério e estava

20 Traduzido do francês: vestuário, roupa.

à espera do momento para exigir explicações. Mary foi ao encontro do seu pensamento; voltando-se de repente para ele, estendeu-lhe a mão e perguntou, mostrando o doente com um gesto:

— Morre?

— Ainda é cedo para o afirmar. O seu estado requer grandes cuidados. Sobretudo silêncio...

— Terá o que for possível. Estamos em condições excepcionalíssimas. Peço-lhe absoluto segredo sobre tudo o que se está passando. Eu não quero que meu pai perceba nada. Ele sofre do coração e se tivesse qualquer abalo, eu morreria de desespero ainda mais depressa do que ele.

— Então este rapazinho não é filho daquela senhora...

— Não sei quem seja — atalhou Mary.

Eduardo Arantes teve um gesto de espanto.

— Mas quem o feriu?

— Fui eu. É indispensável que saiba tudo; não quero que seja cúmplice de um caso que não conhece.

— Sou médico, não sou juiz, minha senhora, nem costumo perguntar o nome aos meus doentes antes de lhes dar o pulso.

— O seu orgulho tem todo o cabimento, mas a minha lealdade exige uma confissão. Disse-lhe duas coisas que lhes pareceram inverossímeis e que são a pura verdade: uma, que meu pai ignora o que se passa aqui; outra, que não conheço a pessoa a quem feri.

O médico desviou o olhar, fascinado pela expressão e a beleza de Mary. A moça, que parecia agora menos agitada, contava-lhe toda a história do seu crime involuntário, sem esconder o mínimo detalhe. O que ela queria sobretudo evitar, agora, era uma comoção forte para o seu velho pai, por lhe ter dito o seu médico da Bahia, Dr. Paula, que ele sofria de uma doença do coração e que um abalo forte poderia matá-lo... A última recomendação que dele recebera fora que poupasse ao pai mesmo os desgostos mais insignificantes...

Entendia bem o doutor?

Sim, ele entendia, mas...

Mary cortou-lhe a objeção com energia:

— Ninguém me convencerá a fazer o contrário do que penso. O que precisamos é transportar hoje mesmo o doente para um hospital. O senhor deliberará qual e vai auxiliar-nos nisso. Ele será tratado em quarto particular e sob a sua vigilância.

— Mais tarde.

— Já!

— Impossível. Ele não poderá sofrer o mais pequeno abalo. Removê-lo seria matá-lo.

— Não é possível!

— Minha senhora!

— Perdoe-me... Seja... Mas só por algumas horas, sim?

— As que forem indispensáveis.

O doente moveu-se e respirou mais alto, com esforço. O médico foi sentar-se a seu lado e apalpou-o com carinho.

O Dr. Abrantes era modesto, criado na pobreza honesta e diligente. Os seus olhos não se tinham habituado aos esplendores do luxo porque a sua clínica era em geral de gente pobre, a quem ele socorria de preferência no impulso da sua alma generosa. Chamavam-no por isso – o médico dos pobres. Muito dedicado ao estudo e à sua velha mãe, de quem era o único arrimo, o Dr. Abrantes mostrara-se sempre de uma frieza singular para com todas as mulheres. Os amigos, que não eram muitos, diziam que ele só conhecia a nudez dos anfiteatros da Escola, e riam-se do seu temperamento feito de indiferença.

Realmente, o Dr. Abrantes, conquanto dotado de talento e imaginação, e sendo amante das artes, não se deixara seduzir jamais pelo semblante de qualquer moça, embora formosa.

A casa da rua de S. Luís, em S. Domingos, era pequena, dentro de um jardinzinho onde nunca faltavam flores bonitas. Era a paixão da velha. Em cada janela havia um canário gorjeador, que a mãe do Dr. Abrantes chamava as crianças da casa. Dentro, a peça principal era ocupada pela biblioteca do moço, em que abundavam livros de médicos célebres.

Se bem que fizesse clínica geral, ele dedicava-se sobretudo à cirurgia e esperava colher grandes glórias dos seus trabalhos e investigações.

— A vida não foi só feita para os estudos — dizia-lhe a mãe muitas vezes.

Ao que ele respondia:

— Mas se nada me dá tanto prazer!

Agora em *Green House*, contemplando o seu doente, perguntava a si mesmo que mistério haveria em tudo aquilo. Deveria acreditar no que lhe diziam.

Mary procurava persuadir agora Mme. Girard a que fosse comer alguma coisa e depois deitar-se no seu quarto, ao que Rita advertiu:

— Uê, gente! Madama não pode ir lá dentro. Por amor do seu pé doente. Eu lhe levarei o jantar à cama. Passe pelo quarto de *toilette*, madama!

— A senhora deve ir repousar, também — disse o médico a Mary.

— Depois...

Fez-se o silêncio por um momento. Como a luz da lâmpada lhe parecesse forte, Mary foi diminuí-la. O médico contemplou-a com admiração. Sobre a meia nudez do seu colo e dos seus braços torneados, a claridade escorregava frouxa e docemente, destacando-os da cor do vestido, cujo tom já se confundia com a penumbra da alcova.

"Ela veste-se como para um baile, para jantar em família... essas inglesas têm paciência", pensou consigo Eduardo, ao mesmo tempo que a moça vinha sentar-se à sua frente.

— Precisamos fazer um contrato — começou ela.

— O que quiser.

— Escute-me com atenção.

— Não é preciso pedir.

— Bem, o contrato é este: o senhor não me há de conhecer em parte alguma onde me vir. Olhará para mim como para uma pessoa absolutamente estranha. Eu farei o mesmo. O segredo mais profundo é o que exijo de tudo o que se passa neste momento.

— Saberei guardá-lo!

— Não procure, iludindo esta determinação, ser-me nunca apresentado...

— Oh! Minha senhora!

— Poder-se-ia trair...

— A senhora é muito exigente!

— Sou previdente, apenas.

— Procurarei obedecer.

— A sua resposta não é decisiva.

— Bem... obedecerei!

— Vejo que o senhor tem uma nobre alma! Deus o recompensará por tudo isto, se é que o senhor crê em Deus... Eu tenho uma educação religiosa muito desencontrada. Minha mãe era uma baiana católica, meu pai é protestante e eu tenho certo escrúpulo em dizer a pessoas que não conheço palavras de fé. Mas o instinto é mais forte que a reflexão e faz-me dizê-las, às vezes, como disse agora.

O doente moveu-se na cama e suspirou alto. Mary foi ajeitar-lhe as roupas com um gesto carinhoso e ficou-se a olhar para ele com atenção.

O médico murmurou, como para consigo:

— É bem feliz este rapazinho...

Mary voltou-se para ele com estupefação:

— Conhece-o?! Quem é?

— A senhora pergunta-me quem ele é! Mas não o saberá melhor do que eu? Não o encontro na sua casa, no seu próprio quarto, segundo me informaram?

Mary retribuiu essas palavras com um olhar seco e escuro. E depois, dominando-se:

— Um pequeno vagabundo da rua, naturalmente... O que me aflige é a ideia de que ele pode ter mãe e que ela esteja desesperada à sua espera...

— Não é tão criança assim, embora o pareça pelo seu talhe franzino — respondeu Eduardo. — E está na idade mais terrível e mais perigosa do homem... — Como Mary o interrogasse com um olhar: — A puberdade.

Capítulo V
O INCÊNDIO DA FÁBRICA

Quando Mr. Lane chegou à curva da rua onde era situada a sua fábrica, já grossos novelos de fumo subiam pelos ares. O trabalho da extinção do fogo durou até além da meia-noite; então o inglês fez servir *whisky* aos homens e agradeceu-lhes o seu concurso. Os seus prejuízos tinham sido grandes, mas a sua serenidade aparente parecia não ligar a isso grande importância. Mr. Lane tinha em alta conta a sua compostura de *gentleman*[21].

Depois de ter recomendado aos vigias o maior cuidado e atenção e dito ao seu *chauffeur*[22] que o fosse buscar em caminho, vinte minutos depois ele saiu a andar a pé pelo cais. Queria pedir à noite e à solidão um pouco de frescura e de calma para a sua cabeça abrasada. A rua, pouco antes rumorejante de povo, carros e apetrechos de bombeiros, estava agora deserta. Antes assim. Não queria testemunha para as impressões que lhe alterassem a expressão habitual do rosto. Nem mesmo à filha, a quem confidenciava as suas alegrias e os seus projetos, ele queria deixar transparecer nunca as suas decepções ou os seus pesares. Tinham atribuído a causa do fogo ao descuido de um operário que tivesse atirado uma ponta de cigarro para o depósito dos fardos de algodão. Não poderia responsabilizar pelo fato a ninguém individualmente. Paciência. Era ter coragem e andar para a frente. E era essa coragem, essa força para lutar com a fronte erguida, que ele procurava haurir, sorvendo o ar em haustos fundos, voltando-se para o mar. E foi num desses instantes que viu desenrodilhar-se diante dos seus pés a figura esquisita de uma mulher que parecia esperar por ele, agachada à borda do paredão. Destacavam-se-lhe na treva as falripas[23] brancas do cabelo esvoaçante e as magras mãos abertas no ar. Ao mesmo tempo, ele lhe ouviu a voz, perguntando-lhe:

— Tens uma filha? Guarda-a. Saberás o que se está passando em tua casa? Os homens são perversos. Um deles tirou-me da casa de meu pai.

21 Traduzido do inglês: cavalheiro.
22 Traduzido do francês: motorista, chofer.
23 Cabelos curtos e ralos.

E tu, a quem roubaste, ó inglês? A toda a gente, hein? Aos pobres, hein? Tem tino, tudo acaba. Olha, eu já fui bonita e agora, vê. — E ela abriu o xale com os dedos nodosos, mostrando o peito descarnado. — A beleza passa, e sendo o melhor dom das mulheres, vê como nos fizeram pouco afortunadas. Queimaram-me a alma os desgostos, e as lágrimas tanto me enevoaram os olhos, que eles hoje só veem bem o fogo! Que lindo estava o fogo da tua fábrica, ó inglês!

— Quem é você? — perguntou Mr. Lane, segurando-a pelo pulso ossudo e forte, com violento desespero.

— Sou a miséria! Sou a fome! Sou a inimiga dos ricos! Sou o protesto da vossa felicidade, eis o que sou! Odeio todos os que vivem bem, todos os que têm dinheiro e exploram os que não têm! Percebes agora, velho feliz, nababo glorioso?

— Sou rico à custa do meu trabalho — respondeu Mr. Lane, maquinalmente, sem largar os pulsos da megera.

— Ah! Ah! Pensas que eu também não trabalhei, eu?! Sou da Europa, como tu: tu és da Inglaterra poderosa, senhora do mundo; eu sou da velha Itália, nação dos pobres... Lá trabalhei desde menina; corria-me o sangue das unhas à força de lidar; não era o sol que eu via ao levantar-me da cama; era a lua, eram as estrelas! Um fabricante como tu sugou a minha mocidade, passada sobre o tear; quando após o serão eu recebia os míseros sete vinténs da diária, ainda me faziam admoestações... Ele está rico, que é mais estúpido e trabalhou menos do que eu! Isto é justiça? Envelheci servindo ao patrão e ao amante que me roubou dos meus pais. Desgraçada coisa, a mulher! Quando para um e para outro fui tida como inútil, deram-me um pontapé e... vai mendigar! Tive ódio da minha terra e da minha gente e fugi! Aqui estou agora semeando ruínas, nem outra coisa pode plantar o desespero e a miséria. Ouve: fui eu que deitei fogo à tua casa!

Mr. Lane compreendeu ter diante dos olhos uma louca, e ainda se encheu de piedade.

Estavam sozinhos, as ondas marulhavam docemente em contraste com as imprecações da anarquista. Cães latiam ao longe e o vento levantava-se suspirando no ar.

Noite de tragédia e melancolia.

— Então, ó inglês, tu não me prendes?

— Não. Vai em paz...

— Não compreendo.

— Pouco importa. Sai do meu caminho.

— Sairei hoje para voltar amanhã, obedecendo ao lema dos meus chefes: *ammazzatti i padroni*[24]*!*

E a velha fugiu, aos uivos.

De que profundezas do inferno teria saído aquela megera? O fabricante nunca a tinha visto antes. Era evidentemente uma louca, uma desgraçada excitada pela vista do incêndio que a tinha talvez atraído até aquele lugar. Há infelicidades muito maiores do que os simples prejuízos de dinheiro – pensava ele consigo, consolando-se do seu desastre, quando estremeceu ouvindo ainda a voz da mulher estranha gritar-lhe já de longe, do fundo das trevas que a encobriam:

—Velho explorador dos pobres, guarda bem a tua filha, antes que ela se pendure pelo pescoço na Figueira do Inferno!

O inglês estacou e levantou o braço, como para desancar em alguém a sua cólera, já arrependido de não ter subjugado a seus pés aquela mulher que ele supusera enferma e agora o feria no coração. E assim estava, hirto e pálido, sondando com a vista a escuridão, quando sentiu atrás de si o rodar macio de seu automóvel.

— Passaram-se vinte minutos — disse-lhe o Félix, fazendo parar o carro.

Recostado nas almofadas da sua limusine, com os ralos cabelos afagados pela viração, ele já não pensava nas ocorrências da sua fábrica. Confiaria à polícia e aos peritos o cuidado das possíveis averiguações e reconstruiria sem alarmes o corpo do edifício destruído pelo fogo, que por felicidade tinha poupado a parte mais importante do estabelecimento, aquela em que estavam instaladas as máquinas melhores. O que lhe absorvia agora o pensamento, despertado pelas terríveis palavras da velha anarquista, era a filha. Mary já não parecia a mesma. Os ares daquela terra deviam-lhe ser prejudiciais. Talvez fosse mais acertado levá-la para a cidade, instalá-la com a Mme. Girard em um bom hotel... Era isso. Tomaria uma assinatura ao Lírico, distrairia a filha, cuja crise nervosa dessa noite o tinha posto apreensivo. Entretanto, ele reconstruiria o seu estabelecimento e faria prender a velha italiana. Como saberia esta da existência de Mary? E por que teria aludido à famosa figueira do seu jardim?

Era já madrugada quando entrou no portão de casa.

O seu aposento, do lado oposto ao de Mary, tinha a porta para as bandas da figueira. Ele trazia sempre consigo a chave de trinco dessa porta e para ela se dirigiu logo, ansioso pelo almejado descanso. Doíam-lhe as pernas e sentia a cabeça fraca...

24 Traduzido do italiano: matar os chefes, os patrões, os mestres.

Ao penetrar na aleia que lhe dava acesso, esbarrou com a ponta da botina em um objeto qualquer, que cedeu ao impulso. Abaixou-se, ergueu-o e verificou que era um revólver! Entrando no seu gabinete, à luz do lampião que o esperava sempre aceso, viu que a arma era da filha; mais descansado, guardou-o em um escaninho do seu contador, não sem dizer com um sorriso: — Cabecinha de vento! — Pôs o ouvido à escuta. A casa estava em sossego.

Uma hora depois, Mr. Lane dormia a sono solto, sem suspeitar nem de leve do drama misterioso que se ia desenvolvendo sob as suas telhas, no quarto virginal da sua Mary!

Nessa noite ele não lera, como de costume, uma página da Bíblia, o livro da alma cristã, que repousava aberto sobre a mesa de cabeceira.

Era na vida de Job, e se algum espírito invisível esvoaçasse por ali, leria este versículo, marcado entre outros, pelo lápis do inglês:

"Nu saí do ventre de minha mãe e nu tornarei para lá: o Senhor o deu, o Senhor o tirou: como foi do agrado do Senhor, assim sucedeu: bendito seja o nome do Senhor."

Para quem conhecesse a grande ambição de Mr. Lane, aquelas palavras mereceriam um sorriso. Ele não quereria voltar nu ao pó. Era amigo da arte, da elegância, do luxo e do conforto. Certamente que o seu corpo, a seu ver, só descansaria dignamente, mesmo depois de morto, entre mármores finos, bem lavrados, de uma escultura simples, severa e imponente. A morte nem a todos nivela, e aquele leitor fervente do livro simples da humanidade, aquele religioso convicto, sabia separar-se sempre dos seus inferiores e escolher uma atmosfera especial onde meter a sua figura. Aquilo era mais instinto e educação do que orgulho natural, e ia bem com o seu tipo afidalgado e distinto.

Por tudo isso é que ele adquirira depressa, sem dar por isso, a fama de homem elegante, com que levantava uma pontinha de inveja de alguns rapazes sem traços característicos e que tentavam imitar-lhe as *toilettes*, os nós das gravatas e a forma dos chapéus. Ele não dava por isso, e depois de ler a Bíblia dos grandes e salutares exemplos de pobreza, ia sonhar com a sua fazenda de carneiros e o sussurro das máquinas novas da sua fábrica de tecidos...

Capítulo VI
GUILHERME BOSTON

Eram cinco horas da manhã quando Mary reapareceu no quarto do doente, já vestida de amazona, para a cavalgada matinal.

— Não devo alterar os meus hábitos — disse ela a Eduardo, que a observava com admiração.

— A senhora é forte...

— Toda a minha força consiste em não querer desgostar meu pai. O nosso doente?

— Por enquanto ainda não lhe posso afirmar nada; mas previno-a de que vou sair também agora.

— É justo. Rita e Mme. Girard estão bem instruídas sobre o que têm a fazer? Vou chamá-las. Se ocorrer qualquer novidade, telefonaremos e então o senhor virá imediatamente, aconteça o que acontecer; do contrário, só deverá voltar à noite.

— Mas, desde que se atribuam as minhas visitas à doença de sua professora, não vejo razão para mistérios.

— Mme. Girard é imprudente, pode desmentir-nos involuntariamente de um momento para o outro. Depois, eu quero assim, há de ser assim: meu pai deita-se às dez horas, venha o senhor às onze. Logo que for possível removeremos o doente para o hospital.

— Hoje não poderei sair sem ser visto!...

— Pode, perfeitamente; esperei o instante em que o chacareiro foi a Niterói buscar o leite e o pão e em que meu pai está no banheiro, para ir abrir-lhe a porta da prisão. Rita está de sentinela. Diga-me agora: o que hei de dar ao nosso doente?

— Nada, a não ser este calmante em caso de febre ou excitação; não o alimentem, a não ser com uma ou duas xícaras de leite.

Mme. Girard e a mulata vieram avisar que tinha chegado o instante de o médico poder sair sem ser percebido pelo Sr. Lane.

O Dr. Abrantes apertou a mão de Mary, contemplando-lhe o rosto abatido e pálido. A moça estava linda, com o seu vestuário muito simples, de casimira azul escura, que lhe desenhava as formas delicadamente arredondadas dos quadris e do seio.

— Não se esqueça do nosso trato — disse-lhe ela à despedida —, seja onde for que me vir, olhe para mim como para uma pessoa absolutamente desconhecida.

O médico inclinou a cabeça num movimento de afirmação e saiu. Caminhando a largas passadas pela estrada de Santa Rosa até alcançar um bonde que o levasse a S. Domingos, ele ia meditando muito contrariado sobre os mistérios do seu novo cliente. A situação desagrada-lhe e indagava da sua própria consciência se lhe assistia o direito de, para guardar o sigilo profissional, continuar a expor-se àquelas visitas sem prevenir o dono da casa...

Entretanto Rita avisava Mary que o pai a esperava no vestíbulo, pronto para o passeio. A moça chegou-se ao espelho e mirou-se; para disfarçar o abatimento das olheiras, puxou o véu para o rosto, perfumou-se, endireitou o chapéu e, calçando as luvas, ia dizendo à Rita:

— Não saia daqui, mãe Rita! Tenha o máximo cuidado com o nosso doente...

O ferido olhava com espanto para a figura de Mary.

—Vai, minha filha! Você é uma heroína!

Logo que Mary apareceu no jardim, Mr. Lane abraçou-a e beijou-a com ternura. A moça mostrava-lhe os dentes em uma risada jovial.

— Acordei hoje com uma vontade louca de dar um passeio com o meu paizinho.

— Pois vamos, minha filha! Bem sabes que o meu desejo é ver-te contente; por isso mesmo resolvi ontem uma coisa.

— Qual é?

— Levar-te para a capital durante a estação do lírico. Precisas de divertimentos.

— Sair agora daqui? — perguntou ela com sobressalto.

— Por que não?

— É impossível! Quero dizer... prefiro isto, a tudo! Bem sabe que, apesar de alegre, eu tenho o gênio contemplativo e amo a liberdade!

— Quem te negaria lá?

— A sociedade, que não me conhece.

— Acho esquisita a tua recusa...

— Não sei por que — respondeu Mary, fazendo um ramo de cravos que pregou no peito da casaquinha abotoada à militar.

— Porque és moça, tens sangue quente e te aborreces aqui em *Green House*!

— Oh! Meu pai, não diga isso; eu sou feliz e estou contente como nunca.

— Tontinha! Antes assim! Dize-me agora: atiraste ontem ao alvo?

Mary mudou de cor e ergueu o busto, muito espantada.

— Hein?...

— Atiraste ontem? — repetiu Mr. Lane, observando a fila.

— Eu!?

— Pois então; com quem estou falando?

— Eu... não...

— Dize a verdade; ao paizinho é proibido enganar.

— Por que diz isto? — perguntou com modo sacudido a moça.

— Porque achei o teu revólver no chão, embaixo da figueira...

— Ah...

— Deves ter cuidado; aquela é uma arma de luxo e o relento de uma noite não é, positivamente, o que a há de conservar!

— Mas...

— Estás confusa. Que mataste?

— Eu? Nada!

— É impossível!

— Por quê?

— Porque lá está, no mesmo lugar, o vestígio de um assassinato — respondeu rindo, Mr. Lane.

— Assassinato? Eu não sou uma assassina!

— De pombos e de andorinhas! Vá lá, que se houvesse um tribunal de pássaros, talvez que não estivesses em bons lençóis!

— Um tribunal de pássaros absolver-me-ia?

— Realmente até os pássaros te amam. E eu gosto dos pássaros principalmente fritos e com manteiga. Por que não nos deste ao jantar?

— Pelo amor de Deus, meu pai! Mudemos de conversa! Matei um pássaro... sim! Assisti a sua agonia, o pobrezinho expirou já nas minhas mãos... um horror! Não tornarei a caçar, aquela arma de valor será atirada ao mar; será o seu melhor paradeiro!

— Não sejas romântica; isto passa com o tempo. Vamos ao nosso passeio!

Quem visse Mr. Lane não suporia que ele tivesse passado uma noite tormentosa.

Vestido de claro, com um raminho de miosótis na lapela, perneiras de pelica e luvas claras, ele zurzia o ar com o seu chicotinho como se quisesse espancar neles os diabinhos-azuis *(the blue devils)* do seu mau humor. Mas logo que a filha lhe apareceu, ele mudou de aspecto. Revestiu-o todo uma grande serenidade. Ele falava português com um sotaque que trinta anos de Brasil não tinham conseguido desvanecer, mas, levado pelo hábito, preferia falar nesta língua em família. Na sua conversava com os compatriotas e com a filha quando tinha algo de grave a comunicar-lhe.

Foi, portanto, com um aperto de coração que Mary ouviu seu pai perguntar-lhe em inglês, com a voz ligeiramente alterada:

— Não me sentiste sair ontem à noite?

— Não, meu pai...

— Nem voltar esta madrugada?

— Também não. Mas por que passou a noite fora de casa?!

O velho calou-se, hesitante. Rompia, gloriosa e fresca, a manhã de um belo dia de inverno; deste doce e confortante inverno fluminense, que não tem a umidade das chuvas nem os sopros arrepiadores da ventania. As casas de Santa Rosa, modestas, caiadas ou pintadas a ocre, alinhavam-se à direita, fechadas quase todas àquela hora matinal; do lado esquerdo havia menos habitações e mais campo. O mato rasteiro rescendia aos primeiros raios do sol nascente e o orvalho da noite, ainda não absorvido, rutilava na relva e caía das árvores lentamente, como uma chuva miúda de diamantes. Da vegetação pobre destacavam-se a espaços, esgalhados e tortos, os cajueiros de largas folhas, lisas e claras. De vez em quando uma porta abria-se para um daqueles terrenos e uma mulher vinha chamar a criação, que rondava a casa à espera do milho matinal. Os dois cavalos, gordos e bem tratados, resfolegando no trote, iam bem a par, com passo igual e sempre à mesma distância um do outro, acostumados já àqueles passeios que os não cansavam.

Em pouco entraram à praia de Icaraí: e diante do maravilhoso espetáculo da enseada, instintivamente os dois cavaleiros encurtaram as rédeas e os animais seguiram a passo. A curva airosa da praia, muito branca, cintilava ao sol, e a água do mar, parada com um lago, de um puríssimo azul de turquesa, era cortada ao meio por uma larga faixa de prata, que se estendia infinitamente, numa estonteante irradiação, pela grandeza enorme da baía. Os penhascos escuros e ásperos, alastrados sobre as águas, formavam ilhotas irregulares, e entre eles, emergindo ereta, velha cabeça diabólica de feiticeira, rindo ironicamente ao sol e ao mar, destacava-se a Itapuca, tão querida dos fazedores de marinhas e mais conhecida no velho mundo que a própria capital do país...

Mary não quis perturbar o silêncio do pai e esperou, contemplando maravilhada, a beleza sem par do local. O seu olhar, azul como o firmamento, seguia na frente, incerto e vago, fitando, sem as ver, as montanhas longínquas da cidade, recortadas sinuosamente no ouro fosco da manhã, formando uma linha ondulosa de que se destacava o Corcovado que, cortado no alto por uma fita de névoa, cravava no azul profundo e límpido a sua crista vitoriosa, e a Gávea, sobre a barra, olhando para os mundos de além-mar do seu tabuleiro amplo, que parece achatado por algum imenso meteorito que em apartadas eras se despenhasse dos céus sobre a montanha e viesse rolando, serra abaixo, formando as depressões, os dentes formidandos[25] da cordilheira. Os olhos da moça viam tudo aquilo; mas à visão não respondia o cérebro e o esplendor do quadro morria-lhe inerte na retina; o seu pensamento estava ausente; e se naquele momento acaso perdesse a luz dos olhos, não saberia dizer, antes de coordenar as ideias esparsas, nem em que ponto estava do caminho, nem quem era o cavaleiro silencioso que marchava a seu lado...

Mr. Lane rompeu afinal o silêncio:

— Houve esta noite um incêndio na fábrica...

A moça estremeceu, chamada bruscamente à realidade por aquela revelação.

— Um incêndio!?

— Ah, não foi nada — acudiu o velho, notando-lhe a súbita palidez. — Apenas se queimou uma parte da ala direita. O susto foi maior que o prejuízo. Incomodou-me porque parece que o incêndio não foi casual... Mas ainda é cedo para afirmar qualquer coisa nesse sentido e se te conto essa suspeita é para pôr-te de prevenção contra qualquer surpresa que te possa causar uma certa criatura que vi ontem pela primeira vez e me disse umas palavras bem extraordinárias...

Mary estremeceu e pensou num relance: haveria qualquer combinação entre o caso de *Green House* e o fogo da fábrica?

Muito calmo, de uma calma pelo menos aparente, o pai contou à filha o caso da noite anterior, o chamado que recebera em casa, o trabalho afanoso da extinção, e por último, o episódio estranho da velha anarquista italiana, gritando-lhe num acesso de loucura, a confissão do delito, agredindo-o na praia, furiosa e transfigurada como um demônio e berrando-lhe ainda de longe, esganiçada e louca, o seu brado subversivo: *Ammazzatti i padroni!*

Mary estava aterrada, convulsa, quase indignada pela serenidade com que o pai ia desfiando aquele rosário de horrores.

— Entregou à polícia essa megera...

— Não. Para quê?

— Ora essa! Para quê? Para que seja punida. Pois não é uma criminosa?

— Não; é uma louca. O que vou fazer é ver se evito que o caso se divulgue, principalmente entre os operários. Mandá-la-ei para uma casa de saúde...

25 Tremendos.

Mary calou-se. Acostumada ao senso reto e profundo do pai, sabia que ele tinha sempre razão e que as suas decisões eram infalivelmente acertadas.

— Mas o senhor há de querer ir à fábrica agora de manhã.

— Quero.

— Então por que me deixou vir por aqui, em vez de irmos diretamente pela nossa estrada?

— Porque este caminho, embora mais longo, é o mais belo e sei o que preferes.

— Mais leva o quádruplo do tempo; ora! Por que não me contou logo o sinistro? Já estaríamos na fábrica a estas horas. Vamos então apressar-nos.

E o chicotinho fino, de punho de prata lavrada, zuniu, fustigando nervosamente o animal. Lane sorriu da impaciência da filha e, pondo o seu cavalo a trote largo, seguiu ao lado da moça, que ia pálida e agitada, e já não via o mar, nem o céu, as montanhas, nem o casario de S. Domingos, que já se estendia de ambos os lados, irregular e sarapintado. Em pouco estavam na extensa rua da Praia, que conduz a Niterói em uma longa curva sobre o cais.

Eram quase oito horas da manhã, quando Miss Lane, dando ao pai a mãozinha enluvada em camurça, se apeava à porta da grande fábrica, em parte destruída pelo incêndio da véspera e guardada por quatro praças da polícia.

Um aprendiz veio tomar conta dos animais e os dois cavaleiros entraram.

À esquerda da entrada, em uma espécie de pavilhão destacado na parte interna do edifício, olhando para o largo pátio central, ficava o escritório do estabelecimento, onde Mr. Lane entrou, seguido da filha.

Era uma sala ampla e simples, toda branca, tendo ao centro a larga carteira dupla, alta e forte, com uma pequena mesa ao lado, onde estava fixada a prensa de copiar, com duas esferas de metal reluzente no braço de ferro; ao fundo, dois cofres ingleses, negros, com frisos dourados, um para os livros de importância, outro para documentos e valores. Em seguida à peça principal um gabinete do proprietário, ornado com certo luxo. Quando Mr. Lane entrou no escritório, o servente foi chamar o guarda-livros, que, avisado do sinistro, tinha vindo a correr, azafamado, mal clareara a manhã, e lá estava agora na ala direita, contemplando os estragos do fogo e da água e aconselhando o subgerente sobre o que havia de fazer.

O guarda-livros, com passo rápido, entrou no escritório onde o esperava Mr. Lane, e ia se dirigir ao patrão com um ar mais compungido que lhe foi possível arranjar, quando deu de rosto com Mary, que ele ainda não conhecia e que não esperava encontrar ali àquela hora. A formosura excepcional da moça perturbou-o enormemente. O seu meio tipo de crioula, em que o cruzamento se denunciava na massa negra do cabelo ondeado sobre a alvura intente da cútis e ao reflexo dos olhos azuis, britânicos, em que havia, iluminados pelo sol tropical, restos da névoa insulana do Norte, vestígios dos mares frígidos, das costas silenciosas e estéreis onde salta o ontario malhado e o urso branco galga às unhadas as montanhas de dura neve.

Também ele, o pobre Guilherme Boston, era meio crioulo, também ele era descendente de irlandeses, porque seu avô paterno, há longos anos, havia emigrado da verde Erin, para vir trabalhar nos campos inexplorados da província do Rio, de S. Gonçalo ao Porto das Caixas. Ou fosse por esta afinidade de raça, ou porque a beleza de Mary esplendesse realmente nesse dia pelo nervosismo que a realçava, o caso é que Guilherme sentiu-se tonto e pressentiu desde logo que aquela formosa criatura franzina lhe encadeara para sempre o seu futuro e que dela lhe viria dali por diante todo o bem – ou todo o mal da vida. Por isso não acertava com a palavra que devia dizer ao seu patrão, que estava diante dele impassível, e que ao notar-lhe a perturbação, disse apenas, com simplicidade e um gesto de cabeça:

— Minha filha.

Depois de titubear por momentos e de cumprimentar a moça, Guilherme conseguiu dizer:

— Estou realmente consternado pela catástrofe. Sei quer o senhor esteve aqui esta noite e lamento que não tivesse mandado chamar-me. Só esta manhã me foram avisar do incêndio. Já aqui estiveram os diretores da Companhia de Seguros para a avaliação dos prejuízos...

— Precisamos fazer um inventário das máquinas estragadas. Mande chamar o subgerente.

Guilherme transmitiu a ordem ao servente e respondeu:

— Ele já fez a relação.

Dali a momentos veio o subgerente, um inglês espadaúdo e barbado, e mostrou a Mr. Lane a nota dos prejuízos. Mr. Lane leu-a com atenção e perguntou depois:

— O delegado ainda não veio?

— Ainda não. Nem talvez aqui volte, porque ficou esta noite até a extinção total do fogo e bem viu que o sinistro foi casual.

— Talvez visse mal. Diga-me: os operários vieram todos?

— Faltou apenas uma mulher.

— Qual?

— Uma velha italiana, Teresa Nutti, que mora com os Sardi e que, segundo disseram estes, desapareceu desde a tarde de ontem.

— Conhece essa mulher?

— É uma meio maluca, que teve há tempos um acesso furioso e quis quebrar um tear. Depois ficou boa e é das mais ativas e mais sérias da fábrica.

— É uma alta e magra, muito morena?

— Essa mesma.

— Pois é preciso procurar a Teresa para que ela informe às autoridades sobre a origem do incêndio...

— Ora essa! Por quê?

— Porque foi ela quem lançou fogo à fábrica. Iludiu-lhe a vigilância, meu caro James.

— Não é possível; eu visitei, como de costume, todas as dependências, depois da saída dos operários, e posso garantir a Mr. Lane que na fábrica não ficou ninguém; fechei, eu próprio, as portas das oficinas... É verdade que não posso explicar o incêndio; mas lá dentro não ficou pessoa alguma.

— Ficou a velha; foi ela mesma que me confessou o crime, esta noite na praia. É preciso procurá-la para esclarecer a justiça e ressalvar a responsabilidade do seguro. Eu não quero ser indenizado de um incêndio que não foi casual. Esclarecida pelo senhor, que a polícia faça o seu inquérito, para depois tratarmos da mulher.

— Tratarmos da mulher? Castigá-la é o que a justiça deve fazer.

— Mas não me disse que é uma louca? Desde o primeiro acesso que essa mulher deveria estar em tratamento. Se isto se tivesse feito, não teríamos agora esse prejuízo...

Enquanto Mr. Lane conversava com James, Guilherme não cessava de contemplar furtivamente a formosa Mary e aprovava com um gesto maquinal de cabeça tudo o que dizia o patrão. A moça, sentada ao lado da grande carteira, assistia com muito interesse à conversa, para notar a insistência daquele olhar que a devorava. Depois de dadas as últimas ordens, recebidas sem objeção, Mr. Lane voltou-se para a filha:

— Vamos almoçar.

A moça cumprimentou com um gesto gracioso e saiu precedida do pai. À porta, montaram os seus cavalos; ela ajudada por Guilherme, que veio, solícito, oferecer-lhe a mão em estribo, delicadeza que não passou despercebida ao velho inglês; os dois cavaleiros partiram a trote, pelo lado de Niterói.

Guilherme encostou-se ao umbral da porta, de onde ficou a olhar embevecido o vulto airoso de Mary, que montava com elegância e correção.

— Excelente rapaz, este Guilherme. Excelente e bem educado — disse Mr. Lane à filha.

— O guarda-livros?

— Sim. Foi um achado. É muito zeloso e trabalhador. Sabe do seu ofício e é quem mais se interessa pelo negócio. Mas o que nele mais me agrada são as maneiras finas. Vê-se que tomou chá em pequeno. Não o achaste simpático?

— Não sei, meu pai — respondeu Mary. — Achei-o um tanto esquisito.

— Não tem nada de esquisito. Naturalmente, com foi a primeira vez que te viu, não podia ser expansivo, nem o momento o permitia. Depois, sabe colocar-se no seu lugar e manter o respeito sem constrangimento. Conto fazer dele um ótimo auxiliar e meu sócio... mais tarde...

— Sim; mas será bom conhecê-lo bem, antes disso.

— Já o conheço.

Com esta resposta concisa, o velho encerrou a conversa, que aliás parecia interessar mediocremente à filha, e pouco depois, com um sorriso, disse-lhe:

— E se nós galopássemos um pouco? Parece que estou com apetite...

Sem responder, Mary fustigou o animal e os dois prosseguiram a galope, levantando ao sol uma poeira dourada.

A este tempo, quem entrasse na fábrica de tecidos, onde o trabalho havia recomeçado ao barulho ensurdecedor dos teares, e se dirigisse ao escritório, veria o guarda-livros mergulhado em profundas cogitações, com os cotovelos fincados no *Diário* aberto sobre a ampla carteira e a cabeça apertada entre as mãos. Era um rapaz de estatura mediana, de rosto oval, claro e rosado, com olhos garços[26] e cabelos louros, raros e finos, primorosamente penteados; sobre os lábios, muito vermelhos, arqueava-se-lhe o bigode pequeno, também louro. Aparte a cor dos cabelos, que denunciava a origem estrangeira, tudo nele era vulgar, nem feio nem belo, sem nenhum traço saliente, sem nenhuma curva característica, sem nenhum defeito que interrompesse a monotonia das feições e lhe marcasse um ar próprio, individual, distinto da massa comum e anônima da sua classe. Moralmente, todos o achavam "um bom rapaz", porque era serviçal e insinuante, e a sua voz, pausada e doce, saía-lhe sempre em frases de bom conselho, bem ordenadas, indulgentes para as faltas alheias e sempre elogiosas para os patrões e gerentes das casas em que estivera empregado.

Da última casa em que estivera, havia se despedido por causa de uma conspiração unânime dos empregados, que não podiam suportar a preferência que lhe davam, a distinção com que o tratavam os patrões. Um belo dia reuniram-se todos e exigiram que ele fosse despedido porque, afirmavam, ele fora o causador, em dois anos, da saída de dez ou doze companheiros, incluídos dois gerentes, e que agora andava dominando de tal sorte o terceiro, que era ele próprio, o guarda-livros, que dirigia todos os serviços do estabelecimento.

26 Verde-azulados.

Diante desta imposição, os donos da casa quiseram resistir e conservar o excelente guarda-livros, mas este, para lhes não criar embaraços, deu, *in continenti*[27], a sua demissão. Disse-se, mais tarde, que aquele nobre ato de Guilherme fora determinado por uma terrível e terminante ameaça que os companheiros lhe haviam feito em segredo, por intermédio do mais velho deles. Isto, porém, seria talvez calúnia...

27 Traduzido do latim: sem demora, sem perda de tempo.

Capítulo VII
A CASA DO MÉDICO

Eram cinco horas da manhã, quando D. Mariana saltou do leito, onde toda a noite não pregara olho!

Carolina, a sua criada, uma rapariga de Maricá, cor de cidra, baixota e moleirona, mas estimada na casa pela sua fidelidade e bons modos, veio com o café e as fatias do pãozinho fofo e colocou a bandeja, coberta com um guardanapo, sobre a mesa, ao lado de D. Mariana.

— Olha — disse-lhe esta —, vai ali à botica e pergunta se há por aí algum doente grave... É a primeira vez que meu filho passa a noite inteira fora de casa, sem me avisar ou dizer onde está!

— A senhora não deve ter cuidado... a vida dos médicos é assim mesmo...

— Não, Carolina, meu filho é cuidadoso... e eu tremo por algum desastre!

— Que poderia ter acontecido?

— Não sei... vai à botica...

— Vou já.

Carolina saiu, um pouco mais apressada do que de costume e D. Mariana engoliu o café sem tocar no pão, coisa que nunca fazia.

Apesar dos seus sessenta anos, era uma senhora ativa e robusta. Adorava o seu Eduardo, único filho, que lhe nascera doze anos depois do casamento, e em quem concentrava toda a sua afeição. Viúva de um militar, D. Mariana saía pouco e entregava-se de corpo e alma às ocupações caseiras. Acostumada à pobreza, não se queixava a ninguém da falta de recursos; ao contrário, o dinheiro fazia milagres em suas mãos! A casa, mesmo no tempo em que Eduardo era estudante e não a podia manter como depois de formado, tinha sempre um ar encantador de asseio e prosperidade.

Depois que o filho se fizera médico, dedicava-se, já mais folgada de haveres, a ajudar a pobreza, e tinha sempre em mãos uma camisola para um afilhado, uma capa para qualquer mendigo, enfim, qualquer costura destinada a agasalhar um desgraçado. O caráter do filho surpreendia-a um pouco. O marido fora um homem irascível; ela era uma senhora expansiva, risonha e meiga, e Eduardo não comparticipava, por certo, nem de um nem de outro gênio! Contudo, como se orgulhava daquele filho, rapaz inteligentíssimo, sério, dedicado ao estudo, terníssimo para ela, amigo da sua casa, leal, probo e sincero!

D. Mariana conhecia que o seu desvanecimento tinha razão de ser e mais ufana[28] se tornava com isso.

Carolina voltou da botica, dizendo:

— Minha ama, lá na botica nada se sabe.

— É impossível!

— Quem sabe se ele está na capital?

— Talvez... mas é singular... não sei o que me adivinha o coração!

— A senhora deve ter paciência...

— Qual!... Se Eduardo fosse um rapaz extravagante, eu não me importaria com isso, mas sempre foi tão bem comportado que até os amigos dizem que ele é de gelo...

— Uê, gente! De gelo?

D. Mariana calou-se, já arrependida; no seu desespero deixava-se levar até à confidência com a Carolina!

— Patroa, a senhora já reparou? A filha do seu Matias está apaixonada por ele...

— Quem disse?

— A gente vê. A senhora arrepare. Quando ela vem cá trazê as flores, ou ajudar a senhora a cozê, fica toda vremeia quando Dr. Eduardo entra na sala!

— E ela é bem bonitinha.

— É, e muito estimada por aí.

— Mas não é casamento para meu filho...

— Ah!... Dr. Eduardo há de querer moça rica!

— Não é por isso... ele é generoso... mas deve casar, se a isso se resolver, com uma moça instruída e de sociedade...

— Como as filhas do Conselheiro?

— Hum... aquelas...

— São muito assanhadas...

— Olha, Carolina, vai ao portão... vê se meu filho vem... anda mais ligeiro!

— Sim, senhora.

D. Mariana, suspirando, começou a tratar dos canários, à janela, pedindo dali informações à criada:

— Então, ainda nada?

— Nada!

— Meu Deus! — Continuava o serviço da limpeza das gaiolas. — Oh, Carolina!

28 Orgulhosa.

— Senhora?

— Você está sempre olhando para o mesmo lado! Olha, vai à ponte... pergunta se viram meu filho por lá ontem à noite...

— Sim... mas... agora vem um bonde...

— Ah! Então...

Houve uma pausa; depois, Carolina gritou para dentro:

— Lá vem ele!

— Ora, graças a Deus! — exclamou D. Mariana, levantando as mãos para o céu, com os olhos cheio de água.

Minutos depois, Eduardo beijava as faces gordas e macias de sua mãe.

— Que susto, meu filho!

— Susto, por quê? Sabe que a minha vida obriga a estas irregularidades...

— Onde estiveste?

Eduardo parou interdito, e depois, não querendo mentir à sua mãe, por quem tinha um verdadeiro fanatismo, murmurou:

— Não me pergunte... Foi no exercício da minha profissão... Estive ao lado de um doente...

— Mas nunca fizeste disso um segredo para mim!

— Perdoe-me se o faço agora; é a primeira vez.

— E será a última?

— Não sei...

— Pouco importa! O principal é que te tenha aqui, a meu lado, vivo e são!

— Pois quê! Chegou a julgar-me morto?

— Oh! Filho, eu julguei tudo, e chorei e rezei, mas agora estou feliz por te abraçar e ver-te aqui.

— Não torne a amofinar-se... talvez que logo tenha de acontecer o mesmo...

— Sim?!

— Sim.

— Oh!

— É preciso, o doente é grave...

— Pois como são as coisas. Mandei Carolina à botica, perguntar se haveria por aí algum doente grave, e disseram que nada constava!

— Não torne a fazer dessas perguntas, minha mãe.

— Por quê?

— Podem ser indiscretas. Imagine que o doente não quer que se saiba o que lhe acontece...

— Ora! Se isso é possível!

— É; rogo-lhe mais...

— O quê?

— Que não diga a ninguém, absolutamente a ninguém, que eu... que passei fora de casa essa noite.

— Bem, filho, fica tranquilo. Serei muda como um peixe! Vai descansar... Carolina, olha uma xícara de café para o Dr. Eduardo!

— Tem razão, minha mãe, preciso de repouso... mas a visita ao hospital?

— Mandas lá dizer que vais mais tarde...

— Não... vou tomar banho, mudar de roupa e dormirei logo um pouco.

— Não te mates, meu filho, não vale a pena!

Eduardo entrou para o seu quarto e D. Mariana ficou entregue aos seus pensamentos. "De duas, uma", dizia ela consigo, "ou o Eduardo está apaixonado e mudou, ou esteve assistindo ao parto de alguma moça de que a família não quer que se saiba cá por fora a história!" A boa senhora sentia-se triste e apreensiva. O temperamento do filho era para ela um elemento de egoística felicidade! Não tendo prazer, nem encontrado deleite na companhia de mulheres, ele parava em casa todo o seu tempo livre, consultando autores ou conversando com a sua mãe.

Estava D. Mariana tratando do último dos seus oito canários, quando ouviu uma voz fresca chamar por ela:

— Bons dias, D. Mariana.

— Oh! Tilde! Entre! Venha cá! Tão cedo na rua!

— Vou assistir à primeira comunhão de Cecília; mas passei por aqui para lhe dar estes morangos, colhidos agora mesmo no meu jardim!

— Obrigada! Como se pagam essas delicadezas?

— Ora, D. Mariana, não caçoe comigo!... — disse a moça, já dentro do jardinzinho e estendendo para a janela uma cestinha de frutas.

— Seu Matias já está bom da perna?

— Felizmente!... Mamãe mandou-lhe lembranças.

— Obrigada. Escute, Tilde, venha ajudar-nos a comer os morangos ao almoço.

— Eu não disse nada em casa...

— Mandamos lá a Carolina; um pulo. É tão perto!

— Não! Logo virei ajudá-la a coser na capa da viúva Brito. Adeus, D. Mariana; mamãe está esperando ali na esquina...

— Adeus, Tilde, reza por mim!

Matilde Lapa – Tilde –, como todos a chamavam em S. Domingos, era uma moça de dezessete anos, baixa, clara, com um formoso cabelo louro, brilhante e ondeado, e um par de olhos castanhos, pequenos, mas de infinita doçura.

Toda ela respirava inocência e bondade, e desde os seus trajes, sempre corretos, mas simples, até às suas palavras, moderadas e tranquilas, havia a mesma nota meiga e agradável. O pai, empregado na Coletoria, era homem já idoso, sossegado, amigo da jardinagem e do cultivo de frutas delicadas. A mãe era doceira afamada e fornecia a bailes e festas as suas trouxas de ovos e pães de ló especiais. Tilde tivera alguma educação; lia francês, bordava a branco e era a alma da casa, que ela trazia sempre fresca e bonitinha, com seus vasos de malva na janela e caixões de violetas no terraço. Morando na vizinhança de D. Mariana, ela apaixonou-se por Eduardo e não via na terra outra pessoa que a ele se igualasse em perfeição.

O moço não dera por isso, e Tilde contentava-se em vê-lo, ouvir-lhe a voz, apertar-lhe a mão. Dedicava por isso grande simpatia a D. Mariana, em cuja companhia estava sempre com prazer. Era a mãe dele, e isso bastava para a tornar adorável aos seus olhos de criança namorada.

Para ajudar a família e pagar colégio para dois irmãos pequenos, Tilde trabalhava para fora, em trabalhos de agulha; as famílias de Niterói e S. Domingos mandavam-lhe os enxovais das suas noivas ou dos seus bebês, para que Tilde os bordasse com as respectivas iniciais. Correr-lhe-ia suavemente a vida, se a pobre Tilde não se tivesse apaixonado pelo vizinho, que, sem nada perceber, a tratava com a fina cortesia da gente preocupada de espírito.

D. Mariana gostava muito da moça e acolhia-a de braços abertos, por lhe conhecer o caráter nobre e o coração compassivo. Tilde era mais bonita do que parecia, porque não sabia fazer valer os seus dotes naturais. A boca era um pouco grande, mas os seus dentes sãos tornavam-na simpática.

Era meio-dia quando o Dr. Eduardo Abrantes se sentou à sua mesa de almoço. A mãe, sorridente, sentada à cabeceira, comia agora com apetite, refeita do seu susto. Tilde já lá estava, sentada a um canto da sala de jantar, perto de uma janela, cosendo na capa destinada a uma viúva pobre.

Por cima da sua cabeça loura, um canário saltitava na gaiolinha, gorjeando alegremente.

— Você não quer nada, Tilde?

— Não, D. Mariana; nós lá em casa almoçamos às dez horas.

Quando estava na presença de Eduardo, a voz de Tilde tinha um som mais argentino[29], conquanto ficasse ligeiramente trêmula.

Carolina ia e vinha, trazendo e levando pratos para a cozinha, com o seu modo arrastado e mole.

— Fala-se muito por aí no incêndio da fábrica? — perguntou D. Mariana.

— Que fábrica, minha mãe?

— Oh, filho! Pois não soubeste?! Puseram ontem fogo à fábrica do inglês.

— Que diz?!

29 Timbre de voz claro e agradável.

Tilde, ouvindo e vendo a admiração de Eduardo, olhou para ele atônita e não se conteve:

— O senhor não sabia!? Uma coisa que fez tanto barulho!

— Eduardo foi ontem ao teatro, milha filha.

— Ah... então sim... Qualquer dia são capazes de ir por fogo à Casa Verde...

Eduardo teve um sobressalto e perguntou:

— Por quê? Mr. Lane é um cavalheiro simpático, homem de bem e como isso tido; a filha...

— Ah! Conheces a filha? — interrompeu vivamente a mãe.

— Não... não conheço; mas ouvi dizer que é uma moça estimável.

— Será — respondeu com um leve pressentimento a pobre Tilde —, mas parece orgulhosa. Oh, muito orgulhosa. Via-a hoje pela primeira vez. É linda! Toda a gente na rua olhava espantada para ela; parecia uma estampa. Deve ser bom ser bonita assim!

— É inglesa?

— Não — atalhou o médico —, é brasileira.

— Falas como quem a conhece.

— Ninguém ignora isso aqui. Miss Lane sai muito e como tem um luxo excepcional, atrai a atenção de todos. Mas, diga-me, Tilde, por que foi que afirmou há pouco aquilo?

— Aquilo... quê?

— Que deitaram fogo à Casa Verde...

— À toa... Que sei eu? Lembrei-me da fama de mal-assombrada que tem aquela habitação. Uma tolice! Dizem até que a Casa Verde é muito aprazível, simples, alegre e abundantíssima de flores. Papai tem uma encomenda de violetas e de cravos para lá e naturalmente eu irei com ele assistir à transplantação dessas flores. Ficarei assim conhecendo a afamada habitação de Mr. e Miss Lane...

— Você deu agora em curiosa? — perguntou rindo D. Mariana.

— Sempre gostei de ver coisas bonitas.

Eduardo voltou-se e contemplou-a, sorrindo.

Aquele movimento fez com que Tilde se tornasse vermelha como uma pitanga madura. Ela baixou depressa a cabeça e apressou os estalidos do dedal na agulha. O coração batia-lhe com força e aos seus ouvidos os gorjeios dos canários pareciam dizer palavras de amor à sua alma modesta e límpida.

Carolina trouxe o café e, com a confiança de criada muito antiga em casa, quedou-se um pouco, com as mãos no espaldar de uma cadeira, olhando para a mesa.

De repente agitaram lá fora a campainha e o médico levantou-se; findara o almoço e devia acudir aos chamados.

D. Mariana foi sentar-se ao lado de Tilde para ajudá-la a coser.

— Devemos acabar essa capa hoje, Tilde; a pobre da viúva Brito anda que é uma vergonha!

— Tem razão. Como ela há de ficar contente! Sabe quem precisa também de um arranjozinho qualquer?

— Não... quem é?

— A Clarinha... a filha do cego. Agora entra para a Escola Normal... Lembrei-me de arranjar para ela aquele vestido meu, de linho cor de rosa, lembra-se?

— Perfeitamente. Mas aquele vestido fica tão bem em você!

— Ela tem o meu tipo, pouco mais ou menos...

— Em todo o caso, um vestido só não basta!

— Depois de feito este, trataremos de outro.

— Dê cá um beijo, Tilde. Você é um anjo!

Como o chamado fosse de pressa, um ataque em um velho, o Dr. Eduardo disse de longe um – até logo! – às duas senhoras, que interromperam por um segundo a costura, pondo-se à escuta dos passos dele, que rangeram na areia e soaram depois rapidamente na calçada.

E a ambas aquele som era querido.

Carolina acabou de tirar a mesa e a casa recaiu no costumado silêncio.

Capítulo VIII

PRIMEIRO AMOR

Eduardo seguia pelo atalho em direção à *Green House*. A noite estava escura e o vento sibilava na ramaria. Tinha preferido ir por ali, a pé, gozando assim com a maior cumplicidade o segredo que lhe impusera Mary. Era já a quarta visita que fazia àquele doente, o que desesperava as enfermeiras, ansiosas por se verem livres dele.

Um sentimento novo invadia com impetuosidade o coração do médico e nem ele mesmo percebia se esse sentimento era só criado pela curiosidade por aquele caso estranho ou se pelo encanto misterioso de se ver envolvido em assuntos românticos, tão alheios à sua índole e ao seu critério. Afinal, em que deveria acreditar? Ter-lhe-iam dito a verdade? Estava talvez mais propenso a crer que se tratasse de uma tentativa de suicídio... Apesar de não ter grandes dotes de imaginação, compunha as cenas em que encaixava mais naturalmente a verossimilhança da situação em que se vira obrigado a intervir. Mas se houvera tensão de suicídio, por que encobri-lo do chefe da família? E como compreender que ninguém da casa conhecesse aquele rapaz, que desejavam evidentemente fazer passar por um menino. Começava a suspeitar de uma paixão. Teria o moço ousado levantar os olhos para Mary? E tê-lo-ia esta ferido em defesa de sua honra?

O seu juramento profissional obrigava-o a aceitar, sem discussão nem revolta, o dever de acudir a qualquer doente em qualquer emergência. Haveria de cumprir o seu dever; e nunca à sua consciência escrupulosa aparecera nenhum tão comprometedor. Mais tarde ou mais cedo seria fatal, tudo se viria a saber; e que papel representaria ele então diante do público. Com que olhar o miraria o próprio Lane? Se ele tivesse adivinhado, melhor fora não ter acudido àquele chamado... Entretanto, a figura esbelta e original de Mary fascinara-o de um modo tal, que ele se dava por feliz em socorrê-la na sua angústia. Havia curtos dias que a vira pela primeira vez, e já não pensava em mais ninguém. Aquele conhecimento, feito em condições extraordinárias e dramáticas, punha-o desde o seu início na intimidade da pessoa mais linda e perturbadora que tinha visto em toda a sua vida. Começava a ter medo. Oh, se ele pudesse fugir-lhe... voltar à sua antiga paz propícia ao estudo...

Parecia-lhe acordar agora de um letargo[30] de muitos anos...

A sua natureza fria, o seu espírito preocupado sempre com os problemas da ciência, que ele perscrutava com amor e absoluta dedicação, rompiam agora todas as suas cadeias para correr livremente para uma mulher! Era a primeira amante que ele desejava, num desejo súbito e violento, tampouco a podia imaginar como esposa, sabendo-a dentro de um enredo secreto e naturalmente comprometedor... Fora talvez mesmo toda a contradição do seu tipo com os seus atos; o seu vestido de baile, a sua música, a sua mentira mantida com tanta firmeza, em contraste com a sua graça virginal e as suas expressões de angústia filial e de piedade para com o ferido, que o tinham despertado tão brutalmente para o amor, mais por curiosidade intelectual, talvez, do que por sexualidade. Era o que ele ia pensando, sem diminuir a presteza dos passos, ansioso por chegar e surpreender enfim a verdade, mas sobretudo ansioso por vê-la e por ouvi-la...

Ainda não eram dez e meia quando chegou à *Green House*. Como o portão do pomar estivesse aberto, ele penetrou ali sem dificuldade, cortando logo em direção à casa.

Ao aproximar-se, porém, teve de parar e esconder-se em um caramanchão de glicínias e rosas brancas, porque havia ainda luz na sala e moviam-se duas sombras no terraço. Eram Mr. Lane e a filha.

O inglês gabava as qualidades do seu guarda-livros, em quem reconhecia uma rara capacidade comercial, ligada a um modo de cativante simpatia. Reproduzia vários de seus ditos serviçais e amáveis, declarando-se feliz por ter encontrado um empregado de tão alto valor. — É uma pérola — concluía ele.

Mary ouvia-o distraída, desfolhando o seu ramo de cravos escarlates, arrancados do cinto.

— Em que pensas, minha filha, que pareces tão abstrata? — perguntou-lhe Mr. Lane, depois de ter concluído a sua narração.

— Penso que é mais fácil conhecer as estrelas do que conhecer o coração dos homens!... E o das mulheres também... O seu guarda-livros mostra o seu caráter como quem o quer mostrar... desconfio um pouco dessa espécie de gente...

— Não sabes o que dizes! És mulher, e como todas as brasileiras, muito pouco prática!

30 Abatimento, prostração.

— Ora, aí está uma coisa interessante! Entre nós dois qual é o menos prático nessa questão? Mas enfim, que me importa o seu guarda-livros? Contanto que o sirva bem no seu ofício!

— Pois talvez não seja assim... Tenho pensado muito, Mary; que idade tens tu?

— Vinte e três anos.

— É isso... Não desejo que te cases com homem frívolo, nem com um esbanjador... o teu marido, para ser a meu gosto, deve ser da minha raça, que é forte; e um pouco educado por mim... Não olhes com *maus olhos* para Guilherme Boston; quem sabe se não estará ali o seu futuro?

Mary deu uma gargalhada.

— Pelo amor de Deus, meu pai! Não fale nisso! Já se esqueceu da nossa projetada viagem? Quero conhecer a sua pátria, ver a sua Londres e ser sempre livre como uma ave nos ares!

— E se eu morrer?

— Um inglês não receia deixar as filhas sós no mundo, quando as tenha educado a seu modo — replicou Mary, arremedando o sotaque o pai.

— Tens razão. Mas tu és brasileira, filha de brasileira e criada no Brasil. Tens imaginação e... e...

— E?

— E és bonita.

— *Thank you, Sir!*[31] — exclamou Mary, rindo.

Saindo de compacto capote de nuvens acumuladas, a lua pálida e branca surgia no céu pouco estrelado. A viração soprava com força, trazendo a música das ondas, que num ritornelo[32] continuado, soluçavam ao longe na praia e as palavras que Mr. Lane trocava com a filha. Encoberto por uns pés de murta em flor, Eduardo tinha como que um amargo deleite em ouvir dali a voz angelical da moça, embora se sentisse contrafeito e assustado. Chegou a ter tentações de romper da treva e caminhar altivamente para os dois, tal a humilhação que o consumia... mas o gosto de ouvir a voz de Mary inebriava-o de uma tal maneira, que se quedou à escuta. Aquele diálogo íntimo revelava-lhe a completa ignorância do inglês do coração tenebroso da filha. Ele julgava-a uma pomba, e ela era talvez uma víbora; em todo o caso, uma mentirosa... E era essa a mulher que lhe despertava o coração para o amor. Sentia a sua desgraça e tinha pressa de se atirar nela! Não era com certeza esse amor o que ele quereria encontrar no seu caminho! Homem de ciência, caráter inteiriço, espírito

31 Traduzido do inglês: "Obrigado, senhor!"
32 Termo musical que se refere ao refrão, repetição.

dedicado ao estudo, por tal modo que lhe sacrificava horas de sono e assim, dias de vida, ele teria, como o ideal, o amor calmo e honesto de uma esposa tranquila e inteligente; mulher sem nervos e de coração bem equilibrado... Agora sentia-se tonto e, de um salto, toda a sua natureza se alarmava, gritando-lhe com força as suas exigências.

Fugia-lhe a prudência costumada, o sangue girava-lhe nas veias com mais ímpeto e a sua vontade sentia, pela vez primeira, a resistência de circunstâncias alheias e indomáveis. O seu temperamento, que o sentimento não gastara ainda, mudara de repente, e ele tremia por aquela súbita transformação. "Mas eu estou louco! Isto é uma vertigem de insânia!"

Mr. Lane continuava no terraço:

— É já tempo de apareceres na sociedade, Mary; vivemos aqui como dois selvagens! Mme. Girard não se queixa disso?

— Não... Que mais quer ela? Tem bons livros, boa mesa, bom ordenado, passeia e é respeitada como merece...

— Realmente estás hoje muito prática! E tu? Não desejas viver de outro modo?

— Absolutamente! Vivo a meu gosto; nado, remo, governo o meu carro, galopo no meu cavalo, leio os meus romances... toco em excelente piano o meu querido Mendelssohn... acha pouco?

— Pouquíssimo. Obriguei-te a esta clausura, a princípio por medo; temia que a mudança de clima te fosse fatal e escolhi este retiro como o mais propício para a tua aclimação. Hoje já vejo que não sofrerás nada com a mudança de meio e é justo que eu dê a tua mocidade os gozos que ela requer. Este inverno alugaremos casa na capital e apresentar-te-ei a algumas famílias de sociedade. O ministro inglês perguntou-me outro dia por ti.

— Ele conhece-me?!

— Viu-te no dia do desembarque, e o comandante do *Danúbio* parece-me que lhe disse muitas coisas feias a teu respeito...

— Imagino!

— Em S. Domingos e Icaraí moram algumas famílias de tratamento e deves fazer-te mais acessível para estabelecermos relações. Antes de ontem fui apresentado ao Conselheiro Rubião Seixas; pareceu-me um homem de fino trato; dizem que as filhas são bem educadas. Por que não as procuras?

— Porque não sei. Tenho sempre pouco tempo para pensar nos outros... A culpa é sua, que me ensinou a prescindir de auxílio alheio para me distrair! Gozo neste sossego de *Green House*, acredite.

— Ainda bem...

A lua agora mostrava-se toda no céu escuro. Mr. Lane e a filha calaram-se, contemplativos. Nos pés de abiu uma coruja riu e outras aves responderam em pontos diversos. O mar prolongava as suas grandes vozes, que vinham em coro pelos ares. Subitamente, de longe, sem se saber donde, saindo do seio negro da noite, ouviu-se um grito e estas palavras, trazidas pelo vento:

— *Ammazzatti i padroni!*

Mr. Lane levantou-se de chofre.

— Ouviste, Mary?!

— Ouvi... ouvi distintamente uma voz dizendo — *Ammazzatti i padroni!*

— É o grito da louca de que te falei... é uma desgraçada perigosa! Estás pálida e trêmula... vejo que isso te impressionou... Vai deitar-te, minha filha, descansa... Ela falou de longe...

— E o senhor?

— Recolho-me também. Vou ler a Bíblia e depois dormir.

— Até que horas costuma ler?

— Até às onze, hora em que invariavelmente me deito, quer tenha, quer não tenha sono.

O velho beijou a filha, que lhe retribuiu com carinho, e ambos se retiraram do terraço.

O médico esperou ainda mais alguns instantes, depois dirigiu-se ao quarto de Mary. A porta abriu-se como por encanto. Já o esperavam. Entrou.

Rita deu-lhe informações minuciosas do doente. A ela parecia que ele podia perfeitamente aguentar o abalo de uma remoção e ir para o hospital. O doutor que considerasse: aquilo não tinha jeito. De um momento para o outro o Sr. Lane podia descobrir a verdade, e com que cara lhe apareceriam? Sem contar que Mme. Girard, coitada, tinha que ficar enclausurada, o que não era para o seu temperamento. Sabia que os estrangeiros gostam muito de andar...

— Fazem eles muito bem. Quanto ao doente, só depois de o examinar poderei dizer alguma coisa. Miss Mary?

Nesse mesmo momento Mary aparecia, já envolta nas dobras de um *peignoir*[33] de veludo azul que a agasalhava, permitindo-lhe ao corpo liberdade e repouso. Os cabelos ondeados e negros enrolavam-se-lhe negligentemente na nuca, e conservava ainda, como último adorno, um fio de pérolas em torno do pescoço branco e delicado.

— Perguntava por mim?

Eduardo, comovido, gaguejou qualquer coisa que ela mal compreendeu. Foi ainda Mary que, ao estender-lhe a mão, murmurou:

— Cada vez é maior o meu susto. Procure abreviar esta aflição, removendo o doente para um hospital. Afinal, já é o quarto dia!

33 Traduzido do francês: vestimenta leve que as mulheres usam em casa, roupão.

— Acredite que o meu interesse não é menor que o seu. Imagina quanto me custa entrar aqui à noite, furtivamente, como um ladrão?

Mary respondeu logo, chocada:

— O seu sacrifício será recompensado.

O olhar de Eduardo faiscou.

— Recompensado, como?

— Como se costumam recompensar estes serviços.

— Com dinheiro? — perguntou ele, pálido, com os lábios a tremerem-lhe.

Mary corou violentamente, já sem saber como remediar o seu erro, cuja brutalidade lhe pesava. Eduardo olhava para ela com expressão altiva e singular.

— Desculpe-me se o magoei. A tensão nervosa em que vivo há quatro dias perturba-me a razão. Pode acreditar que lhe serei grata, gratíssima por toda a vida, e que bem compreendo o enorme sacrifício que está fazendo por nós...

Uma grande doçura se espalhava agora pelo semblante da moça. Eduardo fixou nela um olhar cheio de surpresa. A mulher orgulhosa e seca desaparecia, para surgir a outra traspassada de candura virginal.

Mme. Girard interveio:

— Afinal, quando poderei eu ficar boa do meu pé...? Olhe, senhor doutor, que estou ansiosa pelo ar livre!

O médico sorriu e foi sentar-se junto à cabeceira do doente, que se agitou, fixando nele um olhar febril e espantado.

— Então, como vamos?

O moço articulou umas palavras numa língua desconhecida.

— Ele é cigano? — perguntou Eduardo, voltando-se para Mary.

— Não sei o que é nem quem é; feri-o por acaso, já disse, atirando para a figueira com o intuito de espantar aves noturnas. Por mais extraordinário que isso pareça, é a verdade. Será esta a única vez em que o impossível se confunda com o possível?

— Mas que fazia ele?... — murmurou Eduardo, perplexo, fixando Mary com agudeza, como a querer surpreender-lhe a revelação.

— Não sei, repito.

Neste momento o doente agitou-se, moveu os braços. Mary, notando-lhe a agitação, disse, com vivacidade:

— Mas deixe as indagações para depois, doutor; agora vamos tratar de salvar este rapaz. Livre-me desta responsabilidade e desta aflição. Ele parece delirar; examine-o.

O médico, vencido pela excitação da moça, curvou-se para o enfermo, tomou-lhe o pulso e verificou com alegria que não tinha febre. Mas, nesse caso, a que atribuir a agitação e as palavras estranhas que ouvira? Até aquela hora o ferido não pronunciara uma palavra; limitara-se a gemer brandamente, apesar das intermitências da febre. Agora, que parecia melhorar, que já articulara umas frases, o médico, que fora o primeiro a recomendar que lhe não falassem, julgou oportuno interrogá-lo.

— Como se sente, meu amigo? Pode responder-me?

O doente murmurou em português, mas com voz apenas perceptível:

— Melhor. Tenho sede.

O Dr. Abrantes, já quase alegre, deu-lhe algumas colheres de água, que pareceram aliviá-lo.

— Diga-me: sente alguma dor?

— Na cabeça.

— É o que eu pensava. Não foi o tiro que lhe fez o maior mal...

— Não foi o tiro?! — interrompeu Mary, vivamente.

— Não; foi a comoção cerebral resultante da queda, o que tornou o caso mais delicado... Ainda não o poderemos remover. Julgo por isso acertado chamar mais alguém que tenha prática de tratar doentes, para as vir ajudar. Se quiserem, eu mesmo me incumbirei de arranjar uma...

— A única dificuldade está no mistério que é preciso guardar. Eu prefiro morrer, já disse, a que alguma coisa do que se está passando transpareça lá fora...

— Lá fora, vá. Mas cá dentro... — murmurou Eduardo.

— Não entendo!

— Ora, diga-me, Miss, se este homem lhe é completamente desconhecido, como afirma...

— E o senhor não crê...

— E eu... creio; se o feriu por mero acaso, e mais – se ele estava oculto na figueira, talvez com más intenções, não compreendo o motivo por que não há de dizer tudo a seu pai. Como médico, eu desde já lhe poderei afirmar que o abalo dessa revelação não lhe poderá ser fatal. Não se trata de um caso de honra, mas de uma ocorrência em que nada pode prejudicar o seu caráter.

— Há uma outra razão que me obriga a guardar o meu segredo até ao fim.

— Ah!...

Uma nuvem passou pelos olhos de Eduardo. Ficaram ambos calados por algum tempo.

Pelo seu fino instinto de mulher, aguçado pelo sofrimento, Mary adivinhou o que se estava passando no pensamento do médico e conseguiu dizer com mal fingida firmeza:

— O senhor está pensando numa monstruosidade. Desculpo-o, porque não me conhece. Tem razão para isso. Veio encontrar nos meus aposentos um rapaz ferido, oculto do chefe da família e rodeado de mistérios. Era natural que fizesse conjecturas desairosas. Eu me arrependo de tudo que fiz, mas não quero voltar atrás, porque não tive só a ideia de poupar a meu pai uma grande comoção, mas também o firme propósito de ocultar o meu crime, embora involuntário, dos olhos de toda a gente. Não quero inspirar a ninguém o mesmo horror que tenho por todos os assassinos. Juro-lhe que não tive outro propósito ao esconder aqui este moço, que supus mais criança. Agora o senhor julgue como quiser.

— Minha senhora!... — balbuciou Eduardo, comovidíssimo por ver lágrimas borbulhando nas pupilas azuis da moça.

Rita entrou no quarto trazendo leite para o doente, que o próprio médico lhe deu às colheradas, ao mesmo tempo que a mulata observava:

— Lá na Igreja do Bonfim, na Bahia, há um santo com uma cabeça parecida com a deste mocinho... Reparem como ele é bonito...

Ao apertar a mão do médico, para a despedida, Mary sentiu-a gelada e trêmula.

A portinha do pomar ficava aberta, Rita tinha-se encarregado de lhe *perder* a chave. Eduardo esgueirou-se por ela à pressa, como um ladrão. Chegando à estrada, respirou com força, feliz por se ver em liberdade, e parou um instante, acendendo o charuto, sem ver que a poucos metros de distância se movia cautelosamente a sombra de um homem, seguindo-lhe os movimentos com interesse e pasmo.

O médico não olhou para trás e recomeçou a sua marcha em passo sossegado. Sentia-se feliz em achar-se sozinho naquela solidão, com a mente povoada de pensamentos a que se podia entregar completamente. Lia claro no seu destino e no seu coração! Amava Miss Lane. Entretanto, via que ela seria sempre para ele um mito, um sonho inatingível! Que poderia ele, médico principiante, embora de mérito, pobre, desinteressado, fazer para alcançar o amor e a mão de uma moça caprichosa, rica, talhada para viver em grande sociedade, exigente por certo e de uma família tão estranha e tão voltada para outros ideais?!

"Os ingleses só gostam de ingleses", pensava Eduardo, esquecido de que Mr. Lane era dos que constituem exceção à regra, pois vivendo no Brasil, fizera família brasileira! Não tinha sido baiana a mãe de Mary?

Como essa tarde chovera, a terra úmida escondia bem a bulha dos passos, e assim Eduardo não percebia que o seguiam a pequena distância! O vulto de um homem movia-se na mesma cadência que ele, ora depressa, ora devagar, parando se ele parava, recuando e ocultando-se nas sebes se temia que ele se voltasse!

A lua escondera-se em grossos novelos de nuvens negras.

Eduardo analisava o seu sentimento com a minúcia com que costumava analisar os casos clínicos! Por que se sentia ele melhor agora, longe de Mary, por quem suspirava e para cuja presença correra ainda havia tão poucas horas? E a consciência lhe respondia – por medo!

Sim, o médico tivera medo de passar mais uma noite sozinho ao lado daquela criatura fascinadora, tendo por única testemunha os olhos de um doente mudo e inerte! Tivera medo de a ver, como nas outras quatro noites, de paixão e de martírio, entre as rendas finas dos seus roupões brancos e as ondas negras do seu cabelo. Tivera medo de, vencido pela paixão, agarrá-la, beijá-la, tonto pelo fulgor dos seus olhos cor de safira e do seu perfume inebriante! Preferira fugir, fugir para o negrume da noite, com os seus desesperos, as suas ideias desencontradas, a sua alma perdida para o sossego, a alegria, o estudo e a esperança!

Atrás dele, sempre em igual distância, a sombra negra vinha, como se as trevas se tivessem condensado em forma humana. Com uma capa, um chapéu de feltro desabado, descaído sobre a testa, ninguém poderia saber que espécie de criatura seria aquela!

Era uma hora quando o Dr. Eduardo entrou no seu perfumado jardinzinho, na rua de São Luís. A dez metros de distância o vulto negro parou, esperando alguns minutos que a casa se fechasse sobre o médico; depois, cautelosamente, foi se aproximando até encostar-se a um batente, procurando conseguir ler o número do portão; nesta diligência distinguiu que, além do número, havia no batente outros dizeres, em uma chapa oval de porcelana branca. Acendeu um fósforo, resguardando-o com a mão em concha, encostou-o ao batente e conseguiu ler:

Dr. Eduardo Abrantes
Médico

O homem encostou-se à grade e perscrutou com vista ávida o interior do jardim. Nas hastes escuras dos arbustos destacavam-se as formas de flores claras. A casa representava um chalé modesto, conquanto elegante e bem tratado.

Depois de alguns minutos de observação, o sombrio espião do médico voltou-se e seguiu a passos rápidos pela rua da Praia.

Capítulo IX
UMA VISITA

No dia seguinte, Mary fez saber ao pai, logo bem cedo, que não faria o seu passeio matinal a cavalo, e Mr. Lane desistiu também de sair, ficando no jardim à espera da filha, que não se fez esperar muito. A moça o foi encontrar na aleia direita, para onde deitavam os aposentos dela e, muito distraído, olhando para o chão. Ela foi de manso, em bicos de pés e, aproveitando a posição do pai, que por muito curvado punha a cabeça ao seu alcance, foi-lhe por trás e tapou-lhe os olhos com as mãozinhas lavadas em água de Chipre.

— Quem é? Adivinhe! — gracejou ela, fazendo voz grossa.

— Quem há de ser?! Estas mãozinhas tão cheirosas só podem pertencer à Rita!

— Pois não é!

— Ah!... Desculpe-me, Mme. Girard!

— Frio! Frio!... — sussurrou a moça, como no jogo do lenço.

— Não conheço mais ninguém!

— Deveras? — exclamou Mary, rindo.

— Deveras!

— Então pague prenda, porque errou! — concluiu Miss Lane, oferendo as faces cor de leite ao pai, para os beijos com que ele a saudava todas as manhãs.

— Marotinha...

— Estava tão distraído!

— Mal sabes por quê... Olha — disse o inglês à filha, apontando-lhe para umas pegadas que se viam distintamente impressas na areia molhada.

Mary mudou de cor, mas teve força para murmurar:

— São passadas do jardineiro, talvez.

— Não. O José tem cada pé de légua e meia e, ou anda descalço, ou com uma sapatrancas[34] de meter medo...

34 Sapatos grossos.

— Serão do cocheiro.

— Bem sabes que o Félix está há três dias com licença na Capital e que só hoje deverá regressar. Por sinal, que deve trazer a parelha para o teu fáeton[35].

— Que bom! Hoje mesmo experimentá-la-ei!

Mary tentava assim desviar para outro ponto a atenção de Mr. Lane; ele, porém, continuou:

— Realmente essas pegadas fazem-me cismar.

— Não sei por quê!

— Ora esta! Não sabes por quê!? Porque são a prova evidente de ter andado gente estranha em nossa casa!

— Isso não quer dizer nada; podem ser pegadas minhas, ou...

— Ora! Não vês que são pés de homem, e homem bem calçado?

— Olhe... Mme. Girard tem os pés bem grandes.

— Os pés de Mme. Girard são muito mais curtos e mais largos...

— Ela tem uns sapatos de homem, com que sai nos dias úmidos. Tem tanto medo de ficar doente!

— Hás de mostrar-me esses sapatos. Vai pedi-los, anda! Mas ela já está boa?!

Mary disfarçou:

— Vejamos que carro é aquele que parou à nossa porta!

Como um socorro providencial para a aflição de Mary, chegava à *Green House* o carrinho velho do Sr. Matias, onde ele costumava fazer as suas viagenzinhas aos arrabaldes para escolha de plantas e parasitas. O carro, comprado já em terceira mão e em uso havia dois anos, gemia nas molas emperradas, balançando-se em meneios cansados pelas estradas do interior.

De longe pareceria uma carrocinha de pão, porque em vez de tolda, o Sr. Matias adicionara-lhe uma caixa para transporte das suas mudas de frutas e de flores.

Na almofada desse *char-a-bancs*[36] transformado, Mr. Lane e a filha viram Tilde sentada ao lado do pai, com uma *toilette*[37] simples, marrom, e um chapelinho de palha ornado de fitas cor de rosa. Tilde, fechando a sombrinha de linho branco, saltou da almofada para o chão, com uma graça de passarinho.

Entretanto, Mr. Lane dizia:

— Já sei! Este homem é um floricultor a quem há tempos encomendei várias mudas de cravos... Ainda bem que trouxe alguém em sua companhia, com quem possas conversar um pouco! Deve ser filha...

35 Carruagem leve, sem cobertura, de quatro rodas.

36 Carruagem com quatro rodas, dois assentos paralelos e tejadilho (espécie de telhado).

37 Traduzido do francês: roupa, vestimenta.

Neste instante, Tilde, com modo acanhado, meio escondida atrás do pai, penetrou no jardim da Casa Verde. Mr. Lane e Miss Lane foram-lhe ao encontro com ar afável.

— Sr. Lane — disse em voz alta o floricultor —, desculpe-me se venho em hora demasiado matinal; mas para a transplantação destas mudas que lhe trago, o calor do sol é pernicioso... Apresento-lhe minha filha que, sabendo que eu vinha para cá, quis acompanhar-me... Estas moças de S. Domingos estão todas desejosas de verem de perto a senhora sua filha!

— Oh! Senhor... — murmurou com um sorriso Mr. Lane.

— Seja bem-vinda! — disse Mary com alegria, estendendo as mãos a Tilde, que se deixou atrair com um sorriso nos lábios.

O floricultor sabia pouco de etiqueta e era mais falador do que um barbeiro. Baixote, gordo, com um enorme bigode grisalho que lhe enfeitava as bochechas vermelhas, ele dava as suas sentenças e tratava com uma familiaridade extraordinária até mesmo as pessoas que o acaso punha pela primeira vez diante de seus olhos. Assim, foi logo determinando quais os melhores canteiros para as flores; e como o jardineiro tardasse, ele, sem pedir licença, tirou os punhos e o casaco e, agachando-se, começou o trabalho, remexendo com mãos peritas, gordas e curtas, a terra escura e fofa do jardim. Mr. Lane apreciava aquilo de pé, correto na sua roupa de flanela clara, onde Mary pregara um grande e cheiroso cravo escarlate.

Entretanto, Mary conduzia Tilde pelo braço, curvando-se ligeiramente para ela, até a um banco de mármore perto da casa.

As suas sombras projetadas na areia branca fariam sorrir quem as contemplasse sem ver as figuras que as projetavam.

Mary era alta, fina, ligeiramente arredondada nos quadris e no seio; Tilde era baixinha e conquanto não fosse gorda, não era também esguia. O cabelo amarrado na nuca em um rolo luminoso e forte, era reproduzido na sombra como uma corcova medonha.

— Gostou do passeio? — perguntou-lhe Mary, para dizer alguma coisa, encantada com o gesto gracioso e tímido da outra.

— Gostei muito! Passamos pela praia de Icaraí e sempre que olho para aquilo fico comovida.

— Tem razão! É bela como um sonho! É o meu passeio predileto. Tenho lá um bote para os meus exercícios de remadura e de natação. Gosta dessas coisas?

Tilde corou e respondeu:

— A minha educação é muito diferente da sua. O meu tempo é escasso... preciso ajudar mamãe e papai não tem paciência para acompanhar-me todos os dias a pontos determinados.

Mary arrependia-se já do que dissera, vendo de relance que o chapeuzinho de Tilde era feito em casa e que o seu vestido não denunciava também arrojos de costureira bem paga.

— Há outros divertimentos bonitos para uma moça — emendou Mary —, flores, por exemplo. Eu acho muito complicado o tratamento das plantas. Saber as boas épocas para semear, colher, podar. E isso é que é ciência delicada!

— É muito simples.

— Quer ensinar-me? Olhe que eu tenho uma predileção doida pelos cravos encarnados. É a minha pontinha de romantismo. Venha de vez em quando ensinar-me a cultivá-los.

— Obrigada!

— Por minha vez, eu lhe darei lições de equitação e de natação. Consente?

— Oh!... Eu não me atrevo a dizer que sim!

— Por quê?

— Porque... tenho muito que fazer... Coso e...

— Então não sai nunca?

— Vou de vez em quando ajudar a mãe do Dr. Abrantes em alguma costura. É uma senhora tão boa... e como mora na minha vizinhança, mamãe consente que eu vá lá sozinha.

Mary erguera o busto e franzia agora ligeiramente as sobrancelhas.

Tilde continuou, vermelha e confusa:

— O Dr. Abrantes é um moço muito distinto e delicado, muito estudioso e dizem todos que ele há de ir longe.

Mary tinha agora o olhar frio e duro e tentava penetrar nos pensamentos da pobre Tilde. Para ela era evidente que o nome do médico viera ali à força, como um estratagema, não percebendo que não era senão um desabafo de coração apaixonado. Tilde dizia a todos, a propósito ou sem propósito, que o Dr. Eduardo Abrantes era o melhor caráter do mundo inteiro. Com isso procurava inconscientemente desafogar o seu coração sem confidentes.

Mary notava a perturbação de Tilde e alguma coisa, inexprimível, nova, lhe abalava o espírito. O nome de Eduardo, pronunciado por outra mulher, causava-lhe uma impressão quase angustiosa.

O floricultor acabou depressa o serviço e, aceitando o sabonete e a toalha de linho que Rita lhe oferecia, lavava as mãos no lago das regas. Mr. Lane veio ao encontro das moças e Mary, vendo-o aproximar-se, disse alto, cortando de uma vez o amoroso discurso de Tilde, e não sem espanto para esta:

— A filha do Sr. Matias acaba de convidar-me para eu ir ver as suas flores... qualquer dia destes iremos lá, pois não?

Capítulo X

O ACIDENTE

Nessa mesma tarde Mary deveria experimentar no seu carro de verão nova parelha de cavalos.

Para disfarçar a situação em que se encontrava, ela aproveitava todos os motivos e pretextos ao seu alcance. Excitada, nervosa, vendo-se obrigada a recalcar dentro de si as suas comoções, tornara-se em poucos dias muito mais pálida e emagrecida, e tinha, sobretudo, um ar abstrato quer tornava o pai mais cuidadoso e aflito. O pesadelo daquele doente, a mentira sempre viva na sua boca, desesperavam-na. Começava a odiar o médico, suspeitando que ele tivesse algum interesse oculto em conservar ali o ferido.

Mary adorava o movimento, a liberdade, a vida com egoísmo, com força e com saúde.

Os requintes de ideias, a fabricação de sonhos, assustavam-na, como a uma criança as coisas sobrenaturais. Impressionável, fugia de tudo que pudesse vibrar com forte pressão nas cordas do seu sentimento. O seu lema era procurar na vida só o lado agradável de todas as coisas e fugir do *amor*, comprovada fonte de amarguras sem consolo. Aquela suposição vinha-lhe da maneira de sentir do pai, homem de paradoxos e de excentricidades comuns em pessoas da sua raça.

Mary dizia às vezes, em ar de graça, que Mr. Lane pescava originalidades a anzol, só para não deixar de parecer inglês!

Na sua rede de seda, Mary, deixando pender na mão o seu volume de Thackeray, que não conseguira ler, seguia em imagens lúcidas os agrupamentos da família Abrantes com a Tilde, e tinha certa inveja daquela pequena pobre, filha de um homem sem delicadezas, que certamente não teria luxo à sua mesa, colchas de cetim na sua cama, nem preceptoras, nem barcos, nem automóveis e carro puxado por uma parelha de magníficos cavalos de raça, mas não mentia e vivia em paz com a sua consciência.

Por isso invejava até o vestidinho marrom de Tilde e aquele chapeuzinho de palha com laços mal dados de fita cor de rosa! É que em tudo aquilo parecia vir um pouco de carinho, de amor e de sossego.

Os olhos do Dr. Eduardo deveriam olhar para essa costureirinha modesta com muito maior simpatia do que olhavam para ela, de cujo caráter talvez suspeitassem...

No quarto, ao lado, Rita e Mme. Girard conversavam baixo, sem querer perturbar o sono do ferido.

— Como acabará tudo isto, Rita?

— Não sei, Mme. Girard! Mas tenho muito medo que não acabe bem! A senhora tem reparado no modo de Mary, como está diferente? Ela até pode adoecer... anda branca como cera, e o que me espanta é que meu amo não tenha descoberto tudo. É porque está preocupado com a história do incêndio. A senhora vê que ele agora não para em casa. É só da fábrica para a polícia e da polícia para a fábrica. Este mocinho põe a gente maluca. Quem diabo será?

— Não é difícil de conjeturar...

— Ladrão! — disse, em voz ainda mais baixa e misteriosa, a Rita.

— Por força... todos se queixam por aí. Há uma quadrilha, disse o doutor.

— E Mary tão cheia de cuidados com ele! Olhe, madama, há horas em que eu tenho vontade de pôr tudo em pratos limpos.

— E teria sido muito mais prudente que tivéssemos obedecido a esse impulso e puséssemos Mr. Lane ao corrente da verdade... Fomos tolas... Mary tem um grande poder!

— O mocinho é bonito... nem parece o que é. Por que será que não pode falar, hein?

— O médico já explicou: porque mais devido à queda do que ao tiro, ele teve uma comoção cerebral. Entretanto já pediu água esta noite por duas vezes... Logo que possa ser removido sem perigo, irá para o hospital. O Dr. Abrantes encarrega-se de o transportar... Tomara já! Estou ansiosa por sair daqui...

— Que tal acha o doutor?

— Acho-o um rapaz distinto.

— Eu também. E um bonito homem.

— É.

Nisso, o doente moveu-se na cama e abriu os olhos. Rita acudiu, pressurosa:

— Quer alguma coisa?

Ele fez sinal que sim, olhando para a porta do gabinete de estudo de Miss Lane.

— Água?

Com extraordinária dificuldade, o doente pôde, arrastando a língua em um som áspero, murmurar:

— Não...

— Ele está fraquíssimo! — acudiu Mme. Girard. — Será bom dar-lhe um pouco de leite, Rita.

— Quer leite? — perguntou de novo a mulata ao doente.

Com o mesmo esforço, o ferido conseguiu, como da primeira vez, murmurar:

— Não...

— Em todo o caso ele já vai entendendo as palavras que lhe dizemos...

— Que quererá?

O enfermo cravou o olhar na porta com tamanha insistência, que tanto a preceptora como a ama compreenderam logo que ele desejava ver Mary.

Rita, muito apressada, foi chamar a moça.

— Mary, minha filha! O mocinho quer ver você! Venha depressa, quem sabe se ele agora vai dizer toda a verdade?! Meu Deus do céu! Estou morta por que se esclareça tudo... Olhe, o hortelão disse que tem visto um homem embuçado todas as noites aí à roda de casa! Com certeza é algum companheiro deste mocinho que anda desconfiado de que já enterramos o amigo aí embaixo da figueira...

— Rita! — murmurou num queixume a pobre Mary, pálida como uma açucena.

— Perdoe, minha filha, mas está nas suas mãos desmanchar esta meada, antes que a coisa complique ainda mais.

— É tarde... tenhamos paciência... o doutor hoje trará uma enfermeira para ajudar-nos. Vocês estão cansadas e com razão.

— Gente! Quem é que se queixa de cansaço? Uma enfermeira será mais uma pessoa para esconder da criadagem! Deus sabe quanto tem custado a esconder este! Sempre caímos numa esparrela!

— Paciência!... — disse Mary, amarrando as fitas do *peignoir*, dirigindo-se para o seu quarto, agora transformado em enfermaria. Logo que entrou, a fisionomia do ferido iluminou-se; dir-se-ia que a saúde voltava a encher-lhe as faces, até havia pouco, encovadas, e dar brilho aos seus grandes olhos febris. Mary aproximou-se, sentou-se num tamborete e perguntou com voz doce e carinhosa, como se falasse a um filho doentinho:

— Está melhor?...

Ele fez sinal afirmativo.

— Ainda bem! Realmente está sem febre — disse Mary com alegria. — Vamos a saber: que quer de mim?

O doente sorriu com os olhos cheios de lágrimas e depois, segurando a mão de Mary, levou-a aos lábios com ternura, e disse com violento esforço:

— Obrigado!

— Descanse... — respondeu-lhe esta; e depois, sem poder conter a sua curiosidade há tanto tempo reprimida, perguntou, baixando o seu formoso rosto sobre a cabeça loura do enfermo: — Diga-me o seu nome, sim?

— Luís... Ulka... — respondeu este, de modo apenas perceptível.

— Tem família?

A essa pergunta, duas grossas lágrimas desprenderam-se dos olhos do mocinho.

— Perdoe-me... — murmurou Mary —, é ainda cedo para interrogações... durma... durma...

Luís Ulka, fatigado com o esforço que tinha feito para falar, adormeceu de novo.

— Bem, Rita, ajude-me a vestir. Vou à fábrica buscar meu pai. Estou contente, tudo vai acabar. Ele já não tem febre, poderá ser removido. Dá-me o meu vestido encarnado e o meu chapéu de papoulas. Gosto de espantar esta modesta Niterói com a audácia do meu luxo. Agora diga ao Félix para atrelar a parelha nova do faeton. Os meus cavalos são lindos. Está aí no que sou bem inglesa, Rita, no modo porque aprecio um belo *pur sang*[38].

Uma hora depois o portão de *Green House* abrira-se de par em par, e o carrinho de Mary saía para a estrada. Sentada na almofada, com as rédeas bem seguras na mão enluvada, o chicote em punho, o seu vestido escarlate brilhando à luz clara do sol, miss Lane, graciosa e fresca, sentia-se com força para segurar os seus fogosos cavalos. Atrás dela, o cocheiro prestava atenção aos seus manejos, admirado da sua destreza e da sua força. "Bem se vê que tem sangue inglês nas veias", pensava consigo.

Eram cinco horas quando o carro e Mary desembocaram na rua da Praia. O mar faiscava nas suas lapidações de safira. De uma barca, acabada de chegar da Capital, saía grande turma de povo, que se dirigia para vários pontos, vendo já os bondes cheios. Às janelas das casas acudia gente, para ver a *filha do inglês* ou a *moça da Casa Verde*, como denominavam Mary. Do alto da almofada, miss Lane dominava tudo com a vista, e o seu olhar agudo viu em um relance, à porta de uma casa, em um grupo de rapazes, o Dr. Eduardo Abrantes, que olhava para ela como num deslumbramento!

Pela primeira vez Mary esqueceu-se de que ia guiando uma parelha de cavalos novos e fogosos! As suas mãos tremeram, os seus pulsos afrouxaram e o seu olhar não via senão o rosto inteligente e sereno do médico! Uma comoção imensa subia-lhe do coração aos olhos.

Os cavalos, sentindo-se menos vigiados, apressaram o trote. Em frente ao grupo de rapazes ouviu-se de repente um grito e uma figura estranha

38 Traduzido do francês: puro sangue.

de mulher, surgindo detrás de uma árvore, espantou com acenos do xale esfarrapado os animais, berrando com fúria: *Ammazzatti i padroni!*

Os cavalos empinaram-se com ímpeto. Mary segurou-se milagrosamente na almofada, ao mesmo tempo que Félix pulava com destreza, na intenção de segurar os cavalos pelo freio; entretanto, já o médico, de um salto, executava a manobra projetada pelo cocheiro.

Desesperada, Mary gritou em inglês aos seus cavalos sem nem mesmo mover a cabeça num cumprimento para Eduardo. Félix conseguiu puxar a parelha pelo freio e por alguns passos até que a marcha do carro se regularizou.

A cena fora rápida, mas assustadora.

Aproveitando aquele momento de susto e de confusão, a velha escapulira-se, sem que ninguém pudesse saber para onde. Procuraram-na em vão pelas ruas adjacentes, mas ninguém teve a curiosidade de curvar-se do cais e espreitar para um velho saveiro de carvão e encalhado na areia, que o mar lambia de vez em quando em pequenas ondas sossegadas.

A velha escondera-se debaixo de uns jacás velhos e um montão de sacos sujos dentro do barco, rindo, rindo baixo, malignamente, daqueles pobres diabos com que ela se divertia, metendo-lhes medo.

O caso foi comentado. Concordavam todos que a tal miss Lane poderia ser muito linda e muito rica, mas era também muito grosseira. Afinal, Eduardo tinha exposto a sua vida por ela, que nem ao menos um seco "obrigada" lhe atirava do alto do seu carrinho. Só o médico não a censurava, lembrando-se do que ela lhe impusera:

"Seja onde for e como for que me encontre, finja que me é absolutamente estranho."

Quando Mary entrou no pátio da fábrica, viu chegarem à porta do escritório Mr. Lane e o seu guarda-livros.

A moça vinha nervosa, abalada e muito risonha, como ficava sempre que uma grande aventura lhe agitava a alma. Guilherme Boston foi ajudá-la a descer, e Mary apertou-lhe a mão com vivacidade, fixando nele os seus olhos de um azul negro. Mr. Lane saiu para o pátio e foi examinar a parelha de perto. Como Félix, respondendo às suas perguntas sobre as ocorrências na viagem, lhe contasse o sucedido, ele voltou-se para Mary, agastado, pedindo-lhe que não fizesse loucuras e perguntando o nome do homem que tão corajosamente pusera em risco a sua vida para a salvar.

Mary ficou da cor do seu vestido, mas voltando-lhe a calma, respondeu com segurança:

— Não sei...

— Não lhe perguntaste?!

— Nada.

— Oh! E ele não o reconheceu, Félix? — perguntou Mr. Lane, voltando-se para o cocheiro.

— Sim, senhor. Aquele moço é um dos médicos mais considerados daqui...

— Há de ser o Dr. Eduardo Abrantes! — exclamou alto, em um arranque irônico, Guilherme Boston.

Mary sentiu frio, como se a tivessem ameaçado com um punhal. O guarda-livros olhava para ela com expressão curiosa.

— Será? — respondeu a moça. — Eu não o conheço.

Havia tanta segurança no tom que que Mary disse estas palavras, que o olhar de Boston errou depois tonto pelo escritório.

Mr. Lane tratava agora de outra questão, a fuga e o aparecimento inesperado da velha louca, operária da fábrica, a italiana Tereza Nutti; e dava ordens terminantes para que a procurassem por toda a parte até encontrá-la. Parecia caçoada, nem a polícia nem ninguém lhe punha a vista em cima e o demo andava sempre na sua frente.

Meia hora depois, Mary e o pai voltaram para *Green House*, preocupados e silenciosos.

Nessa manhã Mr. Lane recebera um aviso singular, que o faria levantar os ombros se à memória não lhe tivesse acudido as pegadas impressas na areia úmida do jardim...

Capítulo XI
LAURINDA

Laurinda, magra e pálida, com os olhos fundos orlados de roxo, entrou vagarosamente na sala quase desguarnecida de móveis, pousou o seu velho livro de "Horas", já sem fecho, na mesinha redonda, desenlaçou o xale de lã preto, atirando-o para as costas de uma cadeira e, voltando-se para Guilherme Boston, com ar tímido e respeitoso, disse:

— Então, já alugaste casa em Niterói?

— Já. Decidi ontem.

— E por que só agora, depois da missa, me disseste isso?

— Porque... porque não me lembrei de te dizer ontem.

— Não te lembraste?!

— Ou não quis. Sou porventura obrigado a dar-te satisfações dos meus atos?

— Bem sei que não — retrucou a moça, com esforço. — Mas era natural que não alugasse casa para morarmos sem que eu a fosse ver primeiro. Apesar de tudo — e Laurinda acentuou com amargura esta frase —, é o que tens feito sempre; este mesmo pardieiro em que estamos, eu vim vê-lo depois que o alugaste...

A fisionomia de Guilherme, antes dura e fechada, transfigurou-se; ele esboçou um sorriso complacente, aproximou-se de Laurinda, imóvel e encostada à mesa, e tomando-lhe as mãos, disse-lhe com aparente meiguice:

— Minha filha... tenho um grande sacrifício a pedir-te, a exigir do teu amor...

A moça, aterrada, tornou-se lívida. No fundo do seu coração, afeito ao sofrimento, preferia ver o Guilherme furioso em um dos seus transportes de cólera terrível, a vê-lo assim meigo e insinuante, suplicando-lhe um sacrifício. Que mais quereria ele, a quem ela já sacrificara honra, família, bem-estar, alegria, futuro?

— Um sacrifício!

— Sim, um grande sacrifício, o maior que te posso pedir...

— Dize.

— Não; depois te direi. Hoje é domingo e não quero tristezas. Já ouvimos a nossa missa, vamos almoçar e depois iremos dar um passeio de bonde fora da cidade.

— A nossa missa! — suspirou a moça. — Por mais que me leves à igreja, por mais que reze, sinto que Deus não quer reconciliar-se comigo, não me quer perdoar...

— Não blasfemes.

— Isto não é blasfêmia.

— Duvidar da misericórdia de Deus é blasfêmia. Sabes que não gosto que ofendam a Deus em minha casa.

— Fica descansado, que não o ofendo nem duvido da sua misericórdia. O que digo é que sou indigna dela.

— Não exageres.

— Não exagero. Se Deus me julgar tão aviltante quanto eu me julgo, não deverá perdoar-me.

— Aí vens tu com a ladainha de costume... A Deus não se impõe deveres. Agora, o que deve desgostar são os queixumes eternos, com propósito ou sem ele.

— Eu não me queixo, tanto que quero saber já qual o novo sacrifício que exiges... do meu amor.

— Estás autoritária...

— Pobre de mim! Bem sabes, Guilherme, quanto eu me tenho humilhado e sofrido com paciência... Não era para isto que tu me seduziste e chamaste da casa farta e alegre do meu pai... Não vim para ser sua amante, que tens vergonha de me apresentar em público... Vim para ser a tua esposa... e, entretanto, até hoje ainda não nos casamos!

— Recriminações agora?

— Não... Mas parece-me oportuno lembrar isso, desde que estás bem empregado...

— Que tem isso com o emprego, fazes o favor de me dizer?

— Oh, meu Deus! Não me disseste que logo que estivesses empregado na fábrica de Mr. Lane, nos casaríamos?

— Eu disse isso? — perguntou com ironia Guilherme Boston.

— Sim... lembra-te, suplico-te! Disseste mais, que iríamos habitar uma casinha em Niterói e que então eu poderia solicitar o perdão dos meus pais... Como eu seria feliz se isso se realizasse...

— Por enquanto é cedo. Mr. Lane não quer empregados casados. Eu ignorava essa circunstância. Não hei de desmanchar o meu futuro por uma pieguice.

— Meu Deus! — balbuciou Laurinda, pálida como um cadáver e amparando-se às costas de uma velha cadeira.

— É o sacrifício que eu tinha a pedir-te. Não imaginas quanto eu tenho pensado e com quanta amargura neste caso... tenho passado noites em claro, minha Laurinda, sem achar solução para este negregado problema... a não ser...

— A separação? — perguntou Laurinda, com desespero.

— Sim, minha filha, a separação... não há outro remédio... embora este seja tão amargo para ti como para mim.

— Guilherme, Guilherme, como me enganas sempre, sempre e sempre! Estás morto por te desembaraçar de mim... eu sinto a verdade através das tuas piedosas expressões...

— O desespero faz-te cruel e ingrata... eu amo-te e hei de amparar-te sempre, descansa... Irei viver em Niterói porque preciso, e irei viver sozinho, porque, como já te disse, o meu patrão assim o quer... Muitas casas comerciais, que exigem dos empregados sacrifícios... Tem paciência... arranjaremos tudo da melhor maneira...

— Jesus!

— Reflete e deixa-te de exclamações. Ouve-me com atenção.

Guilherme Boston conduziu a sua pobre amiga até um canapé antiquíssimo, já esfolado e roto, de palhinha, e sentando-se do lado dela, disse-lhe ameigando-lhe as mãos, com um ar verdadeiramente paternal:

— Como sabes, tenho tido grandes atrasos na vida e não posso com facilidade manter duas casas, embora modestas, como a nossa. Lembrei-me de que ficarias melhor alugando só um quarto, onde, além da mobília que temos aqui no nosso, possas ter a tua máquina de costura... Sei de um aposento que te serve às mil maravilhas; é um quarto no terceiro andar da casa da D. Delminda, onde já morei, na rua da Misericórdia. Ali ficarás mais acompanhada, ao lado de uma senhora de toda a confiança... É uma casa de cômodos modesta e séria, como nos convém. Eu, por meu lado, irei fazendo economias. A vida em Niterói é mais barata do que aqui, e assim poderemos talvez ajuntar um pequeno pecúlio para a velhice. O essencial é mostrar-te forte e resignada com esta nova situação... Fica certa de que o meu sacrifício não é menor. Oh! Pudesse eu mostrar-te o meu coração...

Laurinda, de cabeça baixa, olhava para o velho soalho da sua casa sem responder, imersa na mais profunda tristeza. Chegava ao último ponto: o abandono, e media a sua desgraça...

Havia já quatro anos que ela saíra do lar paterno e quantas lágrimas de arrependimento e de vergonha chorara desde então! Havia, contudo, um conforto para a sua alma, acordando-lhe esperanças de melhor futuro: Guilherme vivia a seu lado, sob o mesmo teto, no mesmo lar! Percebia há muito tempo que ele não a amava mais, tolerando-a talvez como uma necessidade. Laurinda era muito mais criada do que esposa, descendo a todos os misteres caseiros. A pouco e pouco, sempre sob um véu de boas palavras, ele fora suprimindo despesas. Depois de dispensar a cozinheira, com o pretexto de que só Laurinda conhecia o segredo do seu paladar, dispensou igualmente a engomadeira e criada de quarto. A moça sujeitava-se a tudo, com medo de o desgostar e de ter de ir para a rua, varrida como um trapo sujo... Ela andava miseravelmente vestida, ele gastava em bons alfaiates, afirmando que fazia isso como tática, por obrigação.

— Um homem mal-arranjado não obtém emprego que sirva — afirmava ele a Laurinda, pedindo-lhe que lhe repregasse os botões ou lhe escovasse o fato...

A moça calava-se e obedecia. Mas a sua constituição fraca não lhe permitia resistir a tamanhos trabalhos. Laurinda começou a emagrecer. Com tudo o mais, chegou também a fome e ela curtiu-a em silêncio, cosendo à máquina para o Arsenal, nas pouquíssimas horas vagas, para comprar com essas migalhas de dinheiro o pão e o leite.

Guilherme comia fora, nas mesas de grandes casas de comércio e vinha alta noite tranquilamente dormir ao lado da sua vítima.

Como e por que se fizera aquela ligação?

Em um dia, Guilherme Boston desembarcou no Rio de Janeiro, vindo da província com uma maleta quase vazia de roupas e um desejo intenso de ganhar depressa uma grande fortuna. O pai, depois de uma vida laboriosíssima, morrera pobre, esmagado pelas rodas de um comboio da Central; as irmãs, mal casadas, não o queriam ver, por velhas rixas de família, e a mãe afizera-se com os genros, queixando-se de que o Guilherme a esquecia e desamparava...

Fosse por tudo isso ou por ambição, ele rompeu com todos e veio para a Capital. O Rio de Janeiro era um teatro amplo e digno das suas aspirações. A cidade enorme, com os seus grandes edifícios, os seus largos armazéns, os seus bancos, as suas companhias, as suas fábricas, as suas ruas pululantes de movimento comercial, de trabalhos, de vida ativa, deslumbrou-o.

Com uma intuição de mercador de raça, oriundo do velho país que distendeu do ocidente ao oriente os nervos vigorosos do comércio, ele viu logo a cidade como ela realmente é, no seu aspecto mais característico, na sua feição particular e fundamental – um vasto e variado empório de comércio, um imenso armazém de compra e venda, onde nada se produz e onde se explora toda a alheia produção.

Tendo se hospedado na casa de um velho fornecedor de seu pai, o Ramos Pereira, na rua de S. Pedro n° 21, onde um homem muito gordo, muito bonachão e muito falador lhe dava sábios conselhos, e onde o primeiro caixeiro, o Rodrigues, um que tinha um grande gilvaz[39] da testa à maxila, lhe falava de marcas de vinhos, de qualidades de bacalhau e dos processos das letras a prazo, dos cheques e das ordens à vista, em poucos dias o Guilherme conhecia bem a Alfândega, a Bolsa, a Praça do Comércio, os principais estabelecimentos bancários, os trapiches de embarque e desembarque de gêneros, as repartições públicas, todos os centros de permutação, de transação, de crédito e de movimento comercial. O seu maior prazer era assistir às vendas do armazém, observar como se vendia e como se comprava, em uma luta de espertezas, de astúcias, de expedientes fantásticos, de mentiras impudentes e colossais, de falsas afirmações sem vislumbre de escrúpulo, combate singular, duelo apaixonado entre dois interesses opostos – porque a casa do seu hóspede vendia a negociantes, por atacado, para revender –, um exaltando a qualidade do gênero para vendê-lo mais caro, outro depreciando-o para comprá-lo mais barato!

Comprazia-se no movimento dos grandes volumes, as pesadas pipas de vinho, os fardos de fazendas grossas, os caixões de ferragens, os gigos de louça, as sacas de café, as malas de carne-seca, as barricas de farinha, as tinas de bacalhau, os rolos de papel de impressão, os surrões de mate, os barris de manteiga e de banha, as latas de óleos, os molhos de barras de ferro... e ia às vezes para os vastos armazéns da Alfândega, só para ver as avalanches desses volumes rolarem de cima para baixo e de baixo para cima, nos carros de trilhos, nos ascensores, nos possantes guindastes de ferro movidos a vapor, rangendo nas engrenagens formidandas, agitando no ar, com fragor, grossas correntes passadas e repassadas nos moitões, suspendendo dúzias de caixas ou e fardos enlaçados por estropos grossos ou engatados por unhas de ferro.

Outras vezes passava horas nas ruas de São Bento ou Municipal, centro do comércio do café, a ver o vai e vem de sacas, entrando e saindo aos milhares nos profundos armazéns escuros, caindo nos caminhões, passando à cabeça de homens suados, seminus. Outras, ainda, metia-se pelos trapiches da Saúde, a contemplar o embarque de gêneros e as enormes pilhas de sacos de açúcar, pegajosos, exalando um cheiro quente, nauseabundo e doce, cobertos de moscas ou de abelhas.

Em pouco tempo, o mocinho louro, de olhos garços, perdera o ar tímido de provinciano de terra pequena, andava e falava com desemba-

39 Cicatriz.

raço e conhecia todo o movimento comercial do Rio, da Corte, como então se dizia. Esta perspicácia, esta acentuada e profunda vocação para o negócio, não passou desapercebida aos donos da casa, que julgavam o Guilherme, na expressão pitoresca do Sr. Domingos, o sócio muito gordo e muito falador – *uma praça de primeira boa.* O que eles sentiam era não ter na casa um lugar para ele e não lhes convir aumentar o pessoal. Um dia, seu Domingos, ao chegar da rua, muito suado, enxugando ao lenço de chita a fronte estreita, disse-lhe, risonho:

— Seu Guilherme, temos casa. O Rocha, dos sapatos, ali em cima, precisa de um rapaz nas suas condições. Não é grande coisa, mas para começar, serve. Sabe que quem principia no comércio tem de pegar na vassoura; tenha paciência, mas é a regra, a menos que não queira ir para a malandrice do escritório...

Guilherme empalideceu. Não gostava do negócio.

— Se o incomodo aqui, seu Domingos, vou para a casa do Rocha; mas se eu puder estar mais algumas semanas em sua casa, prefiro esperar até encontrar casa maior, negócio mais importante.

— Mas olhe que o Rocha é atacadista — objetou seu Domingos.

— Mas de coisas miúdas. Ora, sapatos, botinas, chinelos! Eu gosto de coisas pesadas, pipas, caixões, fardos...

— Bem, bem, lá por isso não seja a dúvida — concluiu Domingos. — Se não lhe agrada a casa, deixe-se estar por aí até aparecer outra.

— Não é a casa, é o negócio que não me agrada. A ir para balcão, prefiro negócio de mais importância.

Seu Domingos nada mais disse, subiu ao escritório, no primeiro andar, e Guilherme ficou pensativo, a coçar o queixo com as pontas dos dedos, em frente de Rodrigues, estupefato da audácia do rapaz, por ter recusado com tamanho desembaraço a primeira casa que lhe arranjavam.

— Por que está olhando para mim desse modo, seu Rodrigues? — perguntou Guilherme, ao reparar na cara espantada do outro.

— Por nada. Mas você tem topete, seu Guilherme.

— Por quê?

— Ora essa. Você está desempregado, tem vontade de principiar, oferecem-lhe uma casa que, se não é de primeira ordem, também não é ordinária, e recusa!

— Eu lhe digo, seu Rodrigues; é que não quero balcão...

— Não me diga isso — interrompeu o outro, logo vermelho de cólera — não me diga que não quer balcão. Você tem jeito, tem vocação, e quer meter-se na malandrice do escritório!

— Mas que mal há nisso? Então no escritório não se trabalha também?

— Qual trabalho, qual carapuça! Trabalhar é aqui embaixo no balcão, com a força, a rolar barris, a abrir caixões, a arrumar garrafas – e com a manha, a empurrar a fazenda ao freguês, a convencê-lo de que os nossos gêneros são melhores que os do vizinho e mais baratos vinte por cento, ainda que sejam piores e mais caros. Isto é que é trabalhar.

— E a escrituração daqueles livros todos, e as cartas que se escrevem, mais de vinte por dia, e as faturas que se tiram, e as contas que se fazem, e os cálculos da fazenda, acha pouco serviço?!

— Isso fazia eu com uma perna às costas, se fosse lá pra cima, e ainda me havia de sobrar tempo pra coçar a outra. Olhe, sabe que mais, seu Guilherme? Isso de escritório é serviço, mas serviço de malandro...Vá-se com esta.

E Rodrigues, apoplético, com o gilvaz quase sangrando, mas nas ilhargas, abalou para os fundos por entre as rumas de pipas sobrepostas e as pilhas de barris de quinto e de décimo, alinhadas aos lados do fundo armazém, deixando apenas uma passagem estreita, por onde dificilmente duas pessoas caminhavam a par. Guilherme não se deu por vencido; foi seguindo o outro calmamente, com a segurança de quem tem um plano firmemente assentado. Quando o Rodrigues retrocedeu, por não ter mais caminho, Guilherme tomou-lhe o passo:

— Ora, diga-me com franqueza, seu Rodrigues, como quem se confessa: calçado é bom negócio?

O outro titubeou:

— Homem, lá nesse ponto...

— Diga, com franqueza.

— Sim, lá para que digamos bom, bom, não me parece; fazendas é melhor, ainda que tenha umas niquices[40] de sedas e veludos... Negócio, o que se diz negócio, é este de molhados, por atacado; você não tem visto? A gente agarra uma pipa de vinho espanhol muito ordinário, clarifica-o com o sangue de carneiro, junta-lhe um quinto superior e enche trinta décimos de "virgem" português legítimo!

— Então já vê que, se eu fosse para casa do Rocha, começaria em mau negócio, iria perder tempo, e só tomaria prática desse negócio mau. Quando de lá saísse, só me poderia empregar no mesmo negócio... É por isso que prefiro escritório. Se me empregar em uma casa fraca ou em um negócio mau, ficarei habilitado para uma casa forte e para qualquer negócio bom. É a vantagem do escritório. Veja o guarda-livros da casa, o Miranda; já esteve em fazendas, em ferragens, em drogas e agora está aqui.

40 Minúcias.

— Mas ainda não passou da cepa torta; ao tempo que é guarda-livros, se estivesse no balcão, já seria sócio de alguma casa.

— Isso é porque ele é todo emproado e não procura adquirir a simpatia dos patrões. Quem tem jeito e lábia, tão depressa se arranja em um escritório como em um balcão.

— Pois arrume-se num escritório, com todos os diabos! — concluiu Rodrigues, à falta de um argumento com que pudesse esmagar o raciocínio do rapaz.

Dias depois vagou na casa o lugar de ajudante do guarda-livros, e Guilherme, que tinha boa letra, ofereceu-se para o serviço "enquanto não entrava outro". De tal modo, porém, desempenhou as suas funções, tão bem se insinuou nas boas graças do Miranda, que este propôs a seu Domingos a admissão definitiva do moço, e Guilherme ficou empregado na casa. Desde esse dia, o Rodrigues nunca mais lhe falou, senão para objeto de serviço. No fim do primeiro mês, o Miranda começou a dar ao seu ajudante lições de escrituração mercantil. Era depois de encerrado o trabalho do escritório. Ficavam os dois encerrados por uma hora, e Miranda contava a toda a gente, pasmado, os progressos extraordinários do seu discípulo. Passados dois anos, como Guilherme estivesse já habilitado para todos os serviços, o Miranda começou a incumbi-lo de quase todo o trabalho, que o ajudante fazia com muito prazer. Às vezes, era o próprio Guilherme que lhe dizia:

— O Sr. Miranda para que está a matar-se com isso? Deixe, que eu rabisco essa *Caixa* em três tempos.

E o Miranda, descansando nele, afrouxava e ia tomar o seu café, ou dar o seu passeio, com uma frequência que já estava escandalizando seu Domingos. Um belo dia, o dono da casa reclamou do Guilherme uma fatura que não estava pronta.

— Não está tirada — respondeu Guilherme.

— Não está tirada! — regougou seu Domingos. — Que fez você até agora, que a não tirou?

— Eu não posso fazer tudo...

— E o seu Miranda?

— Faça favor de subir ao escritório.

O Domingos subiu, furioso. Guilherme, muito calmo, ia na frente. Entrou no escritório e começou a mostrar os livros ao patrão.

— Veja o senhor: aqui está o copiador. Quem escreve toas as cartas? Sou eu. Aqui tem o borrador limpo – minha letra; o Conta Correntes – minha letra; o Razão – minha letra; o Diário – minha letra...

— Pois até o Diário!

— E o Caixa, os memoriais e todas as faturas. Bem vê que tudo isto está escriturado por mim.

Domingos, atônito, fulo de raiva, bufando, ia examinando os livros e verificando a exatidão do que afirmava Guilherme.

— Ora, já vê que, fazendo eu todo o serviço da escrita — dizia Guilherme, humilde e insinuante —, é natural que não tenha tempo, uma vez ou outra, de tirar uma fatura tão grande como a do Silveira Lemos & Cia.

— Mas então que faz esse raio do diabo desse guarda-livros? Onde foi ele agora?

— Não sei; saiu.

— Mas então, ele sai todos os dias, a toda a hora, sem dar cavaco a ninguém!

— Não sei, não, senhor; eu estou aqui preso no trabalho, faço tudo, como o senhor acabou de ver, e não sei se o Sr. Miranda pede lá embaixo para sair.

— Bem, bem — rematou seu Domingos. — Eu sei o que hei da fazer — e abalou escada abaixo, com estrondo.

Dois dias depois, à mesma hora do café, o Miranda, sorrateiramente, saiu para a rua. Mas seu Domingos, que estava de sobreaviso, viu-o perfeitamente. Deixou-o sair sem lhe dizer nada e subiu ao escritório. Guilherme, que lhe conheceu as passadas tremebundas na escada, abriu rapidamente sobre a ampla carteira todos os livros que tinha à mão e pôs-se a trabalhar febrilmente, tão atento que parecia nem ter visto o patrão, que estava ali ao pé dele, examinando os serviços.

— Diga-me uma coisa, seu Guilherme; você sente-se com forças de tomar o lugar de guarda-livros? Julga-se habilitado a tomar conta da escrita?

— Por que me faz esta pergunta?

— Eu cá sei. Responda.

— Quanto às habilitações, aqui estão os livros todos escriturados por mim... Mas o senhor pode perguntar ao seu Miranda, que foi o meu mestre. Por mim, acho que sei tanto quanto ele. Agora... ele tem mais prática...

— Bem, bem — e seu Domingos desceu.

Foi para a porta esperar o Miranda.

Quando o guarda-livros chegou, meio enfiado por ver o patrão à porta, seu Domingos chamou-o ao fundo do armazém.

Passado um quarto de hora, o Miranda, muito vermelho, saía para a rua pela porta do armazém e Domingos subia de novo ao escritório.

— Seu Guilherme. De hoje em diante é vosmecê o guarda-livros da casa.

— E então seu Miranda?!

— Seu Miranda, pu-lo na rua. É um malandro...

Guilherme quis protestar; mostrou-se muito sentido pela saída do Miranda, mas deixou-se convencer pelo seu Domingos de que ele tinha motivos para despedir o guarda-livros.

Naquele tempo, os ordenados do pessoal das casas comerciais não eram grandes; mas os dos guarda-livros solteiros, que sabiam regular a sua vida, davam para um certo luxo domingueiro; teatros duas ou três vezes por semana, um ou outro passeio a cavalo nos dias santos, e bailes de vez em quando nas sociedades recreativas ou nas casas de famílias burguesas remediadas.

Havia já dois ou três anos que o Guilherme era chefe de escritório quando, em um baile do clube de S. Cristóvão, travou conhecimento com o Major Figueiredo, pai de duas lindas raparigas que tinham fama de namoradeiras. Guilherme agarrou-se à mais velha e dançou com ela toda a noite. A meio do baile, enquanto se organizava uma quadrilha, foi ter com o jovial Oliveira, que o apresentara ao Major e às filhas, e indagou:

— Quem é este Major Figueiredo?

—Você já está chumbado... Também, a pequena é boa como seiscentos! Quem é o Major? É o pai dela – e como se isso não lhe bastasse, também é pai da irmã, outro pancadão de repica-ponto. Só sei, além disso, que é guarda-nacional reformado e chefe de seção aposentado de uma secretaria qualquer. Tem uma casinha bem boa na Cidade Nova, mas a sua principal ocupação é ser pai das duas filhas...

— Mas é gente séria?

— Homem, o Major anda sempre a rir-se, mas isso não tira. Dizem que as pequenas dão corda a todo o mundo... veja lá você se quer enforcar-se.

— Mas não têm mãe?

—Têm. É uma senhora imensa, que está na sala de dentro, sentada em três cadeiras; lá no fundo, vê? É aquela montanha. Chama-se-lhe a *Tijuca* pela desconformidade do corpanzil... e já se anda organizando uma empresa para estabelecer nela uma linha de bondes. Só sai de casa conduzida em uma carroça. De dia não se mexe, dizem – que só fui lá uma vez, há meses, para ver o fenômeno. Então, você está gostando da Laurinda? Pois olhe, eu preferiria a Loló; é um pouco mais gorda, mas parece ter um poucachinho mais de juízo que a outra...

— Ora essa! Por quê?

— Porque tem a cabeça maior. Pois é atirar-se, seu Guilherme, se lhe agrada o peixe. Olhe, saboroso ele deve ser. Eu, se não fosse casado, pensa que me atirava à Laurinda?

—Já sei que preferiria a Loló...

— Atirava-me às duas. Elas são ambas melhores. Você já reparou para o pelozinho que a Loló tem nos braços? Olhe que até se pode pentear.

Minha mulher diz que aquilo é indecente e que ela devia fazer a barba aos braços quando viesse às festas com vestidos decotados. Eu acho aquilo delicioso. Talvez vocação que eu tenha para cabelereiro...

— Oh! Minha senhora, descanse, que lhe não roubo o seu par — emendou o Oliveira, voltando-se para Laurinda, que viera em busca de Guilherme. — Este Guilherme, com o perdão da palavra, é um bruto de felicidade! — E deu um grande suspiro, pondo a mão espalmada sobre o coração e os olhos em alvo.

— Sempre alegre, o Sr. Oliveira!

— Eu sempre o conheci assim — disse Guilherme, meio confuso, corando.

— Ah! Minha querida senhora, lá porque as moças não me querem, eu não hei de andar a chorar pelos cantos.

— O senhor já teve quem o quisesse...

— Essa desgraça só aconteceu até hoje à minha mulher, coitada.

— Vai começar a quadrilha.

— Estás aí, estás caído — disse consigo Oliveira, ao ver arrastar-se o par de moços.

Acabada a quadrilha, Guilherme mando à pressa contratar um carro que ficasse à sua disposição, à porta do clube. A *flirtation*[41] com a Laurinda continuou até ao fim da festa, sem causar grande reparo aos frequentadores do clube, muito acostumados a ver "pares constantes", principalmente com as filhas do Major. Guilherme, que havia perdido há muito a timidez provinciana, foi de uma audácia incrível nessa noite. Como visse que Laurinda lhe recebia de cara alegre os galanteios, foi avançando, avançando, até à declaração de um amor ardente, dominador, que irrompera de súbito ao fulgor dos olhos dela, como uma mina ao chegar-se-lhe o lume ao rastilho. A moça, vencida, dominada também por uma viva simpatia, cerrava os olhos enlevada, e ia se abandonando pouco a pouco à cariciosa pressão do braço do cavalheiro, nervoso e trêmulo.

Era quase manhã quando o Major, já com Loló pelo braço, foi procura Laurinda para se ir embora. Guilherme, muito solícito, ofereceu:

— Senhor Major, se me dá licença, conduzi-lo-ei à sua casa no meu carro.

— Muito agradecido. A esta hora já temos bonde e a distância é pequena.

Guilherme, porém, tanto insistiu, que o digno militar reformado viu-se obrigado a aceitar o oferecimento. Laurinda correu à sala do fundo, em busca da mãe, que dormitava, sentada ainda no mesmo lugar que o Oliveira a mostrara a Guilherme. Em um dos intervalos

41 Traduzido do inglês: flerte, corte.

das danças, o Major havia apresentado o rapaz à mulher, a quem agora disse apenas:

— Vamos, Miloca. Aqui o Sr. Boston ofereceu-nos o seu carro.

A enorme senhora, de quem o exagerado Oliveira não exagerara as proporções, realmente escandalosas, ergueu-se a custo e lá foi bamboleando, amparada pelo marido, em direção do *toilette*. Dali a pouco toda a família estava à porta do clube e Guilherme fazia aproximar-se o carro.

— Ah! É aberto — disse o Major —, então não cabemos todos...

— Havemos de caber — disse Guilherme.

— Não; já sei que não cabemos. Minha mulher é bastante gorda; ocupa ela só um assento. Olha, Miloca, vais tu com Laurinda e o Sr. Boston, e eu espero o bonde com a Loló.

— Não; isto não — protestou Guilherme —, nesse caso, seguem Vossas Excelências no carro e eu esperarei aqui que ele volte.

Mas o Major não consentiu e foi a sua opinião que prevaleceu. D. Miloca, a muito custo, subiu para o carro, que vergou todo ao seu peso, amesendou-se no assento posterior, tomando-o todo, e Laurinda e Guilherme sentarem-se em frente dela, muito aconchegados, porque o assento móvel era muito estreito. O Major retirou-se para o corredor do clube com Loló, e o carro partiu. Chegados à casa do Major, uma bonita casa assobradada na rua Formosa, Guilherme disse ao cocheiro que o esperasse. O guarda-livros entrara na casa com o pretexto de esperar o Major, que não podia tardar. Estavam na sala de visitas, muito limpa, com bons móveis, adornada de gravuras vulgares, o indefectível *pendant*[42] de Bonjard, *Une affaire d'honneur*[43] e *Réconciliation*[44] e uma *Dernière pensée de Weber*[45]. Laurinda e Guilherme sentaram-se e D. Miloca pediu licença para se afastar por um momento.

— Então, D. Laurinda — sussurrou Guilherme, mal se viu só com a moça —, que responde ao que lhe disse no clube?

A moça, abaixando os olhos, muito corada, hesitou.

— Que hei de responder? O senhor mal sabe por enquanto se gosta de mim...

— Não; já tenho certeza, e peço-lhe que me responda.

— Depois, mais tarde, responderei...

— Há de ser hoje.

42 Traduzido do francês: cada um de dois objetos de arte que, destinados a serem postos simetricamente, formam um par.

43 Traduzido do francês: Um caso de honra.

44 Traduzido do francês: Reconciliação.

45 Traduzido do francês: Últimos pensamentos de Weber.

— Hoje!

— Hoje, sim; é quase dia claro. Há de ser hoje. Olhe, passarei por aqui logo à tarde.

— Não, antes à noite.

— Pois seja à noite, às sete horas.

— Não, mais tarde, porque aos domingos essas janelas por aí estão cheias de gente até às nove horas.

— Passarei às dez.

— Pois sim — murmurou a moça, levantando-se.

Guilherme quis pegar-lhe na mão; mas Laurinda não lhe consentiu.

Muito afogueada, com os olhos sempre semicerrados, tapados pelos longos cílios negros, a moça deu alguns passos na sala, voltou até junto de Guilherme e disse-lhe com esforço, estendendo-lhe a mão, muito trêmula:

— Até logo. Talvez seja melhor que papai não o encontre aqui a sós comigo.

— Tem razão. Até logo.

E pegando-lhe na mão com força, levou-a aos lábios e beijou-a febrilmente, muitas vezes. Laurinda debatia-se. Por fim conseguiu escapar-se-lhe e fugiu para o fundo da sala.

— Até logo — repetiu Guilherme. Tomou o chapéu e saiu. A moça foi fechar a porta; mas como visse ao longe passar um bonde que descia do lado de S. Cristóvão, calculou que fosse o pai e a irmã e foi esperá-los à janela. Eram eles. O Major recolheu-se logo e Loló ficou um momento com Laurinda na sala.

— Então? — perguntou Loló. — Que tal o inglês?

— Já disse que não é inglês. É tão brasileiro como nós.

— Mas que tal? Vocês estiveram escandalosos.

— Qual! Você também não tem dançado noites inteiras com o Eduardo?

— E com o Antunes, e o Nobre e o Carvalho...

— Então? Eu gostei do moço. Acho-o distinto.

— Então pegou?

— Não sei; mas parece que desta vez é deveras.

— Sim?

— Parece-me. Ele passa aí à noite...

— Já!

— Não houve meio de adiar. Havia de ser hoje, por força...

— Mas para quê?

— Para saber a resposta.

— Resposta de quê?

— Se eu o amo ou se não.

Loló deu uma gargalhada. Mas, reparando que Laurinda ficara muito séria, quase zangada, reprimiu-se.

— Sério? Sério? Você vai responder à pergunta?

— Por que não?

— E... que sim?

— Que não.

— Ah, então também não toma a coisa a sério?

— Ao contrário. Pode julgar que desta vez é muito sério, é que não quero facilitar. Vou responder que consultei o meu coração e que não o amo. Se ele insistir, é porque realmente me ama, e nesse caso entregar-me-ei ao destino. Há de ser o que Deus quiser.

— Bem; vamo-nos deitar, que são quase horas de almoço. Isso, depois de um bom sono, há de passar...

— Antes passe!

***

Efetivamente, nessa noite, às dez horas, Guilherme Boston postava-se rente à janela da casa de Laurinda, ansioso pela resposta da moça. Ela fez-se esperar e, afinal, entreabrindo a veneziana, murmurou, apressada e trêmula:

— Hoje não lhe posso falar... papai e mamãe ainda estão acordados!...

— É só uma palavra!... — disse Boston com uma súplica na voz. — Sim?

Laurinda quis dizer não, mas o olhar ardente de Guilherme revolveu-lhe a alma de tal jeito, que ela, comovida, quedou-se silenciosa.

— Diga — continuava o moço com veemência —, sim ou não?! Sim?!

Ouviu-se dentro a voz retumbante de D. Miloca a chamar pela filha, e a janela fechou-se rapidamente, sem que o namorado tivesse ouvido o desejado – Sim.

Aquela cena repetiu-se várias noites e cada vez mais prolongada. Guilherme vencera; Laurinda, apaixonada, só tinha uma aspiração: ser mulher daquele belo rapaz! Loló ouvia ler as cartas e recebia no seio amigo as confidências da irmã, aconselhando a Laurinda que abreviasse essa história, instando com Guilherme para o pedido em casamento.

— Você tem razão — respondia-lhe Laurinda —, mas ele ainda não ganha o suficiente para montar casa... espera ser interessado no negócio, e depois sim, casar-nos-emos!

— E quando espera ele ter interesse na casa?

— No fim do balanço... lá para dezembro...

— Falta pouco... Tomara já ver você casada...

E por sua vez, Loló contava as suas esperanças, com modo alegre e estouvado.

Houve quem tivesse o solícito cuidado de avisar o Major Figueiredo das rondas noturnas do Guilherme Boston à sua casa. O Major calou-se e procurou saber por fora que espécie de rapaz era aquele...

D. Miloca andava intrigada, arrancando suspiros estrondosos do fundo do seu enorme peito, a Loló abria asas sobre a irmã, facilitando-lhe entrevistas e recebimento de cartas. Certamente que o Major e a mulher diziam sempre que não queriam as filhas para freiras, e que tampouco não as fechavam a sete chaves, deixando-as gozar alegremente a sua mocidade, mas aquele namoro com um desconhecido assustava-os um pouco.

De indagação em indagação, soube o Major Figueiredo que o Guilherme Boston era simples guarda-livros de uma casa de atacado, que parecia gastar muito mais do que recebia, que era filho de uma viúva pobre, que ele abandonara em Porto das Caixas e a quem não mandava recursos de espécie alguma...

Começaram então as repressões. Laurinda já não era senhora de dar um passo que não fosse vigiada. D. Miloca crivava de indiretas e censuras toas as suas conversas e, a pretexto do calor, ia dormir na sala, único aposento com janelas para a rua. Disseram adeus às festas do clube e aos passeios de bonde à cidade, onde iam armarinhar uma vez por semana. Loló, que indiretamente sofria com isso, atiçava a fogueira no coração da irmã, queixando-se de que por culpa do Guilherme ela levava também uma vida de cão... suspirando por que se casasse de uma vez para acabarem com aquilo.

Laurinda desfazia-se em lágrimas e pedia-lhe que esperasse mais alguns meses com paciência; entretanto, ia fazendo, às escondidas, alguns bordados e crochés para o enxoval.

Com as dificuldades, crescia também o amor a Guilherme Boston, que esgotava todos os recursos da sua imaginação, sem achar meio de atrair Laurinda para os seus braços. Quando ele lhe falava em fuga ou rapto, a moça escandalizava-se, jurando que preferia morrer!

Gastou-se nisso meio ano; nem o Major Figueiredo cedia um passo nem a Laurinda deixava de se consumir e de aspirar o casamento! D. Miloca não perdia ocasião de falar mal de Guilherme, procurando os momentos em que Laurinda a ouvisse, na persuasão de que assim a despersuadiria dessa ideia!

A firmeza de Laurinda não afrouxava; Guilherme, apesar de a querer com teimosa paixão, dava-se a todos os gozos da vida; passeava nos domingos em bons cavalos, frequentava teatros e festas, sempre bem vestido, risonho e tranquilo; com pequenas paixonetas mundanas e uma roda que o recebia com extrema facilidade, sem indagar de onde ele vinha, quem era nem o que viria a ser!

O dinheiro, que lhe corria por entre os dedos como água, não lhe podia vir só do seu ordenado. Era isso que assustava o Major Figueiredo e a suspeita foi um dia confirmada por amigo da firma em que Boston era empregado. O moço saía da casa com um desfalque na Caixa.

D. Miloca deitava a casa abaixo com imprecações, falando mal de Guilherme aberta e claramente. O Major Figueiredo emagrecia, sempre calado, com dó da filha...

Laurinda já não tinha forças para reagir! Guilherme escreveu-lhe com lágrimas, dizendo-lhe que, se ela o amasse tanto que tivesse a coragem de ir viver em sua companhia, ele procuraria alento e trabalharia para remir uma falta *involuntária*, mas se ela, como todos os outros, lhe voltasse as costas, ele daria um tiro nos miolos e acabaria sem regenerar o seu nome de um crime aviltante e que ele jamais cometera!

Laurinda acreditava convictamente na inocência de Guilherme Boston, que era, a seu ver, vítima de um roubo audacioso. Os patrões, em vista de outros serviços antigos, não davam publicidade ao fato, exigindo de Guilherme um título de dívida particular.

"Eu trabalharei com ardor, se te tiver a meu lado!", escrevia ele a Laurinda, molhando a carta com grossas lágrimas.

Cansada de lutar e de ouvir constantes motes ao nome daquele por quem ela daria a própria vida, Laurinda abandonou-se ao destino, à sua má estrela, como ela dizia, e uma noite saiu furtivamente de casa! Guilherme esperava-a, ansioso, trêmulo, em um carro de praça, e a moça caiu-lhe nos braços, debulhada em pranto.

— Enfim — exclamou ele, radiante.

— Guilherme! Vim para dar-te coragem e trabalhar contigo... seremos dois empenhados em remir uma culpa, que eu sei que não existe, mas que pesa sobre o seu nome...

Desse ato de abnegação e de bondade partiu toda a desgraça de Laurinda. Nos primeiros dias entregues à sua paixão, eles não cogitaram de mais nada.

O Major Figueiredo proibiu que se pronunciasse em casa o nome da filha, que para ele era uma mulher morta! D. Miloca vazava o seu coração em queixumes, maldizendo a maternidade que lhe criara aquela surpresa! Loló perdoava a irmã e mandava-lhe às escondidas bilhetinhos sem se referir às maldições que pesavam em casa sobre o seu nome.

Guilherme reempregara-se em outra casa de comércio na rua da Assembleia, mas todo o ordenado ia-se no ramerrão da casa que habitava com Laurinda e os charutos caros que ele fumava, passando à noite nos jardins dos teatros.

Com a posse, arrefecera o seu ardente amor pela filha do Major Figueiredo. A pouco e pouco ele foi deixando perceber isso mesmo à pobre desiludida! Quanto à sua dívida, não se apressava... Em vão, Laurinda tentava insuflar-lhe brios para o resgate dessa vergonha. A pobrezinha vivia alimentando esperança de saldar a dívida do Guilherme e no mesmo dia casar-se; só então iria lançar-se aos pés de D. Miloca e do seu pai!

Passaram-se dias e dias, meses e meses, e Guilherme evitava responder à amante todas as vezes que ela lhe falava no dinheiro ou no casamento.

A moça trabalhava sem descanso e chorava de arrependida; era tarde; tinha de caminhar por aquela estrada de abrolhos e pedia a Deus forças para resgatar a sua culpa com esse sacrifício.

Viviam assim, quando um dia, Guilherme entrou em casa com ar mais alegre. Laurinda notou-lhe logo a diferença; ele explicou:

— Hoje o Oliveira prestou-me um grande serviço, cedendo-me o lugar de guarda-livros em uma fábrica em Niterói, que paga bem.

— Por que não aceitou ele o lugar para si?

— Porque não fala inglês. Quando lhe falaram nisso, lembrou-se logo de mim!

— Que ventura!... Ganhando muito mais, poderá liquidar os teus negócios e casar!

— Certamente... Lembras-te do Oliveira?

— Há tantos Oliveiras...

— Aquele rapaz espirituoso, casado com uma moça loura... Olha! Foi ele quem me apresentou a você no baile do Clube de S. Cristóvão.

— Sei... nunca mais o vi... e ele há de saber...

— O quê?

— Que eu vivo contigo... assim.

— Que tem isso? Dá-me um abraço, que eu estou muito contente, não nasci para os negócios manhosos e acanhados... como este em que trabalho... Ah! Laurinda, parece-me que agora alcanço o meu desejo.

Dias depois Guilherme Boston entrava para a fábrica de Mr. Lane e não tardou muito que Laurinda caminhasse a pé para o seu quarto da rua da Misericórdia, sozinha, com a sua maleta e roupa e a sua máquina de costura...

Capítulo XII
A IRMÃ POMPÍLIA

As horas que se sucederam ao acidente do carro foram terríveis para o Dr. Eduardo Abrantes.

Deixando os rapazes em cujo grupo ele estava, que não trepidaram em comentar o procedimento descortês de Mary, o médico caminhou apressado para casa e fechou-se à chave no seu escritório, fugindo da convivência da própria mãe.

Mary cumpria o seu pacto; levara-o mesmo mais longe do que se poderia esperar. Todavia, Eduardo sentia o seu amor próprio ainda ferido pela última indiferença da moça, no momento em que ele expunha por ela a sua vida! Daí quem sabe? Talvez que esse mesmo movimento impelido pelo seu amor desagradasse àquela por quem ele se sentia com coragem para todos os sacrifícios! Ela preferiria, decerto, que ele se quedasse no mesmo ponto, como espectador completamente estranho, patenteando aos olhos dos outros que o acaso acumulara, àquela hora na rua, a sua absoluta indiferença e frieza.

Para a fria filha do inglês, o seu valor teria sido maior tendo se sabido dominar, do que fora lançando-se, na cegueira vertiginosa do amor, para o perigo. Não podia esquecer o olhar duro, impenetrável que a moça lhe lançara do alto da boleia, como se o quisesse arredar dali com raiva e não com piedade e gratidão. Entretanto, ele sentia um acre deleite por ter arriscado a vida por sua causa. Toda a frieza do seu passado, em que ele só conhecera uma paixão – a ciência – se desfizera subitamente. Nem lhe aprazia agora o estudo. Pensar em Mary era a sua mais doce e absorvente preocupação. Sentia-a longe, inatingível, e por isso mesmo ainda a amava mais. Ao mesmo tempo pensava: — inatingível por quê? Não tinha ele o seu segredo, um pouco do mistério da sua vida? Não passava noites inteiras a seu lado, vendo-a na intimidade, mal envolvida em roupões, sem outra testemunha que um doente inerte, sem movimento, sem fala, cujo estado ele, médico, podia prolongar, se o não quisesse agravar criminosamente? Depois de ter entrado assim na vida de Mary, poderia ainda temer não a alcançar um dia como mulher?

Esposa! Ah!... Ao mesmo tempo que essas ideias loucas lhe esvoaçavam pelo espírito, do fundo do coração, germinando no ciúme, uma suspeita cruel. E se ela não fosse pura? E se aquele rapaz moço, bonito, não representasse realmente o bandido, o ladrão, como as três mulheres da casa afirmavam e ele acreditava às vezes, para em outras duvidar com dor acerba?! Como se riria Mary da sua ingenuidade, percebendo-lhe todo o amor e vendo-o tão tímido e tão respeitoso?

Então, como se uma alma danada, um mau espírito lhe viesse bafejar maus sentimentos, Eduardo Abrantes compunha em imaginação cenas amorosas, entre Mary e o ferido, imaginava as suas horas de enleio e de paixão até ao ponto extremo, em que talvez, levada pelo ciúme ou pelo enfado, miss Lane tivesse procurado suprimi-lo.

Ocorreu-lhe à ideia um conto francês que ele lera na barca, e em que uma linda mulher solteira, resolvendo-se a casar com um fidalgo rico, mata em seu quarto, numa das entrevistas noturnas, o seu amante pobre e manda-o atirar ao fundo do rio por outro homem que a adorava e a quem ela se promete, como prêmio da cumplicidade horrível.

Eduardo sentiu um frio de morte percorrer-lhe o corpo ao imaginar que por tal prêmio ele pudesse também ser capaz de galopar através da noite com um defunto às costas até o lançar nas ondas ululantes de Icaraí. Mas não! Como o outro do conto, ele preferiria mergulhar com o cadáver em um abraço eterno!

Deitado no divã, olhava para o teto com expressão que não traía a tempestade que lhe ia na alma, quando sentiu alguém entrar no quarto. Era o amigo Carlos, que lhe estendia a mão num gesto veemente:

— Bravo, venho felicitá-lo.

— Por quê?

— Ora essa! Mas você é o herói hoje de S. Domingos!

— Eu?!

— Faça-se de tolo! Acabo de desembarcar da *Sexta*, vejo o cais cheio, encontro com o Amaro, que me explica a coisa com todos os *ff* e *rr*! Bonito! Então você agora arroga-se o papel sentimental de expor a sua vida, em público, por uma carinha bonita? Que romance é esse? Realmente, a menina dos cravos vermelhos e dos cavalos de raça merece muito, mas tanto assim...

— Não vale a pena falar nisso... Você me dará mesmo uma grande prova de amizade se não aludir a este fato, nem a mim, nem a ninguém! Fui ridículo... expor a vida em público, como você disse, é coisa para caracteres mais espetaculosos do que o meu... sinto-o e envergonho-me... mas não podia ser de outro modo.

— Basta, senhor! Não vale a pena ficar nervoso. Eu não vim cá positivamente para o zangar, vim ainda com outro intuito...

— Qual? — perguntou Eduardo, morto por mudar de assunto.

— Desabafar!

— Sim? Trata-se de algum namoro, como das outras vezes?

— Oh! Impossível homem de ciência! Não crisme com o frívolo nome de namoro um sentimento só filho da paixão, como o meu!

— Em que o posso servir? — perguntou, com modo curto e risonho, Eduardo Abrantes.

— Em escutar-me com atenção.

— Contanto que não me demore muito! — respondeu Eduardo, consultando o relógio.

— Por essa já eu esperava. Não me esfrie o capítulo!

— Tenho uma conferência para as seis horas e não faço esperar nem os colegas nem o doente.

— Sempre filho do dever... Bem, serei breve. Venho pedir-lhe que seja meu intermediário e peça para mim a mão da viuvinha!... Não se pode dizer mais em menos palavras...

— A Torres? — perguntou sem espanto Eduardo.

— Por força, quem havia de ser! A viuvinha, como toda a gente conhece, e eu, sobretudo, evito-lhe sempre o apelido, que me lembra o outro.

— Mas isso é sério?

— Tudo quanto há de mais sério. Eu já a conhecia da casa do Conselheiro Elesbão, quando andava com sentido na Paquita... mas via-a sem lhe perceber o valor. Por um acaso notei que todas as vezes que embarco na *Quarta*, faço a viagem com ela. A primeira coisa que me chamou a atenção foi vê-la sempre com violetas. O Matias acha meio de lhe fornecer todo o ano! Aquela pontinha de romancismo caiu-me no goto... E é bonita, olhe quanto é bonita... Veste-se bem. Você já reparou como ela se veste?

— Eu?!

— Sim... Realmente esquecia-me de que estava falando com um sábio... Pois o que peço a você é isto: ir lá e pedir-lhe a mão. Pode dizer tudo o que sabe a meu respeito.

— Se eu disser tudo, ela recusará... Para que esta urgência? Consulte-a primeiro. Eu irei depois satisfazer o preceito.

— Não; é preciso já. A viuvinha não parece indiferente aos meus olhares, mas eu tenho um rival... você vai rir! De sessenta anos.

— Ora...

— O *Lane*, o inglês. A viuvinha agora não fala de mais ninguém! Anda sempre com um dicionário britânico em mão e dizem que já conjuga o verbo *To love*[46] regularmente... Afirma-me alguém que ela imita as *toilettes* da negregada[47] *miss Lane*, que veio cair aqui como um cisne em lago de patos! Eu nunca a vi, mas detesto-a. Em todo São Domingos não se fala em outra coisa! A viuvinha quer fazer casa lá para os lados de Icaraí; já comprou um terreno na praia; disseram-me que ela quer batizar a sua futura vivenda com o nome de *Blue House*[48]. Casa Azul! Com a fina observação que possuo, já notei realmente um *quid*[49] de inglês nas roupas da Torres! Ela anda com blusas de cor, sapatos amarelos, chapéus de palha com laçarotes de sedas esquisitas... Daqui a dois dias, o próprio luxo gracioso das violetas, que a torna distinta entre todas, voará pelos ares como fútil e intolerável. Preciso salvar aquela alma, Eduardo. Uma mulher chique de menos na terra é coisa para ser chorada por homens de espírito. A fortuna considerável da viuvinha não deve por forma alguma ir engrossar os cofres já cheios de libras esterlinas do *beef*[50]. Entra também nisto uma questão...

— De nacionalidade — concluiu Eduardo, sorrindo.

— Está bem de ver! O diabo é que o inglês é um velho como...

— Como?

— Como eu desejo ser quando tiver sessenta anos.

— É um bonito homem.

— E distinto. Fala bem; canta mal; veste nos melhores alfaiates de Londres e de Paris. Até a roupa lavada, homem, vem-lhe de lá! Dá-se ao luxuoso desperdício de mandar lavar toda a sua roupa de uso em Londres, onde não há sol e a água não presta! Você já o viu? Traz sempre flor na lapela, e flor rara, orquídeas finíssimas, etc. Dizem que proíbe em casa qualquer palavra que não seja inglesa, o que eu considero um desaforo. Detesta os brasileiros.

— Isso não é verdade! — exclamou Eduardo, com indignação.

— Pois quê! Você dá-se com ele?!

— Não... suponho... eu não sei nada... nem o conheço!...

— O que não impediu que fizesse um belo rasgo à D. Quixote para salvar a *miss*... Bom! Então está combinado — concluiu Carlos, mudando de tom —, você vai hoje mesmo falar à viuvinha?

— Não...

— Por quê?

46 Traduzido do inglês: Amar.

47 Desditosa, odiosa, execrada.

48 Traduzido do inglês: Casa Azul.

49 Traduzido do latim: toque, ponto.

50 Traduzido do inglês: bife. Mas aqui tem mais sentido pejorativo ao fato de ser um estrangeiro, podendo também ter significado de bofe, pessoa sem atrativos.

— Porque amanhã você estará arrependido ou já enamorado de outra pessoa! Lembre-se de que já se quis casar sucessivamente com as três filhas do Conselheiro Elesbão... depois com a Paquita... depois com a sobrinha do Neves... É melhor esperar, faça-se amado, dispute a viúva ao inglês e não se arrisque a levar *tábua*[51] inutilmente. Você é um amoroso das primeiras impressões, precisa de medicar-se.

— Desta vez estou apaixonadíssimo! Na barca os nossos olhares cruzaram-se várias vezes e ela sorriu-me através do veuzinho com doçura muito significativa. Vinha linda, de preto, com as violetas na cintura... Não lhe digo nada! Que mulher! O que me esfriou foi ver-lhe nas mãozinhas enluvadas um livro inglês: *The Moonshine*[52], ou coisa que o valha. Tem conversado com ela?

— Algumas vezes...

— Como a acha?

— Bem. É uma moça bonita e educada. Mas desculpa-me, filho, não tenho tempo para mais; são quase seis horas.

— Para onde vai você?

— Para a casa do Inigo.

— Acompanhá-lo-ei até à porta, fica-me no caminho.

Enquanto Eduardo passava a escova pelo fraque, Carlos chegou-se à janela e olhou para fora; depois, voltando-se:

— Você sabe quem se tem feito muito galante?

— Não...

— A filha do Matias, a Tilde... Não se me dava de fazer uma tolice...

— Tome sentido! Aquela menina é muito honesta e bondosa... Minha mãe adora-a!

— E você?

— Tenho-lhe amizade. Por que falou nela?

— Porque a vi há pouco.

Eduardo mal escutava o amigo, que, na sua eterna tagarelice, não cessava de falar da viuvinha e da sua imitação à gente da *Casa Verde*. A noite vinha próxima e o médico sentia-a cair com ansiedade, desejoso de ir para o lado de Mary e com medo, ao mesmo tempo, de lhe ouvir uma recriminação.

Invejava a facilidade de Carlos, cujos sentimentos transbordavam em confidências aliviadoras. Ah! Se ele também pudesse, como repetiria a todos o dulcíssimo nome de Mary! Como gritaria a toda a natureza o seu segredo divino, que o enobrecia e encantava!

51 Ser recusado, ser rejeitado.
52 Traduzido do inglês: O brilho da sua.

Carlos despediu-se à porta do doente, rogando pela última vez ao amigo que fosse pedir a mão da sua dama das violetas...

***

Eram dez horas da noite quando uma irmã de caridade desceu de um carro em um ângulo da estrada e, esperando que o carro se afastasse, começou a andar vagarosamente.

A noite estava calma, dançavam vagalumes sobre os cercados de framboesas e nas grandes árvores os ninhos guardavam em silêncio os seus dramas de amor. Dos campos vinha um perfume de flores agrestes que fazia bem à alma da pobre senhora, sempre martirizada com o sofrimento alheio. Isolada da família, ela não tinha, contudo, um único momento de solidão. Deleitava-a por isso agora aquela quietação que lhe repousava o espírito cansado. Depois de ter caminhado um pedaço, a religiosa parou como se estivesse à espera de alguém.

Não tardou muito a ouvir uma voz de homem dizer-lhe:

— Obrigado por ter vindo. Consinta que eu a guie, porque o caminho é difícil... Vai entrar na casa de um herege, irmã Pompília...

— Vou acudir a uma aflição, Sr. Dr. Eduardo Abrantes. Quanto ao caminho, eu seria capaz de andar até ao fim do mundo, se as horas e as estradas fossem todas como esta.

Eduardo contou-lhe então a verdade, pedindo-lhe que obrigasse Mary a repousar; via-a já cansada de vigiar o doente.

— Isso fica por minha conta... — respondeu a irmã Pompília.

Chegava ao atalho e o médico vacilou se deveria levar por ele a sua companheira. Disse-lhe os seus receios, o caminho ali era estreito e escuro, coberto de ervas úmidas; mas se aquele era pouco cômodo, o outro não seria perigoso?

— Por quê?! — perguntou a irmã.

— Porque é uma estrada larga, onde seremos notados com facilidade! Este atalho vai em linha reta ao pomar de *Green House*, a estrada descreve uma grande curva e passa pela frente da chácara.

— Pois vamos pelo atalho. Para acudir aos necessitados o caminho mais curto é sempre o melhor! De resto, doutor, eu estou habituada a toda a espécie de trabalhos. Nasci em uma povoaçãozinha de Minas, que fica bem no alto de uma montanha pedregosa... Meu pai era boticário e levava-me sempre consigo quando se tratava de ver algum doente!... Eu era a sua ajudante, mesmo em menina... e como não tínhamos outra condução mais do que as próprias pernas, íamos sempre a pé. Quantas vezes ele dizia: — Coragem! Não desanimes, que precisamos aliviar as dores de pessoas mais infelizes do que nós!

— Professou há muito tempo, irmã?

— Há dez anos...

A irmã Pompília calou-se, levantando os olhos úmidos para o céu, apenas entrevisto pelas pequenas aberturas das folhagens. Que recordações aquela pergunta lhe alvorotava a alma!

Os dois caminhantes não tornaram a trocar a mínima palavra, até que desembocaram bem em frente ao portãozinho da aleia esquerda do pomar.

— Eu vou na frente, siga-me — murmurou baixo Eduardo Abrantes, caminhando com precaução por entre as árvores cerradas de inúmeros pés de frutas. A irmã de caridade beijou a cruz do seu rosário e seguiu-o persignando-se.

Quando o médico abriu a porta do quarto de Mary, a sua mão tremia, tal era a sua comoção! A chave introduziu-se na fechadura depois de um segundo de hesitação. Havia no seu espírito uma perturbação nova, um como que pressentimento de alguma coisa terrível que se havia de passar naquela noite! Nenhum namorado teve nunca mais ansiedade e mais medo de se aproximar da sua amada...

A sensação da presença, tão querida aos que se amam, era nele mesclada de uma amaríssima perturbação. Estando longe de Mary, só almejava uma coisa – vê-la. Estando perto sentia-se impelido a fugir-lhe!

A porta abriu-se suavemente e ele entrou, tendo feito passar adiante de si a enfermeira.

No quarto de Mary o maior silêncio. Da lâmpada suspensa, de cristal cor de leite com lavores em prata, descia uma luz doce e tépida.

Mary dormia, sentada em uma poltrona baixa, rente à cama do doente. As pregas do seu longo roupão de rendas brancas confundiam-se com as franjas da colcha, que desciam até o chão, e as tranças negras, que se lhe tinham desatado, roçavam pelo almofadão de linho em que o enfermo repousava a cabeça. Ele tinha agora uma expressão singular: luziam-lhe os olhos, os lábios vermelhos e carnudos entreabriam-se-lhe num sorriso de impenetrável expressão.

Com um leve gesto, fez um sinal para que não acordassem a moça.

Eduardo parou, estupefato, percorrendo todo o aposento com a vista, à procura de Mme. Girard ou da ama mulata... ninguém! Ele fora surpreender aquele quadro íntimo, sem que uma alma caritativa lhe tivesse lançado o mais sutil véu de disfarce! Uma dor o pungia, pregando-o no soalho, hirto e gelado como uma estátua.

A irmã Pompília aproximara-se e sorria encantada, contemplando Mary.

— Que bela criança! — murmurou ela com piedade.

Um desespero sem nome enchia o coração de Eduardo. Nunca uma onda de ciúme o afogara assim. Luís Ulka parecia compreendê-lo. Os seus olhares cruzaram-se num relâmpago de ódio; mas logo, sobre a face do médico, desceu como uma máscara de gelo, uma grande indiferença. Mas o coração atormentava-lhe o peito. Julgava perceber agora tudo sem ambages[53] nem hesitações. Havia entre Mary e Luís um drama oculto. E era ele, Eduardo, quem o salvara da morte!

Estavam ainda imóveis, o médico atônito, a irmã de caridade embevecida, quando Mary abriu os olhos. O rubor subiu-lhe às faces e um leve estremecimento agitou-lhe o corpo.

— Meu Deus! Já estão aqui! Mas... como eu dormi! Nem sei como foi... eu estava tão cansada...

— Por isso mesmo, para ajudá-la nesta missão trabalhosa, foi que o nosso bom Dr. Abrantes me trouxe cá... Adormeceu de extenuada, não é assim?

— Sim, minha irmã. Agradeço e aceito com alegria o seu concurso, conquanto o nosso doente esteja muito melhor... Hoje já falou e não teve febre.

Eduardo, pálido e nervoso, dominava a custa a sua agitação, examinando os remédios sobre o *guéridon*[54], sem fazer a menor pergunta, à espera que Mary se dirigisse a ele.

— A senhora pode descansar agora, e vejo que precisa disso; eu velarei. Que alimento devo dar-lhe?

— Leite, só leite... A dificuldade é que ele só toma os remédios e o alimento quando são dados por minha mão.

Eduardo sorriu com ironia e a irmã Pompília replicou:

— Isso são luxinhos que o farei perder. Os doentes têm pieguices de crianças malcriadas... Enfim, é prova de que ele a prefere a todos e isso deve lisonjeá-la... mas não sacrifique a sua saúde... eu velarei, repito.

— Obrigada. Retiro-me... A minha professora, a que me auxilia, teve de ir hoje à Capital; estou mais só que de costume; a minha ama, porém, virá acompanhá-la... Boa noite...

Mary arrastava as palavras, esperando que Eduardo lhe dissesse alguma coisa. O acidente do carro nesta tarde deixara-a nervosa e apreensiva; esperava aquilo mesmo, e nunca a frieza do médico lhe pareceu tão justificada.

— Boa noite, minha filha — respondeu com um sorriso a boa irmã.

Mary caminhou vagarosamente para a porta do gabinete; mas antes de entrar, vacilou e voltando-se, dirigiu-se para o médico, que continuava

53 Rodeios, subterfúgios.
54 Traduzido do francês: mesa de centro, em geral com um pé redondo único.

de costas, fingindo examinar detidamente os frascos dos remédios. Mary, parando a dois passos, murmurou com voz ligeiramente trêmula:

— Perdoe-me.

Com um violento baque no coração, Eduardo voltou-se.

— Oh! Minha senhora! Perdão de quê?

— Da ofensa que lhe fiz...

— V. Exa. não me ofendeu nunca.

— Ofendi-o hoje... eu bem li nos seus olhos o meu erro. Quando arriscava a sua vida por mim, eu chicoteava os meus cavalos sem ao menos lhe dirigir um obrigada!

— Isso entrava em nosso juramento; quem o quebrou fui eu, só eu mereço censura.

— Meu pai irá pessoalmente à sua casa agradecer-lhe e pedir-lhe desculpa da minha... grosseria...

— Peço-lhe que o dissuada.

— Por quê?

— Porque a visita de Mr. Lane aproximar-nos-ia e isso não lhe pode ser de nenhum modo... agradável.

Eduardo balbuciou essas palavras com ressaibos de ironia; Mary, chocada, respondeu:

— Seja... vejo que o senhor me quer mal, que me atribui sentimentos que não tenho, e não quero constrangê-lo a aceitar a amizade franca de meu pai. Boa noite.

Era tão sincero o tom por que a moça disse essas palavras, que Eduardo estremeceu. Toda a alma de Mary transparecia naquela confissão. Entretanto, o médico não achou uma palavra que traduzisse a sua impressão e foi com voz breve e fria que ele respondeu ao cumprimento da moça com as mesmas palavras:

— Boa noite!

Mary, atônita, conservou-se ainda um segundo diante dele, com os seus belíssimos olhos muito abertos, como espantados do que viam. Por fim, voltou-se e caminhou com passo vagaroso para o seu gabinete de *toilette*, cujo reposteiro fechou atrás de si, com um gesto violento.

Minutos depois, se Eduardo encostasse o ouvido àquele reposteiro, ouviria um soluçar abafado...

A irmã Pompília, durante esse curto diálogo, entretivera-se arranjando as roupas da cama, batendo e sacudindo os almofadões, desenrugando os lençóis, procurando acomodar o doente, que fechara os olhos desde a saída de Mary, como se não quisesse saber de mais nada nem ver mais ninguém!

Acabada a tarefa, a enfermeira dirigiu-se ao médico, pedindo-lhe informações sobre o modo por que deveria tratar aquele moço. Eduardo só pensava em uma coisa – removê-lo, e com esse sentido tirou o aparelho do ferido, movendo-o com jeito na cama.

O espiritualismo cristão dava ao semblante da irmã Pompília uma doçura inefável, com auréola de paz benigna e de esperança em outra vida melhor. O mundo, a terra, a vida eram para ela um estado transitório, onde as almas são lançadas para o sofrimento. O céu abria-se, lindo, claro, como o refúgio certo de todos que aqui embaixo só encontrassem espinhos, escolhos, lágrimas, luto, tempestades e agonias. Ela amava os simples, os bons, mas sobretudo voltava o olhar clemente para os pecadores, para os maus, porque estes não encontrariam na morte, abertas de par em par, as portas de ouro do reino celestial.

Na escada das desigualdades humanas, ela descia sempre os últimos degraus, os que davam para os lôbregos[55] antros do vício, do ódio e do crime, porque dessas profundezas saíam almas condenadas aos fogos eternos e às negregadas águas do Letes[56].

Quando o Dr. Eduardo Abrantes acabou de segurar de novo o aparelho, a irmã Pompília perguntou-lhe:

— Acha que ele poder ser removido amanhã?

— Ainda não...

— Parece-me, contudo, que este quarto é impróprio para um doente nestas condições... Não acha?

— Por quê?

— Acho-o muito adornado, muito luxuoso... simpatizo mais com as paredes caiadas, os leitos de ferro e as colchas brancas... Estas sedas ricas, estes veludos em sanefas[57], este estrado, tudo, enfim, no meu entender, retarda um pouco a cura... Eu desejaria ver aquela janela aberta de par em par! O tratamento dos feridos, como ouço sempre dizer no hospital, requer ar sempre renovado.

— Tem razão, mas as nossas condições aqui são muito especiais... Aquela janela é baixa, dá para o pomar, e qualquer pessoa, protegida pelas árvores, poderia ver o que se passa cá dentro. Eu já lhe disse tudo e...

— Tem razão... E com todo este segredo, como poderemos tirar daqui o enfermo? Virá pessoal do hospital com a maca? Não serão vistos?

— Não... só receio uma coisa.

— Qual?

55 Assustadores, lúgubres.

56 Um dos Rios do Hades, cujo nome significa esquecimento.

57 Tira de tecido ou madeira larga que se coloca na parte de cima das cortinas.

— Que não guardem segredo.

A irmã ficou pensativa e depois de um suspiro:

— Não posso afirmar nada! Pelo Joaquim respondo eu.

— Sim, é um homem de confiança.

— A que horas se fará isso?

— Alta noite... não há outro remédio. Agasalharemos o doente.

— Nesse caso... tive uma ideia. Trazermos nós dois a maca com o Joaquim.

— Eu sim, mas a senhora?

— Por que não? Já tenho levado doentes ao colo através de grandes e difíceis caminhos... No tempo da revolução, aqui mesmo em Niterói, lembra-se? Mais de uma vez nos encontramos por essas estradas amparando os pobres soldados feridos... Não, doutor! Eu tenho os braços finos, mas fortes, e quando a vontade é verdadeira consegue-se tudo!

— Bem me lembro!... Uma noite de ventania, encontrei-a perto do Ingá, ajoelhada ao lado de um ferido...

— Que o senhor me ajudou a transportar para o hospital, e que salvou...

— Tem muita abnegação, minha irmã!

— Ai de nós, que professamos esta vida, se a não tivéssemos! A minha estrela já me impelia para isto! Desde criança que eu corria, como uma cabrita, pelas serras escarpadas da minha aldeia ao menor sinal de alarme... ou apreensão. Meu pai caçoava, chamando-me perdigueiro da desgraça, porque efetivamente eu tinha verdadeiro faro para descobrir gente necessitada de socorro...

"Uma madrugada de junho foi sobretudo romântica e está bem gravada na minha lembrança. Às 4 horas da manhã acordei de um sono delicioso e levantei-me logo, assustada, sentindo, porque eu tinha a verdadeira sensação do que se passava, que o meu concurso era solicitado. Vesti-me à pressa, batendo com os nós dos dedos na porta do quarto de meu pai.

"— Que é?! — perguntou-me ele, estremunhado.

"— Não sei, mas precisamos de ir pelo morro baixo até o casebre da Ana Brites!

"— Estás doida!

"— Não estou — respondi eu. — Vista-se, acenda a lanterna e siga-me, meu pai, que a infeliz mulher não deve estar sozinha! Eu já estou pronta.

"— E se eu não for?!

"— Irei eu!

"Acendi a lanterna, porque já estava com o meu capotão de baeta azul, que era como um prenúncio deste hábito, e saí pela estrada, que era um horror... Geava e a lua claríssima desvendava a aridez da paisagem.

A minha aldeia fica em um dos pontos mais frios do país, lugar pouco acessível e de raros habitantes.

"Meu pai alcançou-me depressa. A luz da lanterna, empanada sempre pela atmosfera, tornou-se desnecessária à luz do luar. Meu pai disse-me depois que me seguia atônito, que eu parecia levar um círculo de estrelinhas à roda da cabeça. Os montanheses têm muita imaginação e muita fé! Descemos quase a correr pelos ínvios[58] caminhos tenebrosos, cheios de anfractuosidades[59], verdadeiros precipícios que só a muita prática ensina a galgar. A cabana de Ana Brites ficava no sopé do morro, ao lado do rio, cujas águas rompiam com fragor canais numerosos por entre as penedias[60] do lugar. À pequena distância vimos o telhado do pobre casebre e tão calmo parecia tudo, que meu pai disse:

"— Sonhaste, filha! A Ana Brites está no melhor dos sonos com os seus filhinhos... Voltemos para a nossa caminha quente, minha santa!

"— Não... aquela serenidade não quer dizer senão que a Ana Brites está desmaiada... ou morta...

"Meu pai não respondeu, mas vi-o recuar com espanto.

"Um instante depois, achamo-nos em frente à porta escancarada do casebre. A ventania entrava por ali aos uivos, como os de um cão triste. No centro do quarto, estirada no chão, a pobre Ana Brites, pálida como um defunto, jazia imóvel como se lhe tivessem dado qualquer narcótico.

"Em vão procuramos as crianças, uma de cinco anos, chamada Matilde, e o pequeno de dois anos, chamado Julião. Acendi um fogareiro para aquecer a viúva, mas não consegui chamá-la à vida senão já dia claro. Entretanto, meu pai batia o mato inutilmente à procura do roubador de crianças...

"Quando Ana Brites acordou, entre gritos de horrível angústia, contou ter visto entrar no seu quarto, alta noite, um homem e uma mulher, e agarrarem-lhe os filhos. Ela erguera-se para os perseguir, muda, aterrada, mas sentindo-se com força para os matar a ambos e apoderar-se dos seus anjinhos... No momento mesmo em que lançava a mão a um deles, o outro atirou-lhe a cara qualquer coisa leve, sutil, que a infeliz não soube explicar o que era e que a fez cair de súbito no chão, como morta.

"Eram os narcotizadores. Este fato não chegou cá, creio eu, e outros idênticos continuam a dar-se com certeza por esses sertões, sem que saibamos. Nem de todos há ecos na imprensa. O que me espantaria mais do que ele, que é um fato material e positivo, seria a minha clarividência, aquele

58 Intransitáveis.
59 Saliência, concavidade ou depressão numa superfície.
60 Local cheio de penedos, pedreiras.

aviso celeste que a minha religião explica com o nome de milagre e que a ciência... a ciência ainda não lhe deu nome, não é exato, doutor?"

— Um fenômeno nervoso — explicou o médico e logo se interrompeu, reparando para a atenção que o doente prestava agora à conversa. Meio erguido, com os olhos esbugalhados, ele fixava o rosto sereno da irmã com uma expressão de enorme interesse.

A irmã Pompília voltou-se, chamada pelo olhar do médico para o doente, e ao vê-lo assim, murmurou:

— Sossegue... deite-se... Fiz mal talvez em contar isso agora... os doentes são como as crianças, gostam de histórias!...

— Ele precisa de sossego... muita quietação de espírito... — disse o doutor.

— Sei... Vamos, meu rapaz? Por que me olha assim?! Encoste a cabeça nesta almofada... Deixe estar; quando você entrar em convalescença, eu o entreterei com bonitas histórias!

Rita entrou nesse instante, trazendo leite para o doente e café para o médico e a enfermeira. Estes sentaram-se em um canto afastado da cama e então a irmã Pompília disse a meia voz ao médico:

— É singular...

— O quê?

— Desde que entrei nesta casa que eu sinto como que um terror de qualquer coisa que se há de passar aqui esta noite.

— Oh, minha irmã, nada receie; o que lhe sugere essa ideia é o fato que acabou de contar...

— Tenho medo...

— Não diga isso. De quê? Apesar da fama de assombrada, esta casa é a de maior paz do mundo; depois, essas coisas não são para o seu espírito...

— Isso não me aterrou nunca! Não admito a ideia de que andem por este mundo as almas do outro... A minha religião mesmo não consentiria em tal.

— Nesse caso, tranquilize-se. Lembre-se de que precisamos de toda a lucidez e sangue frio!

— O senhor nunca teve um mau encontro na estrada?

— Nunca.

— Não receia nada?

— Nada.

— Vai pelo atalho?

— Às vezes. Quando há luar.

— Com medo de ser seguido na estrada?

— Sim, por prudência... não quero que me vejam sair daqui, apesar de que, a estas horas, já não há ninguém por aí.

— Quem sabe?

— Eu.

— O pessoal desta casa é grande?

— Creio que não. Mas a gente da casa está dormindo. É quase meia--noite, e eles levam uma vida perfeitamente de roça.

E o médico, voltando-se, chamou a ama Rita, que acudiu logo sem tardança.

— Diga-nos uma coisa, Rita, aqui todos se deitam com as galinhas, não é verdade?

— Que se hade fazê, Ioiô? Na Bahia, como a gente morava perto da cidade, sempre tinha visitas pra ceiá e brincava-se um bocado. Aqui... cruzes! Meu amo veio metê a gente na beira do mato!

— Quantos criados há aqui e onde dormem?

— Há seis homens mais eu. O Félix, cocheiro, e o rapaz de estrebaria dormem na casa do hortelão; o copeiro dorme lá no fundo da casa, e o ajudante de jardineiro vai dormir fora, em Niterói, assim como o cozinheiro

— O quarto do hortelão é deste lado, do pomar?

— Não senhor... é do lado do quarto do meu amo, atrás da figueira, ao pé do caramanchão.

— Estão todos recolhidos?

— Há que tempos!

— Vê, minha irmã? Sossegue; esta é a sétima vez que eu venho cá e nunca receei coisa alguma!

— Gente! Pois que haverá de receiá?! — exclamou Rita.

— A irmã Pompília teme que me vejam sair daqui.

— Tá tudo dormindo... não vê? Meu amo é muito metódico; às dez horas quer todas as luzes apagadas!

— Acho extraordinário como ele ainda não tenha percebido tudo!

— Os aposentos dele não têm comunicação com o interior da casa e ficam do lado oposto aos aposentos da mestra de minha filha e do meu. Ele sempre teve esse sistema. No tempo da mulher era a mesma coisa.

— Bem — disse o médico —, a minha presença é desnecessária. O doente está em magníficas condições... Podemos tratar de o remover amanhã...

— Quando e como lhe ei de dar o remédio?

— De duas em duas horas, alternando com leite... Sobretudo é preciso sossego... se ele dormir, não o acorde. A Rita fica a seu lado e ajudá-la-á, não é verdade?

— É, pois então? Fico. Mary já me mandou para aqui — respondeu a mulata.

Eduardo voltou a apalpar o doente, que fingia dormir para não ser importunado por qualquer pergunta; depois fez ainda algumas recomendações, enquanto enfiava o sobretudo e buscava o chapéu e a bengala que descansara a um canto. Tudo isso ele fazia devagar, olhando para a porta, por onde uma hora antes Mary tinha saído. Mal imaginava ele que, por entre a fisga do reposteiro, o olhar da moça lhe seguia com emoção todos os movimentos...

A irmã Pompília acompanhou-o até a porta, que ele abriu e fechou cautelosamente, com dupla volta de chave após si.

Capítulo XIII

A CARTA ANÔNIMA

Na manhã desse dia, Mr. Lane chegara à fábrica com a sua costumada serenidade. Depois de ler a sua correspondência, ele tinha por hábito percorrer as salas da fábrica.

Nesse dia, como nos outros, ele achou sobre a larga pasta da sua secretária os jornais e as cartas trazidas pelo correio, meia hora antes.

Em outra carteira, em frente, Guilherme Boston escrevia de pé, corretamente penteado e vestido com o asseio escrupuloso que timbrava em mostrar desde que se empregara na fábrica. Percebera depressa que essa era a qualidade mais simpática que ele poderia ter, na opinião do inglês. De fato, Mr. Lane julgava, logo à primeira vista, mal de um homem que aparecesse com um colarinho amarrotado ou uma gravata mal atada; não lhe passava despercebido o modo de vestir do seu guarda-livros, a quem considerava como um gentleman, deslocado do seu meio por qualquer eventualidade, cuja causa não procurava saber.

Quando Mr. Lane se sentou na sua poltrona e lançou mãos das cartas, Guilherme Boston observou-o de esguelha, fingindo-se muito preocupado com o seu trabalho. Conhecendo pela letra do sobrescrito que uma das cartas era do sogro, Mr. Lane apressou-se em abri-la antes de mais nenhuma. Nessa, como nas cartas antecedentes, só se falava em saudades de Mary, e mais saudades de Mary!

Para os avós da moça a Bahia perdera a graça desde que ela embarcara no *Danúbio* em direção ao Rio. Suplicavam-lhe uma visita, queriam vê-la; eles não podiam sair da velha casa onde estavam enraizados pelo hábito e pela idade.

Os outros netos, filhos de outras filhas, não conseguiam atenuar a falta da sua *miss*, a quem cobriam de beijos e de bênçãos.

Mr. Lane sentiu-se feliz lendo aquelas expressões sinceras. Realmente, quem não amaria a sua Mary, tão pura e tão alegre? É verdade que ela ultimamente mudara um pouco. As suas risadas eram cortadas a meio por súbitas melancolias e as suas tristezas afugentadas com esforço. Mary perdia rapidamente o seu ar menineiro e jovial e tinha, como qualquer burguesa rica, mal educada e romântica, cismas e crises nervosas.

Mr. Lane vacilava entre o desejo de lhe mudar a vida, atirando-a para a vertigem dos divertimentos, os teatros, os bailes, as relações da alta sociedade, onde ela se mostrasse, ou mandá-la passar umas semanas para o lar dos avós, à sombra das mangueiras da Vitória, onde crescera, onde tinha nascido, longe do bulício e ao pé dos *seus velhinhos*, como ela chamava aos pais da sua mãe. Decididamente preferia o segundo alvitre.

Ele, como em geral os protestantes, era homem apegado à casa, à família e à simplicidade.

No seu coração havia um grande fundo de egoísmo. Criara a filha com amor, aperfeiçoara-lhe as virtudes e o espírito para ter, na sua companheira de velhice, uma alma segura, forte, animada, que lhe dourasse os dias frios com a sua convivência. A sociedade estraga os homens e avilta as mulheres. Só em casa, no aconchego da família, nos gozos simples, em que entram mais os exercícios materiais do que as preocupações fúteis que a vaidade sugere, se ampliam e aprofundam sentimentos nobres e que dão à consciência grande soma de benefícios.

Na Bahia, ele escandalizava os parentes da mulher mandando Mary, em menina, fazer ginástica, agarrada ao trapézio, ou ficar suspensa nas argolas; mandando-a nadar até pontos afastados e designados por ele, também nadador; mandando-a aprender esgrima, remadura e ler livros clássicos, que faziam cambalear com sono a gente da casa. Para eles, Mary era uma vítima da brutalidade de um inglês, a quem, entretanto, se viam obrigados a querer bem!

Mr. Lane levantava os ombros a todas as acusações e não se desviou nem uma linha do seu plano. Fora educado assim, assim tinham sido educadas suas irmãs, assim queria que fosse educada a sua Mary!

O resultado aí estava: Mary era em toda a extensão da palavra uma mulher sã.

Pura de formas, pura de espírito e pura de alma!

A sua aspiração paterna estava satisfeita e ele sentia-se orgulhoso.

Para que o espírito seja forte, desembaraçado da rede vulgar de preconceitos, superstições, fanatismos e vaidades, é preciso, explicava Mr. Lane aos seus amigos, referindo-se à sua Mary, fortificar o corpo, torná-lo ágil, independente, ativo e belo!

Devido àquele regime, Mary não adoecia nunca; tinha, apesar de fina, delgada, uma verdadeira musculatura de aço. Assim como o seu corpo, ele sabia, ou julgava saber, que era o espírito da filha um espírito forte e perfeito.

Mr. Lane abriu a segunda carta e passou-a depois ao guarda-livros, dizendo-lhe unicamente:

— Responda...

Era uma carta de negócios; ia abrir a terceira, fechada em um envelope pequeno de papel ordinário, coberto por umas garatujas contrafeitas, quando entrou no escritório um homem baixo, gordo, bexigoso, empregado da fábrica, a quem Mr. Lane incumbira de procurar a velha Teresa Nutti, que depois do incêndio e do acidente do carro nunca mais tinha voltado ao seu serviço na fábrica. Conservando a carta ainda fechada entre os dedos, Mr. Lane perguntou ao recém-chegado, logo que o viu assomar à porta do escritório:

— Então, apareceu a mulher?

— Aquele diabo, com perdão da palavra, tem asas nos pés!

— Quer dizer que ainda não a agarrou?

— Ainda não.

— Então foi para dizer isso que você veio cá?! Esqueceu-se da minha recomendação?

— Não senhor... não me esqueci, mas julguei do meu dever vir participar-lhe o que sei.

— Vejamos. Que sabe você?

— Ontem o padeiro me disse que, de madrugada, quando ia levar pão para a Casa Verde, encontrara a velha na estrada e que parecia tão faminta e miserável que até ele lhe dera um pão.

— Daí?

— A velha, disse que ia a falar sozinha, com ar de doida.

— Isso não é novidade. Depois?

— Depois...

— Sim, homem! Depois?!

— Indas que a gente não creia em bruxarias, olhe, Sr. Lane, que às vezes dão-se coisas que põem a gente tonta!

— Deixe-se de rodeios e diga o resto. Perder palavras é perder tempo. Por isso é que vocês nunca tiram o pé da lama! Vamos, acabe!

— Aí vai: Teresa Nutti seguiu o padeiro durante alguns metros, exclamando que na Casa Verde está escondido um homem, dentro...

O homem parou, atrapalhado, corando até a raiz dos cabelos.

— Dentro de quê?! — gritou o inglês.

— Do quarto da senhora... sua... filha...

Guilherme Boston empalidecera e, ao mesmo tempo olhando com disfarce para a carta que o patrão conservava nas mãos, teve um vislumbre mefistofélico a relampejar-lhe nos olhos. O inglês, erguendo-se de chofre, disse, fulo de raiva:

— E o padeiro, por que não agarrou esse diabo, que só tem um propósito – fazer-me mal? E aposto que ainda não lhe sabem o paradeiro?! Ah, mas desta vez não perdoo... caluniar minha filha! Onde está afinal essa Maldita Teresa?! Responda! Afinal uma mulher não se evapora, não se pode transformar em planta, em pedra ou em ar... Se a não encontram é porque não a procuram. São uns desastrados, uns ociosos... não há fugir disso!

— Tenho procurado... A meu ver esse demônio mora no mato, sem casa, sem nada!

— Ela, quando vinha ao trabalho, vivia com a Vicenza, mas desde a noite do incêndio que nunca mais lá apareceu... — informou Boston.

— Como sabe o senhor isso? — perguntou Lane.

— Indaguei. Foi a própria Vicenza quem me disse isso. Segundo esta, a Teresa é feiticeira.

— Asneiras...

— Para nós; para eles, não; explicam assim os seus atos de loucura... É uma mulher perigosa, será bom procurá-la no acampamento dos ciganos... que já fazem das suas!

— Ir aos ciganos? — tartamudeou o empregado, com um sorriso de medrosa dúvida.

— Que diabo! Não há polícia? Que faz ela? Por que não se há de ir aos ciganos? Vai-se a toda parte, quando se trata de procurar um criminoso ou um louco desta espécie!

Mr. Lane passeava furioso de um lado para outro, esquecendo-se de abrir a carta que atirara em um movimento de raiva para cima da secretária. Aquilo não passou despercebido a Guilherme Boston. Instantes depois o empregado saía com novas instruções e Mr. Lane, mais calmo, foi percorrer todas as dependências da fábrica.

Nas longas salas iluminadas pelas janelas abertas, trabalhavam centenas de mulheres em frente aos teares, que faziam uma bulha ensurdecedora. Rapazinhos e rapariguinhas ajudavam, trazendo e levando meadas de algodão. Das salas dos teares, o dono da fábrica passou para a casa da máquina, onde homens atiravam mancheias de algodão apenas despolpado para o interior de uma grande máquina, que em poucos minutos o transformava no mais claro fio.

Encontrando nessa seção a mesma ordem e atividade que tinha encontrado nas outras, Mr. Lane dirigiu-se para o pátio central, entre a fábrica e o depósito, com um pequeno cais para os saveiros que iam diretamente levar-lhe até o depósito os materiais da sua indústria. Aí, como em toda parte, reinava a mesma vida e a mesma ordem. Tinha chegado exatamente um saveiro carregado de fardos de algodão, que os carregadores levavam para o depósito, enquanto umas dez mulheres estendiam ao sol, desenrolando-as rapidamente, umas peças de algodão para alvejar e o gerente apontava em uma carteira a quantidade de volumes que transportavam.

Aquela visita de observação e o bom andamento em que encontrara tudo tinham feito bem ao espírito de Mr. Lane que, refletindo melhor, desprezara as palavras da velha, por partirem de boca desvairada e a que ninguém podia dar crédito! A sua fábrica progredia de uma maneira espantosa! Mais uns cinco anos assim e ele seria o inglês mais poderoso em toda a América do Sul! Só então ele levaria a sua Mary à Europa; antes desse tempo trabalharia como um verdadeiro escravo do dever! Na sua pátria, então, ele apresentaria a filha à sua velha amiga Lady Wells, que por sua vez a introduziria na sociedade da alta elegância, onde as milionárias têm sempre prestígio...

Eram esse os sonhos do velho fabricante.

Quando ele saíra do escritório, Guilherme Boston esperou uns segundos, impassível, com o ouvido à escuta, sem deixar de parecer preocupado com os seus cálculos; sentindo, porém, já muito afastados os passos do patrão, voltou-se e foi sutilmente à outra secretária, procurando com a vista a carta ainda intacta e arremessada pelo fabricante, havia pouco, em um acesso de cólera, sobre os outros papéis amontoados. Guilherme Boston tirou-a de entre os papéis onde caíra e onde facilmente ficaria confundida, sacudiu-a e pô-la, com todo o cuidado, bem em evidência, sobre a pasta de marroquim verde escuro de Mr. Lane. Olhou à roda, certificando-se de que ninguém o espreitava, e voltou depois para a sua carteira e o seu trabalho.

Nesse instante não pensava com certeza na pobre Laurinda, que lá estava em um quarto da casa de D. Delminda, na rua da Misericórdia, cosendo na máquina as grosseiras costuras do Arsenal. A Laurinda perdera a beleza e a graça nas rudezas do trabalho e nas decepções do seu amor.

Guilherme Boston não tinha remorsos; aquilo era para ele um acidente da sua vida de rapaz. Sacrificara Laurinda ao seu capricho, à sua paixão carnal, como poderia ter sacrificado qualquer outra... Para que nasceram as mulheres senão para gozo dos homens? Laurinda que perdesse a vista e cansasse o peito nos pespontos das camisas e das ceroulas que fazia; ele pensava só, só e só, em ser genro do patrão, o seu sucessor no negócio, senhor da sua fortuna e dono da sua filha!

Entretanto, os seus cálculos encontravam-se com o seu amor, que era sincero e veemente. Mary fascinava-o, eletrizava-o! A graça ondeante e inocente da moça, a sua formosura serena, o seu tipo original, misto de brasileiro e de inglês, a sua educação viril, que em nada prejudicara o que da feminilidade pode provir de encantos, a voz argentina de Mary, a sua maneira de vestir, o seu perfume... tudo, tudo o dominava e o atraía de um modo poderoso e irresistível.

Guilherme Boston estava entregue à ideia de Mary, quando Mr. Lane voltou ao escritório e sentou-se em frente da sua secretária.

— Oh! Ainda uma carta!... — exclamou ele. E logo depois, mudando de tom: — É verdade... tinha-me esquecido... Que diabo de letra!

Mr. Lane abriu a carta com curiosidade e leu:

"Sr. Lane,

Pessoa de toda a confiança afirma ver sair de sua casa, todas as noites, pela volta de uma hora, um homem alto... Como a reputação de Miss Lane pode sofrer qualquer injustiça com a assiduidade desse senhor nas suas visitas noturnas, lanço mão deste meio para o avisar... Peço licença para guardar o meu nome em segredo; em todo o caso, a verdade desta minha acusação pode ser verificada esperando o senhor Lane o dito cavalheiro que, da meia-noite para a uma hora, sairá pela porta da direita da sua casa, dirigindo-se pela aba desse mesmo lado para a portinha do pomar."

Mr. Lane desprezava tudo quanto não fosse correto e digno. Aquela carta anônima, escrita em papel ordinário de grandes pautas vermelhas, com caracteres em que se percebia uma mão contrafeita e mentirosa fez, entretanto, um efeito terrível, uma mudança súbita nas suas ideias, um desmoronamento no seu espírito. Se se tratasse dele, da sua vida privada ou pública, dos seus negócios ou da sua honra, ele levantaria os ombros como das outras vezes, e continuaria sossegadamente no "train-train"[61] da sua vida habitual, sem indagar nem cansar-se mesmo em suspeitar de onde teria partido semelhante canalhice! Mas ao ver o nome da filha babado com peçonhenta calúnia naquele papel, ao saber que alguém era capaz de em um minuto de desvario conceber semelhante ideia, um arrepio de ódio percorreu-lhe o corpo já febril, quase doente.

Mr. Lane observou o carimbo do envelope depois de ter relido a carta; vinha de Niterói... Quem teria escrito aquilo? Não tinha inimizades... ainda não fizera relações que justificassem ciumadas... Seria inveja? Mas inveja de quê?! Emanaria aquilo do ódio de Teresa Nutti? Não podia ser! Aquela mulher tomava a responsabilidade dos seus crimes com uma franqueza em que havia assomos de dignidade. Era uma louca impulsiva.

61 Traduzido do inglês: que se repete de uma maneira monótona, como o ritmo de um trem.

Sem atinar de que sombra teria partido aquela traição, aquele golpe covarde, o velho fabricante ergueu-se e saiu para o pátio, pondo-se a passear ativa e nervosamente de um lado para o outro. De repente estacou, lembrando-se das palavras do seu empregado, nessa manhã, referindo o que lhe contara o padeiro! Pesava as coisas com mais cuidado, prevendo que as palavras desse homem correriam depressa de boca em boca e que em breve toda a gente acreditaria que a sua filha era uma mulher sem brio. Ela, tão casta!

Santo Deus! Como poderia ele desvendar esse mistério? Mr. Lane continuava agitadíssimo, lembrando-se dos mínimos detalhes dos últimos dias em sua casa. Assim ocorreram-lhe à lembrança as pegadas que vira uma manhã impressas na areia úmida do seu jardim... e a mudança que se operava em Mary desde alguns dias!

Que significaria tudo aquilo? Seria Mary cúmplice, por inocência, de Mme. Girard? Receberia a francesa alguém, alta noite, no próprio quarto da discípula?

A pessoa que saísse pela porta da direita da Casa Verde sairia forçosamente pela porta do quarto de Mary, única que havia para esse lado do jardim! Uma esperança brilhava no fundo do espírito do inglês, julgando ter achado afinal a solução do problema: o homem acusado da carta anônima só poderia ser um dos seus empregados, o cocheiro, por exemplo, que para sair sem ser pressentido por ele, Lane, cujo quarto era do lado esquerdo, na mesma direção das dependências dos criados, dava volta pelo fundo, passando pela porta para o pomar, resvalando rente às paredes da casa até à portinha do atalho...

Mais sossegado com essa ideia e preparado para dar um castigo merecido ao bandido do seu cocheiro, Mr. Lane voltou para o escritório, recomeçando com tranquilidade aparente o seu trabalho.

Nessa hora Mary saía para a estrada na boleia do seu carro, que ela guiava como mestra, e meia hora depois dava-se o acidente em plena rua, em que o Dr. Eduardo Abrantes pôs em evidência a sua valentia.

E foi por causa daquela carta que Mary encontrara o pai taciturno e mal-humorado.

De volta para *Green House*, ele tomou-lhe as rédeas da mão e a viagem correu sem um dito alegre, sem uma expansão, como se pai e filha, desconfiados e tristes, se observassem mutuamente.

Capítulo XIV
A ESPERA

A noite estava de um luar esplêndido; o jardim da Casa Verde, com os seus bosquetes de plantas ornamentais e os seus cravos vermelhos, embalsamava o ar. Mr. Lane prendia a filha a seu lado, no terraço, indeciso sobre o que devesse fazer.

Repugnava-lhe mostrar a carta anônima à sua adorada Mary e não sabia também por que forma interrogá-la. Um acaso veio ao encontro das suas ideias.

— Mme. Girard não virá hoje dormir em *Green House* — disse Mary.

— Por quê?

— Chegou hoje da Europa, pelo *Brésil*, uma amiga da infância, e ela pediu-me que o avisasse disso mesmo.

— Foi para algum hotel?

— Naturalmente.

— Dize-me com franqueza: em que conta tens Mme. Girard?

— Na melhor possível. É uma boa professora, principalmente de desenho e de música...

— Não me refiro aos seus méritos intelectuais.

— Morais, então?

— Sim...

— Oh! *Father*! Pois não a conhece tão bem, e há já tantos anos!

— Pode ser que eu me tenha enganado... Que conceito fazes dela?

— O melhor do mundo.

— Tem-te muita amizade?

— Mas muita!

— Nunca te falou da sua vida, dos seus desgostos particulares?

— Muitas vezes.

— Hum... fala da família?

— A bem dizer, ela já não tem família. Aos dezessete anos ficou órfã de pai e de mãe, mortos em um desastre de estrada de ferro. Ela estava então no colégio do *Sacré-Coeur*[62], onde tinha completado o curso, saiu do colégio de luto e já como professora de uma família fidalga da província. Aí a eterna história: apaixonou-se por ela o filho mais velho dos donos da casa, ela apaixonou-se por ele, o resto da família pôs-se em bicos de pé, protestando contra a pobretona, a intrusa, a burguesa assalariada que lhes queria extorquir fortuna, nome ilustre, etc. etc... Saiu a pobre daquela casa, jururu como um cão batido e embarcou para os Estados Unidos, onde lecionava em colégios e casas particulares. Morava ali em Chicago, não sei se há dois anos, quando conheceu um senhor Girard, agente de uma casa francesa. Ele gostou dela, ela não desgostou dele e casaram-se... Viveram juntos três anos, em que ele explorou rudemente o trabalho da esposa; no fim desse prazo ele morreu e ela, já viúva, resolveu voltar para França; lá estava na pátria, havia dois anos, vivendo com muita economia, quando o senhor a mandou chamar.

— Eu pedi ao meu correspondente uma preceptora, não podia designar nomes; não a conhecia...

— Sei...

— Que idade tem Mme. Girard?

— Quarenta e cinco anos...

— Não sabes se ela tem por aí algum conhecimento?

Mary deu uma gargalhada, reparando para a fisionomia atribulada de Mr. Lane, e depois disse, com ar malicioso:

— Querem ver que está apaixonado?

— Que lembrança!

— Então não podia ser?! Olhe: se eu não fosse sua filha... era quem escolheria para meu marido!

— Havia de ser!...

— Era, oh! Se era! Se eu não fosse *Miss* Lane, queria ser *Mrs.* Lane!

— *Indeed*![63] — Mr. Lane viu-se obrigado a sorrir.

Mary sentara-se nos seus joelhos e ia dizendo com afagos e denguices:

— O seu bigode é mais farto, mais sedoso, mais bem tratado do que os dos outros homens; em nenhum conheço uma testa como a sua, ampla, majestosa, inteligente e pensadora; os seus olhos são quase tão bonitos como... os meus... e as suas mãos, os seus dentes, o seu porte, tudo inspira uma impressão deliciosa!

Desviada a conversação para aquele ponto, Mr. Lane não julgou prudente insistir. Depois de uma pausa, o inglês perguntou:

— Mary, por que deixaste de cantar?

62 Traduzido do francês: Sagrado Coração.
63 Traduzido do inglês: Com certeza!

— Eu?!

— Sim, tu. Cantavas e tocavas todas as noites; agora pareces aborrecida do teu piano.

— Não... é que... estou cansada do meu repertório.

— Pois manda vir músicas novas! Por que não aproveitaste a ida de Mme. Girard à Capital para essa encomenda?

— Não me lembrei...

— Por que andas assim absorta?

— Absorta!

— Não repitas inutilmente as palavras. Fala com franqueza: tens algum desgosto?

— Não!

— Aborreces-te em *Green House*?

— Não!

— Antipatizas com esta gente daqui?

— Não.

— Não achas bom fazer uma mudança, ir passar uns dias na Capital, por exemplo?

— Não.

— Queres ir visitar teus avós à Bahia?

— Não.

— Não desconfias de nenhuma das pessoas que nos cercam?

— Não.

— Não, não, não, não! Parece que esqueceste todas as outras palavras!

— Que quer que eu lhe diga?

— A verdade.

— Mas que verdade?! — balbuciou Mary, com medo no fundo do coração.

— A verdade que eu exijo é a causa dessa mudança que dia a dia vejo operar-se em ti. Estás pálida, muito menos alegre, muito menos ruidosa; há dias em que acordas com olheiras que em vão tentas encobrir aos meus olhos... Sinto no teu próprio riso falta de espontaneidade... Por quê? Que te fizeram? Que te fiz? Em que pensas?!

— Em nada... eu sou feliz e estou contente... talvez um pouco fraca... começarei qualquer dia destes os banhos de mar; nadarei uma hora todas as manhãs e o exercício há de me fazer bem!

Era com esforço sobre-humano que Mary iludia assim o pai! Um remorso cruel enchia-lhe a alma, mas parecia tarde agora para esclarecer todo aquele mistério. De resto, o doente estava em vésperas de ser removido e tudo entraria então em seus eixos.

Mr. Lane sentia a mão da filha tremer e, apalpando-lhe o pulso, notou que ele indicava um pouco de febre ou agitação nervosa.

—Vai descansar, minha filha — disse-lhe ele, ameigando-a —; amanhã consultaremos um médico!

— E o senhor, não se recolhe também?

— Ainda não...

— Esperarei a seu lado, não tenho sono.

— Nem eu; mas tens febre.

— Sinto-me melhor aqui do que no meu quarto.

— Sim?! Por quê?! — indagou pressurosamente Mr. Lane.

— Não sei... por estar a seu lado, talvez.

— Estás doente! Eu irei para a tua cabeceira até ver-te sossegada!

Mary ergueu-se subitamente, e com um movimento inconsciente exclamou:

— É impossível!

Mr. Lane olhava para a filha com espanto; ela mudava de cor e de voz, traindo uma comoção enorme, e era evidente que não desejava deixar o pai sozinho no jardim, querendo, como já havia muitas noites, ser a última a recolher-se...

Acabrunhado, o infeliz simulou uma retirada, despedindo-se com um beijo.

— Descansa, minha filha!

— Até amanhã.

Mary sentia-se exausta; aquele papel de dissimulações não se coadunava com o seu temperamento; foi com desespero que entrou no seu quarto. Rita dormia a um canto, cansada de vigiar o doente durante toda uma longa tarde; a moça chamou-a, dizendo:

—Vá tomar chá, Rita; eu ficarei aqui até que você possa voltar...

— Já não posso mais! Que sono! Vou espertar e já volto!

Ficando só, Mary encostou-se ao leito do doente; ele dormia e ela, fatigadíssima, deixou pender a cabeça e adormeceu também. For assim que a encontraram o médico e a irmã de caridade.

***

Vendo a filha afastar-se, Mr. Lane parou a meio caminho e voltou-se. Viu-a ainda entrar no quarto e ouviu fechar-se a porta com duas voltas de chave. Depois tudo recaiu no costumado silêncio. Ele ainda esteve algum tempo no jardim, indeciso, ruminando os dizeres da carta anônima. Deveria espionar a filha? Mas não seria isso uma indignidade? Julgá-la capaz de uma infâmia era não acreditar na eficácia da educação sólida que lhe dera. Essa ideia cruel, que num relâmpago lhe atravessou o espírito, para logo se dissipar. Não era possível semelhante monstruosidade. Mary era a própria pureza, a mesma inocência. A sua honestidade era inata e hereditária.

Na sua família e na da sua finada mulher jamais houvera um desvio de honra ou de dignidade. Eram ambas compostas de gente fundamentalmente honesta... Depois voltou-lhe à ideia o cocheiro, o Félix, que era moço e tinha ar atrevido. Naturalmente, o patife saía de noite em busca de aventuras ou de pândegas na cidade ou em S. Domingos, para o quê, aliás, frequentemente lhe pedia licença. Não podia ser senão ele... Tanto mais que a maldita carta não falava na entrada, mas na saída de um homem. E, muito agitado, tirou a carta do bolso, aproximou-se do lampião do terraço e releu:

"Pessoa de toda a confiança afirma ver *sair* de sua casa, todas as noites, pela volta de uma hora, um homem alto..."

E mais abaixo:

"...a verdade desta minha acusação pode ser verificada esperando o Sr. Lane o dito cavalheiro, que da meia-noite para a uma hora *sairá* pela porta da direita da sua casa..."

— É claro que o denunciante não viu entrar ninguém, mas somente sair... Portanto, é também claro que se trata de pessoa da casa, raciocinava o inglês. Esteve ainda alguns minutos no jardim, subiu depois ao terraço, apagou ele mesmo o lampião de gás e recolheu-se aos seus aposentos um pouco mais aliviado pelas reflexões que fizera.

Sentindo, porém, que não poderia dormir tão cedo, em vez de ir para o seu quarto, deteve-se no gabinete de trabalho, sentou-se à sua secretária, abriu casualmente um livro inglês e começou a ler. Mas debalde procurava fixar a atenção na leitura, desviando o pensamento da carta nefanda; ele voltava com insistência às linhas cruéis, torturantes, da denúncia. Nada compreendia do livro, como se ele fosse escrito em língua estranha. O seu espírito sólido, porém, não se deixava vencer facilmente e Lane recomeçava duas, três, dez vezes a leitura da mesma frase, até fixá-la no pensamento. Por fim, aquela luta fatigou-o; arremessou o livro com ímpeto e foi ao quarto de dormir buscar a Bíblia. Sentou-se de novo à secretária e abriu o livro ao acaso.

Aquela leitura familiar, subdividida em curtos períodos, em versículos cheios de conceito, foi-lhe incomparavelmente mais fácil e benéfica. O seu pensamento serenou, subiu a regiões mais elevadas e mais puras, afastando-se das pequeninas misérias do mundo. Mas a pacificação não durou muito; dali a pouco, os versículos começaram a embaraçar-se, e o velho, sem o pensar, tirou a carta da algibeira e abriu-a sobre o volume.

"...o dito cavalheiro que da meia-noite para a uma hora sairá pela porta da direita da sua casa..."

Pela porta da direita! Mas do lado direito da casa só havia uma porta – a do quarto de Mary. A informação poderia ser falsa; mas era positiva. O denunciante não tinha dúvida, como ele; afirmava, e mais do que isso, convidava-o a verificar o fato! Qual era então o seu dever de pai?

Era verificá-lo. Mesmo que tivesse certeza, como tinha, e a mais completa, de que a filha não era culpada, cumpria-lhe verificar o que poderia ocasionar semelhante convicção no denunciante.

O velho olhou para o relógio. Era quase meia-noite. Maquinalmente, abriu uma das gavetas da secretária, tirou um revólver, examinou-o com cuidado, meteu-o no bolso, apagou o gás e saiu para o jardim, cautelosamente, sem fazer bulha. Primeiramente foi examinar de perto a dependência dos criados. Estava tudo em completo silêncio e nenhum dos quartos tinha luz. O velho afastou-se dali, deu volta à casa, chegou ao portão principal para ver a rua. Nada; ninguém; apenas uma brisa tênue e fresca fazia sussurrar a folhagem. A lua, alta e cheia no céu límpido, iluminava tudo. Lane encostou a cabeça ao portão e olhou para longe, perquirindo os dois lados da rua. Não vendo ninguém nem ouvindo nenhum rumor suspeito, voltou, percorreu os vários canteiros e foi se aproximando do quarto de Mary. Parou quase defronte da porta, junto do caminho que levava à cancela do pomar. Havia ali um largo canteiro de crótons bastante altos, rodeado, como todos os outros, de craveiros engradados simetricamente. Lane podia ficar ali, dominando o caminho por onde forçosamente teria de passar quem se dirigisse à cancela, e quase em face do quarto da filha. Tirou o revólver do bolso e esperou. Pareceu-lhe ouvir vozes no quarto, mas tão abafadas, tão sem eco, que ele compreendeu logo que não as perceberia, ainda que se aproximasse da porta. Todavia, atentou o ouvido. Nada; se vozes houvera, tinham-se evidentemente calado. Rumor de passos também seria impossível ouvi-lo por causa da alcatifa[64] que os abafava. Depois, ao coração leal e amantíssimo do inglês, repugnava sobretudo suspeitar da filha e ele não se atreveria nunca a ir espreitar ou escutar à porta do seu quarto de virgem. Esta ideia afigurava-se-lhe monstruosa e de uma indignidade revoltante. Ele observava

64 Tapeçaria festiva colocada na janela.

principalmente os fundos da casa, donde, era sua convicção, surdiria o homem que quisesse sair do pomar. Se esse homem fosse espreitar à porta de Mary – estava resolvido: varava-o com uma bala.

Entretanto, o coração pulsava-lhe com violência e as têmporas batiam-lhe; apesar da frescura da noite, o suor corria-lhe da fronte; os seus lábios estavam secos e trêmulos... A sua mão já lhe doía, tão forte e nervosamente apertava a coronha do revólver. Os olhos, muito abertos, fixavam tenazmente o ângulo posterior da casa; de vez em quando desviava-os a furto para observar em conjunto o jardim e a rua, que ele via ao longe, através do portão de ferro. De uma dessas vezes pareceu-lhe distinguir, perto da entrada, o vulto de um homem. Correu ao portão: ninguém. Deveria ter sido ilusão sua, produto da sua imaginação superexcitada, talvez a sombra de alguma árvore. A chave do portão era o jardineiro que a guardava e isso impedia-o de o abrir para melhor examinar a rua.

Alguns farrapos de nuvens passavam agora pela lua e diminuíam a espaços o luar magnífico da noite. Uma grande impaciência assaltou o inglês. Queria acabar com aquilo. Talvez fosse melhor voltar para casa e ir pelo interior dela até os aposentos de Mary, chamá-la, e esperar ao seu lado, atrás da vidraça, a passagem do homem. Quando ele abrisse a cancela, abririam eles a janela e chamá-lo-iam à fala...

Mas... afinal, por inacreditável que fosse, não era possível que efetivamente alguém, mesmo uma mulher vestida de homem, a própria filha, que tinha às vezes excentricidades, saísse pelo quarto à noite, nas noites de luar pelo menos, para passear no jardim ou no pomar? Certo, era extravagantíssimo – mas não impossível. E o espírito conturbado do velho, já incapaz de raciocinar com a habitual firmeza e precisão de lógica, admitia todas as hipóteses, menos a da culpabilidade de Mary. O coração agora doía-lhe e o ar começava a faltar-lhe... O revólver tremia-lhe na mão e uma sede atroz devorava-o. Vinha-lhe vontade de se estender na relva macia do canteiro e deixar-se ficar até que a síncope definitiva lhe suprimisse aquele peso do peito e aquela sombra do espírito...

De repente ouviu rumor no quarto de Mary. O velho endireitou o busto, abaixou com a mão esquerda a folhagem dos crótons e cravou os olhos na porta, com o revólver convulsivamente apertado na direita, atrás das costas.

A porta abriu-se sutilmente e o Dr. Abrantes saiu apressadamente em direção à porta do pomar. Era então verdade, era então verdade, Senhor!

O inglês sentiu-se convertido em gelo. Quis falar e a voz não lhe saiu da garganta; quis abaixar o gatilho da arma e os seus dedos permaneceram hirtos e inativos. Entretanto, Eduardo passou a poucos passos dele, sem o ver, e alcançou a estrada.

Foi então que, num esforço supremo, Lane se voltou e disparou um tiro e logo outro e outro, sobre o vulto que já se confundia com a sombra; depois caminhou como numa alucinação para o quarto de Mary, ao mesmo tempo que ela lhe abria a porta de par em par. O velho estacou, vendo no limiar a figura ereta de uma irmã de caridade. Estaria ele louco?! Que significaria tudo aquilo?!

— Mary! Mary!

A filha ali estava, pálida como morta e de mãos postas como a pedir perdão, ao mesmo tempo que suplicava:

— Corram, vejam se ele ficou ferido!...

— Mas ele quem?! Ele quem?!

— O médico, uê! — exclamou Rita, afastando Mary com um gesto brusco e enfrentando o patrão.

E ali mesmo, no terraço, entre o lençol de luz projetado pela lâmpada do quarto e a escuridão da noite, ela relatou tudo, tudo, na ânsia de justificar e fazer perdoada a sua filha de criação: "Ela foi leviana, mas o foi por amor do senhor mesmo. É preciso compreender bem isto, uê!"

Entretanto, a irmã Pompília saía para a estrada à procura de Eduardo... e a criadagem aparecia estonteada a saber o que seria aquilo.

Capítulo XV
A SOMBRA

Por que resolvera Guilherme Boston avisar Mr. Lane, por uma carta anônima, do que se passava em sua casa?

Seria só o seu amor por Mary que ditara aquela covardia? Nem ele mesmo o sabia. Não fora outra a mão que tão ferinamente tinha levado a dúvida, a vergonha e o desespero ao coração limpo e sossegado do velho inglês! Guilherme Boston, sim, fora ele quem na véspera, à noite, deixara cair sutil e perversamente dentro de uma caixa de correio aquela carta pequena, escrita em caracteres miúdos, retorcidos e toscos, em papel barato, pautado de vermelho. Quem reconheceria naquelas letras raquíticas e trêmulas a caligrafia ousada, valente, larga e rija do guarda-livros da fábrica Lane? Ninguém. Ele estava certo da impunidade do seu delito. O golpe partia da sombra, em que todos se confundem...

Talvez mais do que o amor, fosse o ciúme quem no seu desatino ditasse ao ouvido de Boston aquela sedutora vingança! Não podendo saber o que se passava dentro de *Green House*, guiado pelas aparências exteriores e por aquelas visitas do moço médico a desoras, ele não imaginou senão que essa formosa mulher fosse sua amante...

Surpreendera aquilo uma noite em que ele, enamorado, fora rondar a casa do patrão, na doce esperança de ver, através das janelas iluminadas, o busto airoso da moça ou de lhe ouvir a voz argentina e melodiosa. Nada disso! Às dez horas a Casa Verde tinha todas as janelas fechadas e o seu pessoal recolhido. Às nove em ponto o jardineiro vinha fechar à chave o alto portão de ferro, apagava o gás do terraço e retirava-se para os aposentos dos criados na dependência do fundo. Aquilo era cronométrico, como na casa de um genuíno inglês, que em muitas coisas o era ainda Mr. Lane, ainda que a sua longa convivência com a família brasileira da finada esposa o tivesse feito perder boa parte dos hábitos pátrios. Na primeira noite Guilherme estudara o terreno; vira logo que o terreno fronteiro, devoluto e à venda, fechado para a rua por uma sebe, uma pequena cerca de espinheiros e com mato bastante espesso e alto, era um ótimo refúgio, em caso de perigo; tratou de procurar-lhe a entrada e achou-a pouco acima, uma cancela rústica, fechada a taramela[65]. Foi postar-se ao pé do portão e através das suas grades contemplou a casa; depois imaginou a hipótese de ser visto e correu para a cancela, abriu-a rapidamente e entrou no mato. Dali fez o seu caminho junto à cerca até defrontar com o portão; cortou aí alguns ramos do espinheiro e verificou que assim, sem ser visto, poderia observar tudo que se passasse no jardim, na frente e do lado direito da Casa Verde, quase tão bem como se estivesse junto da entrada.

"Bem", pensou, "isto serve para me furtar à vista de indiscretos e para ficar nas noites de muito luar."

Os transeuntes noturnos por ali eram raríssimos. Só pela madrugada passavam padeiros e leiteiros e um ou outro criado a caminho das compras. Dos hábitos da casa já ele tivera o cuidado de se instruir discretamente com o cocheiro, de uma vez em que o carro estivera muito tempo na fábrica à espera do patrão ausente. O que lhe faltava saber, tratava de observar do seu esconderijo. Queria entrar, fosse como fosse, na vida íntima daquela família, a quem desejava com uma veemência inaudita ligar-se para sempre.

Morava agora em Niterói, em uma casinha nova da rua Tiradentes e procurava tornar exemplar a sua conduta aos olhos da vizinhança, certo de que um dia Mr. Lane procuraria saber dela alguma coisa a seu respeito. Acabado o serviço e o jantar em uma pensão familiar, ele recolhia-se à casa, que trazia sempre limpa e garrida.

À noite saía para o seu giro, sem companheiros, evitando percorrer as mesmas ruas duas noites seguidas, e assim com rodeios, indo ora por Niterói, ora por S. Domingos, ele ia postar-se uma meia hora em frente à Casa Verde, sempre na esperança louca de ver Mary alguma vez!

Foi assim que uma noite viu sair um homem do lado direito da casa, para onde ele sabia dava o quarto da moça. Uma onda de sangue subiu-lhe à cabeça, como se adivinhasse o mistério daquela visita saindo fora de horas de uma habitação já fechada e tranquila.

Audacioso, ele quis saber quem era esse homem e acompanhou-o de longe, até à sua morada. O acaso favorecia-o, o nome do rival estava escrito no umbral da porta.

Boston não conseguiu dormir esta noite, pensando no caso e rebatendo com ponderações as suas suspeitas. Convencera-se de que o médico fora ver algum doente, mas nem por isso a sua raiva e o seu ciúme lhe deixavam a alma em paz!

65 Trava, postigo.

No dia seguinte, no escritório, achou jeito de perguntar ao patrão se estavam todos bem de saúde em casa. Lane afirmou que sim, e Boston ficou pensativo.

Nessa mesma tarde, porém, o acidente do carro elucidou-o. Reparara para a comoção da moça ao ouvi-lo pronunciar o nome do médico, admirando-se ele ao mesmo tempo de que o inglês não o conhecesse. Quê! Pois era sem conhecimento do dono da casa que o Dr. Eduardo Abrantes entrava e saía à noite de *Green House*?!

Mais uma noite de vigia decidiu-o a denunciar. Acontecesse o que acontecesse, queria lançar a sua cartada. Lembrou-se de Laurinda, seria ela quem lhe escrevesse a carta... Fugiu dessa ideia, não porque a achasse infame, mas porque não se queria aproximar da amante.

D. Delminda que lhe aguentasse as queixas; ele não estava para lamúrias, tanto mais que era coisa decidida o seu rompimento com a pobre filha do Major Figueiredo!

Assim, fechou-se em casa e escreveu ele mesmo a carta anônima.

Eram dez horas quando, como nas outras noites, Guilherme Boston, cosido a sebe, penetrou no esconderijo preparado na véspera a canivetadas com que decepara, no terreno à venda, vários galhos do espinheiro da cerca. Agachando-se, espreitou para o jardim em frente e reconheceu depressa os vultos de Mr. Lane e da filha conversando no terraço.

O coração batia-lhe desordenadamente e os olhos não pestanejavam, à espreita. Viu assim a retirada da moça e de Mr. Lane e o fechamento da casa feito com o mesmo sossego e as precauções dos dias anteriores. Temia que o inglês não tivesse ligado importância à carta. Sentia-se humilhado; estava perplexo e com vontade de abandonar o seu posto, quando ouviu um doce murmúrio de vozes e passos abafados; olhou com pasmo para a entrada enluarada e viu o Dr. Abrantes e a irmã Pompília, que se dirigiam para o portão do pomar e penetravam em *Green House* como por sua casa. A intervenção da irmã desnorteou Guilherme Boston. Que quereria dizer aquilo?!

Impaciente, Guilherme Boston teve ímpetos de saltar a cerca, galgar a distância que o separava e interrogar ali mesmo o médico e a sua companheira. Deteve-se, porém, com raiva. A Casa Verde fechou-se sobre os recém-chegados com a discrição de costume. A curiosidade reteve ainda o guarda-livros e ele viu assim o vulto de Mr. Lane percorrer o jardim em todas as direções, indo do seu quarto até o fundo, à dependência dos criados; da dependência dos criados à figueira, onde os olhos fixos e fosforescentes da coruja brilhavam como estrelas misteriosas; da árvore para a frente do jardim, e daí para o pomar e o grande canteiro de crótons e de cravos...

Guilherme lia nas passadas irregulares do inglês o seu nervosismo, a sua febre, e uma esperança maldosa florescia no seu peito.

Ser marido de Mary era ser dono da fábrica, era ser possuidor de uma formosa mulher e de uma grande fortuna!... Condescenderia com os escrúpulos de honra, para salvar aquela situação... Quando Mr. Lane tivesse matado o amante da filha, começaria ele a agir de cara descoberta na proteção daquela família maculada... Traçava planos largos, de grande fantasia...

Mr. Lane seria preso, talvez condenado; Mary cairia nos braços de um homem que a remisse e a protegesse; e esse homem era ele!

Os minutos pareciam correr lentamente; como se o próprio tempo arfasse com ansiedade!

Boston soerguera o busto e mal divisava a figura alta e esguia de Mr. Lane em frente à porta do quarto da filha.

No céu a lua iluminava o azul tênue e delicado da atmosfera e uma brisa ligeira e doce espalhava no ar o aroma agreste e brando das mimosas brancas, que empenujavam os galhos espinhentos das árvores.

Aproximava-se o momento decisivo. Boston estava no limiar da sua fortuna... daí a instantes tudo estaria consumado... tudo.

Percebia que Mr. Lane fazia uma espera e que dela resultaria a morte do médico!

Em uma visão de louco, ele como que apalpava a certeza de triunfar no fracasso daquela situação medonha... Nem ao menos o perturbava a ideia de Laurinda, que abandonava sem piedade e que poderia talvez interpor-se como um obstáculo insuperável à realização dos seus projetos!

Contava com a passiva submissão da moça, com a sua alma afeita ao martírio e ao silêncio. Depois, que lhe importava o passado? Todo homem deixa na vida um rastro de lama após si...

Se ele casasse com Mary, eliminaria a Laurinda, dar-lhe-ia um dote, exportá-la-ia para outras terras, mais ou menos consolada...

A visita do médico parecia prolongar-se mais que de costume. Que se passaria lá dentro? Que papel iria representar em tudo isso aquela importuna irmã de caridade?

Boston pensava nisso com medo, quando viu entreabrir-se a porta do quarto de Mary e percebeu o vulto do Dr. Abrantes...

Por que não disparava já Mr. Lane contra aquele homem o revólver que ainda há pouco vira brilhar-lhe na mão? Quereria prova mais evidente? O coração de Guilherme Boston rompia-lhe o peito, nos seus batimentos desencontrados!... O médico atravessava o jardim... roçara quase pelo canteiro de crótons... alcançava finalmente a grade... transpunha a cancela... Boston mordia os beiços com raiva, chamando Mr.

Lane poltrão[66]... Foi nesse instante que viu, surpreso, o velho correr com desatino e disparar o seu revólver contra o aviltador da sua honra.

Guilherme deitou-se de bruços no chão e fechou momentaneamente os olhos, horrorizado, apesar de tudo. O suor corria-lhe em grossas bagas pelo rosto lívido.

Sacudiu depressa aquela fraqueza e espiou por entre os claros espinheiros; foi com enorme surpresa que percebeu a verdade. Lane errara o alvo e o médico fugia!

Louco, Boston saltou para a estrada e, acompanhando a sombra da sebe, correu também como se quisesse alcançar o fugitivo e acabar com a obra começada pelo inglês. Não sabia por que fazia aquilo, a sua ideia não estava bem definida no seu espírito... Entretanto, Eduardo levava-lhe grande avanço e Boston, olhando de repente para trás, vira ao longe o vulto inconfundível da irmã, estática, no meio da estrada branca!

Houve então um quebranto[67] de forças nos seus membros. Nada poderia fazer... seria denunciado!

Limitou-se a acompanhar o médico, curioso... com ódio! Já ao alcançar a cidade, o moço, apertando com a mão direita o antebraço esquerdo, retardou o passo, cambaleante, e encostou-se a um combustor de gás, como a tomar alento.

"Está ferido", pensou Guilherme, parando também. "Se cai e por acaso me encontram perto dele, comprometo-me..."

Mas o médico, recobrando forças, seguiu o seu caminho, e Boston foi o acompanhando de longe...

66 Covarde.
67 Feitiço, encantamento à distância.

Capítulo XVI

O PAI E A FILHA

Mr. Lane não era homem que se deixasse vencer por um golpe, por mais rude que fosse, nem que suportasse as situações dúbias.

A irmã Pompília saíra à procura do médico com um medo horrível de o encontrar morto! Olhando para a estrada, viu ao longe um vulto que fugia, mal adivinhando outro na sombra resvalando rente às sebes, do lado oposto da estrada...

O coração batia-lhe com força; mais uma vez não a tinham enganados os seus pressentimentos. Apesar da certeza de não ser iludida pela sua excelente vista, a irmã de caridade esquadrinhou as beiras da estrada e meteu-se resoluta e afoitamente pelo caminho estreito e escuro do atalho. — Quem sabe? Talvez ele fosse por aqui! — dizia consigo.

No quarto do ferido, Mr. Lane procurava, com um enorme esforço de vontade, coordenar as suas ideias e as palavras da filha que, humilde e chorosamente, lhe ia contando todas as peripécias daquele drama. Rita ajudava a moça, asseverando a verdade de tudo e invocando o nome de Mme. Girard que, a seu ver, acabaria de elucidar o patrão.

O inglês mal continha a sua cólera por não lhe terem revelado o acontecimento; e atropelava as perguntas e recriminações com que estonteava a filha. Ele erguera-se e passeava furioso de lado a lado do quarto, agora francamente aberto, quando viu o Félix e o jardineiro em pé no jardim, olhando embasbacados para dentro. Tinham despertado ao estampido dos tiros e vinham saber do que havia. Num relance, Mr. Lane compreendeu o perigo daquela situação falsa e disse aos criados:

— Atirei sobre dois ladrões: um está ali ferido, recolhi-o para o quarto de minha filha; o outro deve estar estendido na estrada... Procurem-no.

Mary, lívida, caminhou como uma sonâmbula para a porta; também ela queria ir ao encontro daquele a quem amava, percebia agora bem, com todas as forças da sua alma! Mas o pai afastou-a com uma expressão de raiva, fuzilando-lhe nos olhos:

— Fica!

— Meu pai!

— O teu lugar é aqui!

— Mas esse homem...

— Foi um desleal; não devia entrar em minha casa sem o meu consentimento... Se fosse na Inglaterra, mandá-lo-ia prender.

— Invoquei o segredo da sua profissão!...

— Fizeste mal. Enganaste-me, Mary! Mentiste a teu pai, a teu pai que odeia a hipocrisia, que detesta a mentira!

— Só eu sou culpada...

— Tens a desculpa de ser uma criança... de ser mulher! E ele?!

— A de ser médico... de ser caritativo... de precisar salvar um homem, que sem o seu concurso, morreria!

— Palavras!

— Se soubesse como ele é delicado... bom...

— Que juízo fará... ou faria, aquele homem de ti!

— O melhor do mundo... sempre me respeitou!

— Mentir-me! A milha filha, mentir-me! Eu merecia isto?!...

— Foi para o não magoar... Que sentiria meu pai se me soubesse uma assassina? Oh! Foi só por isso, juro-lhe, juro-lhe, juro-lhe!

— E não me fizeste um assassino, a mim?

— Assassino?! Oh! Meu Deus! E a irmã Pompília não volta!... E os criados não dizem nada!... Se ele morreu!... Se ele morreu!

Era demais. Mary caiu soluçando em uma *fauteuil*[68] e a Rita, muito amarela, continha o doente à custa de colheradas do calmante. Mr. Lane saiu para o jardim e seguiu até o portão, a ver a estrada.

O ar fresco da noite reanimou-o um pouco, o tremor nervoso passara; só a garganta persistia seca, apesar da água que bebera no quarto.

O luar tinha diminuído pelo acúmulo de nuvens no céu alto. Nada viu nem ouviu. Agora, que tinha certeza da inocência da filha, dissipara-se o seu furor, mais inspirado pela vergonha da desonra que pelo desejo de punir a culpa imaginada. Sentia, porém, um grande abatimento e uma profunda mágoa pela dissimulação de Mary. Por que não lhe contara ela tudo? Não teria assim evitado a inquietação que há tantos dias lhe notava, apesar da forçada tranquilidade que sempre quisera mostrar? Não teria evitado a desgraça que acabava de suceder? E concluía alto, como se falasse à própria Mary:

— Absurdo! Desatino! Afinal, é bem brasileira...

68 Traduzido do francês: poltrona.

E agora, dominadora e torturante, vinha-lhe a ideia de ter matado um homem; porque Lane estava certo de ter atingido, pelo menos com a primeira bala, disparada quase à queima-roupa, o doutor Eduardo.

— E de mais a mais, um homem inocente — pensava. E abria a cancela, olhando ansiosamente para a longa estrada deserta e muda. Nada! Os criados não voltavam, nem a irmã, ninguém...

Voltou ao quarto da filha. Mary soluçava, sentada na poltrona, com a cabeça entre as mãos.

Veio-lhe então uma imensa, uma irreprimível ternura. O coração de pai vencia agora o de juiz.

Inclinou-se para ela e ameigando a voz e pondo-lhe a mão nos cabelos negros despenteados que lhe cobriam as espáduas e os braços, caindo como um manto revolto sobre o colo branco, murmurou:

— *My poor Mary! My poor Mary!*[69]

Entretanto, o doente parecia cada vez mais excitado, debatendo-se na cama com impaciência.

Rita, vendo que eram inúteis os seus esforços para aquietá-lo, rompeu em exclamações:

— Tá ai o que se lucrou! O mocinho ia tão bem que até o doutor disse ontem que o removeriam hoje para o hospital... e agora, com tamanho movimento, ele vai com certeza piorar! E então, sem o Dr. Abrantes, quero ver como nos havemos de arranhar! Se a gente tivesse ficado quieto na Bahia... estava livre destes sustos. Esta terra é mal-assombrada! Cruzes! Cruzes!

Era preciso que a mulata estivesse fora de si, para ousar dizer aquelas queixas ao pé do patrão.

Mr. Lane voltou-se, com os sobrolhos contraídos, e disse, com a sua costumada frieza e sobriedade:

— Não faltam médicos... o doente será mais bem tratado daqui em diante. Feche a janela; o ar está úmido; e tenha juízo, você também!

— Sim, senhor; mas ter melhor tratamento do que até aqui? Isso é impossível! Deus sabe como eu tenho os ossos moídos de trabalhar! Coitado do pobre moço... também duvido que haja outro médico na Praia Grande que se compare com o Dr. Abrantes... Só vendo! Posso não ter juízo, mas tenho coração. Uê!

Rita dizia essas coisas já à meia voz, executando as ordens de Mr. Lane, que se chegara para o leito e contemplava o doente em silêncio.

Apalpou-lhe a testa, viu que tinha febre, e abaixando-se um pouco, perguntou-lhe:

69 Traduzido do inglês: "Minha pobre Mary! Minha pobre Mary!"

— Sente alguma dor?

Luís Ulka respondeu baixo:

— Sim...

— Onde?

— Aqui — e mostrou a cabeça.

Notando a dificuldade que o enfermo tinha em pronunciar as palavras, Mr. Lane perguntou à Rita:

— Ele não tem falado?

— Não... disse umas duas ou três palavras só. O Dr. Abrantes disse-nos que isso era natural, por causa da comoção cerebral... Há dois dias que ele vai entendendo tudo. Ao princípio era um inferno! Era como se a gente estivesse tratando de um defunto!

Mr. Lane quedou-se um bocado pensativo, olhando para o rosto pálido do moço, depois, reassumindo a sua altiva serenidade, disse:

— Se o médico tiver morrido, eu entrarei hoje mesmo para a prisão, e é preciso que Mary não fique aqui com um estranho... Escreverei ao meu guarda-livros, o Sr. Boston, indicando-lhe o que tem a fazer. Vocês estejam prevenidas para o seguirem, obedecendo às minhas ordens.

Mary olhava lacrimosa e abatida, como paralisada na sua grande dor. Rita murmurou, com modo espantado:

— Preso?! Deus nos acuda! Nossa Senhora do Rosário, minha madrinha, não há de permitir!

— Precisam coragem! Mary! Que é isso?! Não te eduquei para as lágrimas; reage, mostra-te digna do meu nome! — exclamou alto o inglês.

A moça ergueu-se; as palavras do pai encontravam eco na sua natureza forte. Agora só tinha uma ideia e uma esperança: saber que Eduardo não morrera, e havia alguma coisa no fundo do seu coração que lhe segredava isso. Sentindo passos no jardim, atirou-se para a porta, mas o pai afastou-a e atravessou-se, com um movimento rápido, na sua frente. Era tempo. Félix e o hortelão estavam a poucos passos da porta.

— Então?! O homem?!

— Não vimos ninguém!

— Impossível!... Para que lado foram vocês?

— Para o de Santa Rosa...

— Por que não foram antes para o lado da cidade?!

— Porque os gatunos fogem quase sempre para o mato... e como se tratava de um gatuno...

— Mas viram bem?

— Esquadrinhamos tudo!

— E a irmã de caridade?

— Essa... parece que foi pelo atalho!

— Quê! Sozinha?!

— Pelo menos a gente não a viu na estrada, e saímos logo depois dela...

— Examinem bem aí perto do portão...

— Não há nada... E creia o senhor que este gatuno já não é a primeira vez que entra cá!

— Por que diz isso?

— Porque... por causa de umas pegadas que eu vi ontem...

— Bem!

Mr. Lane parecia mais tranquilo. Era evidente que se tivesse matado o médico, os criados o encontrariam na estrada. Restava o receio de que estivesse no atalho, coisa que parecera possível à irmã, conhecedora dos seus hábitos. Segurando-se à ideia de que ela teria seguido a melhor pista, deu ordem ao hortelão e ao cocheiro que se dirigissem também pelo atalho e auxiliassem a irmã Pompília, se ela deles carecesse!

Fez-se silêncio no quarto. Rita suspirava baixo, Mary passeava de um lado para o outro, febrilmente, olhando com ansiedade para a porta; Mr. Lane lia os rótulos dos remédios e observava o doente que, afinal vencido pela alta dose de calmante, caíra em prostração súbita e profunda.

Meia hora depois voltava a irmã Pompília, arfando de cansaço. Atrás dela o Félix e o hortelão mostravam nas caras aparvalhadas grande espanto e curiosidade.

—Vejam só?! — gritou Mary assustada, mal viu a enfermeira.

— Não encontrei ninguém! A princípio caminhei pela estrada e pareceu-me distinguir ao longe dois vultos que fugiam.

Mr. Lane atalhou:

— Não pode ser!... Eu vi só um homem!...

— A minha vista não me atraiçoa... em todo o caso, percorri o atalho, certa de que uma pessoa ferida não pode correr.

— Mas no atalho a escuridão é completa!

— É, afiz-me, porém, à treva e observei com detida atenção todo o caminho. Nada!

— É célebre?

— É natural e tranquilizador.

Miss Lane, querendo afastar os criados, cuja presença a irritava, mandou-os examinar todos os recantos da chácara e depois de os ver sair, perguntou:

— A que atribui a fuga tão precipitada do médico?

— À sua honestidade.

— Por que não ao medo?

— Porque o conheço perfeitamente. Há quatro anos que vivo aqui nesta terra, e quer em tempos de paz como em tempos de guerra, o Dr. Abrantes andava a qualquer hora na estrada, socorrendo infelizes, sem trazer consigo uma arma sequer! Fui enfermeira em casa do Barão da Saudade, distante, como o senhor sabe, dos bairros povoados. Nesse tempo diziam que aqueles lugares andavam infestados de ladrões! O Dr. Eduardo nunca se negou a ir lá e várias vezes vi-o sair alta noite com o ar mais sereno do mundo!

— Em todo caso, ele hoje fugiu.

— Afirmo-lhe que não foi por medo.

— Faz mal em asseverar isso sem uma prova!

— Sobejam-me as provas. O Dr. Abrantes foi um precipitado, não foi um medroso! Ele vinha contrafeito à esta casa, repugnava-lhe entrar aqui a horas mortas, furtivamente, como um ladrão. O seu pavor era que o senhor mesmo o surpreendesse... disse-me isso ainda ontem!

— Por quê?

— Porque Miss Lane obrigou-o a jurar que não lhe diria nada, absolutamente nada, e não queria ser, ele, homem respeitador e delicado, quem traísse o segredo de uma mulher!

— Quer dizer que ele julgou minha filha...

— Não sei qual o juízo que ele faz de Miss Lane, mas tenho certeza de que nenhum homem a respeitaria mais do que ele. É um rapaz sério e muito severo consigo mesmo. Toda a gente que lida com ele, até os colegas que lhe invejam mal disfarçadamente a reputação de clínico que ele tem conquistado à força de trabalho e de estudo, concordam em que o Dr. Abrantes é um homem virtuoso, e só se riem e desdenham das suas virtudes. Pode crer, meu senhor, que o homem que feriu é bom e honestíssimo.

As palavras da irmã, advogando com sincero entusiasmo as qualidades do médico, foram abrandando progressivamente a irritação do inglês contra ele. Depois, aquela frase, "o homem que feriu", chamou-o à realidade da situação. Era preciso encontrar esse homem, morto ou vivo. Se morto, para se entregar à justiça e sujeitar-se às consequências do seu delito, fossem quais fossem; se vivo, era também necessário saber do seu estado, socorrê-lo, salvá-lo, ainda à custa dos maiores sacrifícios!

Os criados tinham voltado das últimas pesquisas sem trazerem novidades. Mr. Lane não hesitou:

— Félix! Vá pôr o carro imediatamente e com toda a pressa. — E voltando-se para a irmã Pompília, disse-lhe: — Quer fazer-me um grande favor?

— Oh, senhor, estou às suas ordens.

— Visto que se dá com o Dr. Abrantes, peço-lhe que vá no meu carro, já, sem mais demora, à casa dele. Se ele tiver chegado à casa e estiver ferido gravemente, ficará lá à sua disposição e por minha conta, mandando-me informações pelo cocheiro; se o ferimento for leve...

— Tem certeza de que o feriu?

— Tenho. Se for leve o ferimento e ele não precisar do seu auxílio, voltará para aqui. Em qualquer caso, porém, rogo-lhe dizer-lhe à família...

— A família é a mãe.

— Peço-lhe que lhes comunique o desejo que tenho de ir lá esta manhã apresentar as minhas desculpas...

— Cumprirei as suas ordens. Verá que o Dr. Abrantes é muito estimável e muito simpático. Vou tranquila; tenho o pressentimento de que ele não está morto nem o seu ferimento tem gravidade. Meu Deus! — disse baixo a irmã Pompília. — Fazei que desta vez os meus pressentimentos não me enganem!

Momentos depois, a irmã entrava na vitória[70] de Mr. Lane e partia para a casa de Eduardo. O inglês voltou-se então para a filha, que toda se encolhia numa poltrona. O pai contemplou-a, calado.

Por fim ela ergueu-se com ímpeto e, como se concluísse um pensamento, exclamou, frenética, apontando para o leito:

— E tudo isto por causa daquele imbecil, que nem sei quem é!

— Mary!

— E para que foi ele esconder-se na figueira dentro dum jardim particular? Que fazia ali? Afinal, se se houvesse chamado a polícia, que me poderiam fazer? Eu diria que tinha atirado sobre um homem suspeito, um ladrão, sem dúvida...

Luís Ulka teve um estremecimento, ergueu rápido o busto, com os olhos muito abertos fixos em Mary, que no seu desespero fora alteando gradativamente a voz até quase gritar; depois as forças faltaram-lhe, o rapaz deu um grande suspiro e deixou tombar pesadamente o corpo no colchão. A cabeça ficou por momento oscilando sobre o travesseiro, os olhos fecharam-se.

Mary, arrependida, correu ao leito do enfermo; mas a sua horrível palidez encheu-a de pavor.

— Perdoe-me! Eu sou uma insensata; não sei que digo e ofendi-o talvez brutalmente, irreparavelmente!

O rapaz não se moveu. O seu rosto marmóreo, contraído, de olhos cerrados, com o lábio superior ligeiramente arregaçado e os dentes cravados no inferior, tinham uma profunda, uma indizível expressão de sofrimento.

— Meu pai! Acuda, que ele está morto!

70 Carruagem de quatro rodas para dois passageiros, com boleia e cobertura dobrável.

Capítulo XVII
A MÃE E O FILHO

D. Mariana cerzia meias, sentada perto da sua mesa de jantar, e a Carolina ajudava-a nesse serviço, contando ao mesmo tempo fatos ocorridos em Maricá, lá para as bandas do Espraiado, onde ela vivera sempre.

Pelas janelas abertas entrava a viração fresca da noite e o rumor sereno e compassado das ondas rebentando na praia.

D. Mariana mal respondia à criada, com o pensamento desviado para outras ideias, consentindo, porém, com bonomia, que a outra expendesse as suas recordações. Pouco se importava agora com as plantações de mandioca, os chás de aroeira e tripolho, as festas da igreja do Amparo, a vida dos pescadores nas restingas, de que a Carolina falava sem paragem, como um relógio automático. No que ela pensava era na estranha conduta do filho que, ao contrário do que fora sempre, andava arredio, cismarento, passando fora até alta noite, sem dizer onde nem por quê!

Eduardo até há pouco tempo recolhia-se cedo, metodicamente, e estudava à luz do mesmo lampião a que ela cosia ou bordava... A doçura daqueles serões, rápida e inexplicavelmente interrompidos, não lhe saía da memória, e conjeturava mil enredos sem poder fixar-se em nenhum.

Corriam assim as horas. Os canários dormiam com as cabecinhas embaixo das asas, o relógio batia o seu tique-taque monótono, e Carolina continuava as suas histórias: qual era o melhor tempo de plantar milho, quantas cabeças de criação chegara a juntar a sua rocinha e quantas dúzias de ovos remetia com o irmão para a Capital. Se não fossem as bexigas e o atraso na vida, certamente que ela estaria ainda a fazer sacas de farinha de mandioca, muito sossegada no seu canto. Nada no mundo se podia comparar àquilo! No Espraiado nem era preciso chamar médico para ver os doentes; se o caso era muito grave, lá se chamava o Sebastião; mas a maior parte das vezes a gente arranjava-se com ervas e raízes, sem gastar um vintém. Botica é luxo de cidade; no mato há de tudo e tudo mais eficaz!

— São horas de chá, Carolina!

— Vou botar água no fogo e já volto.

— Guarda no armário os bolos que a Tilde mandou...

— A senhora não quer comer nenhum agora?

— Não... se o Eduardo estivesse, comeríamos juntos; assim ficam para amanhã... ele gosta dessas guloseimas ao almoço...

— D. Tilde é muito jeitosa... Os bolos estão bonitos!...

— Ela é um anjo!

— A senhora tem reparado na tristeza dela?

— Não... não a acho diferente.

— Virgem Maria! Ela anda desconfiada...

— De quê?

— Não sei... parece que é mesmo por causa do Dr. Eduardo...

— Que tolice!

— Não sei...

— Meu filho nunca lhe deu esperanças. Aquele não casa.

— Faz ele muito bem! Não é como seu Carlos que cada dia quer uma!

— Diverte-se... não tem a mesma responsabilidade de meu filho...

— A moça do armarinho me disse que ele agora não deixa a casa da vizinha!

— Ora!...

— A sobrinha do seu Inigo é que há de ficar desapontada...

— Como é que você sabe tanta coisa, mulher?

— Uê! Pois então não vou às compras? A companheira do seu Luís foi que contou isso no açougue.

— Bom, olhe que você se esquece do chá!

— São nove e meia... a água ferve em um instante!

A criada saiu e D. Mariana desceu ao portão para olhar para a rua. Não vinha ninguém; cães latiam ao longe, para os lados da chácara dos Neves e ouvia-se ao longe o som abafado de um piano gemendo em um tango mal dedilhado. Quase em frente, a casa do floricultor estava fechada; só se via luz na janela do fundo, para o lado do quintal.

— A estas horas está a Tilde fazendo serão... — pensou D. Mariana, olhando para o quadrado iluminado da janela da moça; e suspirou com pena. Também ela percebia a sua paixão pelo filho, a sua dedicação profunda e inalterável; e tinha muita pena daquele coração sacrificado pela indiferença do médico! Apesar da simpatia que a ligava à Tilde, não era, a seu ver, ainda essa a mulher que conviria ao filho. Na sua aspiração amalgamava todas as perfeições de alma, de corpo, de espírito e de fortuna e criava um ser extraordinário, digno daquele homem que dela nascera e de que se orgulhava tanto!

Cansada de olhar para as pedras das calçadas, por onde não passava ninguém a essa hora, D. Mariana tornou à sua sala de jantar e esperou o chá, fazendo paciências e contando os minutos.

Carolina serviu-a e foi preparar os quartos; depois, voltando-se, perguntou, sem se poder conter:

— Dr. Eduardo contou à senhora o que ele fez hoje?

— Não... que fez ele?

— Gente! Parece impossível! Pois então ele não disse à senhora que salvou hoje a filha do inglês de morte certa?!

— A filha do inglês? Que teve ela, algum ataque?

— Não... não foi como médico que ele a salvou!

— Ora essa! Então como foi?

— Os cavalos do carro do inglês iam disparados e ela ia cai não cai, quando o Dr. Eduardo atirou-se na frente dos animais e obrigou-os a parar.

— Que loucura! Quem disse isso, mulher?

— O caixeiro da venda viu; foi ele que me contou, quando veio trazer o sabão...

— Jesus! E só agora é que você me diz isso? Onde estará meu filho?!

— A senhora descanse... Este caso foi antes do jantar. Foi por isso que eu perguntei se ele lhe tinha dito tudo!

— Não, não! Conta outra vez! Como foi? Quando foi? Quem viu? Que susto! Agora já não descanso enquanto não o vir chegar!

— Diz que a inglesinha é muito bonita, mas que nem olhou para meu amo, nem agradeceu aquele sacrifício! Afinal, sempre é inglesa!

— Peste!

— É mesmo. Essas estrangeiras são o diabo!

— Por que é que você não trouxe o caixeiro para me contar também a mim essa história?

— Uê! Pensei que a senhora já soubesse! D. Tilde já sabe!

— Quem disse?

— A Luzia... a cozinheira nova lá da casa do seu Matias.

— Por isso foi que Eduardo não comeu nada ao jantar... Queira Deus!...

D. Mariana não concluiu a frase, mas Carolina percebeu-lhe a intenção e, com a familiaridade de amiga velha da casa, suspirou:

— As inglesas são hereges, não devem casar com cristãos, filhos da Virgem Maria!

— Bom, bom! — atalhou D. Mariana; e logo depois: — Feche a casa, Carolina, e vá se deitar; eu esperarei aqui na sala.

A criada não se fez de rogar; depois de ter cumprido as ordens da ama, deu-lhe as boas-noites e retirou-se.

D. Mariana estendeu maquinalmente as cartas para outra paciência, dizendo de si para si: se esta se fizer, é sinal de que Eduardo voltará amanhã aos seus hábitos antigos!

Entretanto, a paciência não pôde ser feita e várias tentativas deram o mesmo resultado.

D. Mariana, já cansada, deixou as cartas e recostou-se na sua cadeira de balanço; pensava no filho, o seu grande amor e a sua glória! Em casa não se ouvia um pio; fora cantava um grilo perto da janela e sentia-se a bulha da água a transbordar de um tanque na casa vizinha. O relógio marcava as horas e os minutos com um vagar que exasperava a pobre senhora. Era já uma hora e ainda o filho não tinha chegado! Que faria ele até tão tarde? Teria alguma amante? Ter-se-ia metido na política, em alguma conspiração?! Por que não lhe falara ele no episódio do carro? Amaria a inglesa? Apesar do interesse que tinha em ver nessa noite o filho, D. Mariana começava a cochilar e a sentir saudades da cama... As pálpebras cediam ao peso do sono e ela começava a adormecer, quando ouviu passos apressados na rua e mexerem no portão do jardim.

— É ele — exclamou alegremente D. Mariana, avançando para a porta do alpendre, que abriu com rapidez.

Era tempo: Eduardo, arfando de cansaço, lívido como um morto, estendeu-lhe a mão como a pedir-lhe apoio.

— Que é isso, meu filho?! — gritou D. Mariana, amparando-o.

— Não é nada... — murmurou o moço com esforço. — Preciso descansar!

— Senta-te aqui, na cadeira de balanço... Como estás pálido! Bem me dizia o coração! Carolina!

— Não chame a criada...

— É para aquecer-te o chá... eu não te deixo só!

— Não quero chá... quero descanso...

— Meu Deus! Que significará tudo isto?!

— Significa que me tomaram por outra pessoa, em uma estrada solitária, e que me feriram levemente em um braço...

— Meu Deus!

— Acalme-se; amanhã mandaremos chamar o Rocha e ele fará o curativo.

— É melhor chamar já.

— Deixe o homem dormir. Creio mesmo que nem será preciso fazer a extração da bala, que resvalou, julgo eu, pelo tecido do braço...

— Foi um tiro?

— Um tiro.

— Quem atirou?

— Não posso dizer...

— Não reconheceste?

Eduardo hesitou; depois disse:

— Reconheci.

— Então por que o não denuncias?!

— Porque não devo denunciá-lo! Ele teve razão; só posso lhe dizer isto, não me pergunte mais.

— Oh, meu filho! Que saudades eu tenho do tempo em que não tinhas segredos para mim!

— Este segredo não é meu, minha mãe!

— Então?...

— É de uma mulher.

— Ah!

Houve uma pausa. D. Mariana chorava, ajudando o filho, com extremo carinho, a tirar as mangas do sobretudo e do casaco. O sangue empapara-se nas roupas sem correr para a mão, que ele trazia encostada ao peito.

— A gente vivia em tanta paz, e há um tempo para cá desapareceu tudo!... Quanto sangue, meu amor! Isto não pode ficar assim! Que desespero!

— Pode. A senhora vai ligar-me o braço conforme eu lhe for dizendo; não convém fazer espalhafato!

— Que mistérios!

— Diz bem. Imagine que, quando ouvi a primeira detonação, voltei-me para ver quem atirava... Se fosse outra pessoa eu teria voltado e não sei o que sucederia... mas vendo quem era, procurei fugir-lhe, mais para que ele não me reconhecesse do que por medo da morte. Corri então como um doido, sem saber mesmo por onde, trouxe-me à casa o instinto... foi isso que me debilitou... Às vezes parecia-me sentir galopar atrás de mim, como se alguém corresse no meu encalço, mas nem olhei para trás e só parei, de extenuado, já dentro da cidade. Dê-me água, sim?

— Sim, meu filho!

— Não chore, minha mãe! Isto não é nada!

— Eu não poder ao menos ter o consolo de meter na cadeia o diabo que te quis matar!

— Seria absolvido...

— Nesse caso, o culpado... eras tu!

— Eu.

— Tu?!

— Na aparência.

— Tu és um anjo, um rapaz honrado; toda a gente sabe quais são os teus sentimentos!

— Não gastemos palavras inúteis... vá descansar.

— Não saio daqui nem que me peças de joelhos!

— Minha santa!

Este diálogo era trocado ao mesmo tempo que D. Mariana fazia ligaduras de um lençol. Depois o filho pediu-lhe que lhe atasse o braço, dirigindo com segurança toda a operação. Quando tudo ficou concluído, Eduardo murmurou, disfarçando a comoção:

— Deite-se aqui ao pé de mim! Eu também tenho saudades do tempo em que era pequeno, que dormia na sua cama e não tinha segredos para minha mãe!

D. Mariana deitou-se ao pé do filho, sorrindo-lhe entre lágrimas. Ela julgou prudente não insistir e aconselhou-o a que procurasse adormecer.

Lá fora o grilo calara-se e na madrugada clara, ligeiramente fria, só a grande voz do oceano enchia o espaço com a sua cantilena ritmada.

***

Quando a irmã Pompília entrou na casa do médico, D. Mariana veio recebê-la entre aflita e curiosa. O filho adormecera sem lhe ter revelado a inteira verdade daquele sucesso misterioso; assim, abria os braços, acolhendo a enfermeira com ansiedade e a foi levando para um canto da sala de jantar, caminhando em bicos de pés e falando a meia voz, para não perturbar o sono reparador de Eduardo. Deu assim todas as informações que a enfermeira pedia.

A irmã Pompília julgava-se no dever de esclarecer a pobre mãe, narrando-lhe todo o episódio, sem omitir nenhuma circunstância. D. Mariana indignou-se contra Mary.

— Está aí no que dão essas educações livres que tanta gente apregoa! Deus me livre que uma filha minha fosse capaz de semelhante embuste!

— A senhora está apreciando mal o caráter da moça... é natural que se indigne contra ela, visto que seu filho sofreu as consequências de um seu desatino. Amanhã ou depois far-lhe-á justiça.

— Nunca! Digo-lhe mais: é a primeira vez em minha vida que odeio uma pessoa que não conheço!

— Oh! D. Mariana!

— E se meu filho morresse?

— Mas não morreu!

— Mas se o ferimento se agravar? Se lhe amputarem o braço?!

— A senhora disse há pouco que o ferimento era leve!

— Eu sei lá! Eduardo disse isso talvez para sossegar-me. Estou ansiosa pelo dia para chamar um médico... Quando ouvi a bulha do seu carro e o senti parar na minha porta, tive um susto!

— Por quê?

— Nem sei! Ao mesmo tempo, esse sentimento foi substituído por outro de grande esperança. Vinha afinal alguém em meu socorro!

— Fico a seu lado até assistir à visita do médico. Dê-me papel e tinta, quero escrever a Mr. Lane pondo-o ao corrente do que há...

— Sim, eu imagino que ele há de ter muito interesse!...

— Muito!... Acredite que lhe falo com sinceridade.

— Meu pobre filho! Tão bom e tão infeliz.

— Não diga isso, D. Mariana!

— E se ele amar a tal inglesa?!

— Casar-se-á com ela.

— Que horror! Além de tudo, é protestante.

— Sim... mas... Olhe, D. Mariana, não é disso que se trata agora. Diga-me: a que horas pode receber Mr. Lane?

— A nenhuma.

— Bem, falarei com seu filho; ele fará justiça a Mr. Lane.

— Se for tolo...

— Amanhece... Depois de escrever ao inglês, irei em pessoa chamar o Dr. Rocha para examinar o Dr. Abrantes; aproveito o carro e assim irei depressa.

— Obrigada. A senhora foi a minha providência! Saiba que Eduardo nem permitiu que eu chamasse a criada. Tudo isso me parece um sonho mau. Fui educada à antiga, com recato excessivo e nunca pus pé na rua que não fosse acompanhada por alguém. A mocidade hoje é livre, de uma liberdade revoltante. Quem se lembrou, nunca em outros tempos, de ensinar uma moça a atirar ao alvo?

D. Mariana dizia essas coisas sem parar de dispor o papel, tinteiro e pena em cima da mesa, e limpando ao mesmo tempo os olhos chorosos e tristes. O seu ressentimento era profundo. Fora aquela família quem lhe roubara o filho e quem o queria matar agora! Enquanto a irmã Pompília escrevia a Mr. Lane, informando-o do que havia, D. Mariana foi chamar a Carolina, ordenando-lhe que fizesse o café e voltou depois a espreitar o filho. Ele dormia ainda, na mesma posição, com um grande ar de fadiga.

As coisas passaram-se como a irmã determinara. Escrita a carta, ela entrou no carro e foi, por escala, chamar o velho Dr. Rocha.

Rompia a manhã. Já na rua andavam os padeiros e os apagadores de gás. No mar estendia-se um largo fitão de luz clara e doce e o pessoal da primeira barca agitava-se no tombadilho, baldeando-o com água para a limpeza.

— Quem me diria a mim — pensava consigo a boa senhora—, quando ontem rezava tranquilamente no asilo, que haveria de passar uma noite de tão terríveis peripécias?! Oh! Se ao menos eu puder ser útil a alguém...

se a minha intervenção for benéfica e salvadora, como bem-direi de mãos postas este hábito que assim me isola na mocidade dos perigos do mundo e me deixa andar sozinha em busca de infelizes!

Seguindo as tendências da sua alma, a irmã Pompília alcançara da sua ordem uma licença especial de tratar doentes em seus domicílios. Essa concessão, negada até aí à outras, fora-lhe dada pelo tempo da revolta, em que abundavam os doentes sem amparo pelas estradas e arredores da cidade. Tão belos exemplos dera sempre de coragem, de abnegação e de jeito especial para esse dolorosíssimo ofício, que nem a superiora do asilo, nem ninguém da comunidade se atreveu nunca a caçar-lhe a licença. Além de tudo, a irmã Pompília favorecia a casa com esmolas, que angariava como nenhuma outra.

Meia hora depois a vitória de Mr. Lane parava de novo à porta do Dr. Abrantes, e o Dr. Rocha, alto e magro, com suíças curtas e um louro grisalho, atravessava, ainda meio estremunhado, o jardim risonho do seu colega.

A irmã Pompília deu a carta ao cocheiro.

— Vá o mais depressa que puder e entregue esta carta a Mr. Lane. Diga-lhe que fomos buscar o médico e que o trouxemos aqui.

Félix, sem compreender nada de tudo aquilo, mas acostumado pelo patrão a poupar perguntas, respondeu apenas com um magnífico ar pateta:

— Sim, senhora.

E fazendo os cavalos partirem a galope, foi murmurando lá consigo:

— Diabos me levem se percebo patavina desta embrulhada! Então a gente vem buscar um médico para tratar de um ferido e, em vez de o levar para o pé do doente, ferra com ele em casa de outro médico! Esta não está má!

***

Mr. Lane esperava as informações da irmã de caridade com verdadeira impaciência, passeando agitadamente no jardim. Mary e Rita cuidavam de Luís Ulka, retirando-lhe os sinapismos das pernas, depois de o terem visto voltar a si, e dando-lhe leite às colheradas com meiguice e piedade.

Era já dia claro quando Félix chegou à Casa Verde; Mr. Lane pediu-lhe logo o recado que trazia, recebendo a carta com interesse vivíssimo. Lendo-a, uma grande serenidade espalhou-se pelo seu rosto magro e alterado; e repetiu a leitura, uma, duas vezes, com enorme atenção. Depois, entreabrindo vagarosamente a porta do quarto de Mary, chamou-a a meia voz, para não perturbar o doente, cujo estado grave exigia repouso. A moça, adivinhando do que se tratava, acudiu ao chamado imediatamente.

Chegando ao jardim, estonteada pela luz, que rompera com fulgor, segurou-se ao braço do pai, perguntando-lhe assustada:

— Morreu?!

— Não.

— Graças, meu Deus!

— Mas está ferido...

— Ah!... Gravemente?1

— Não, o ferimento é leve.

Mary abraçou o pai num extravasamento de ternura. Mr. Lane conduziu-a para um banco do terraço, onde se sentaram os dois e estiveram por um momento calados. Por fim o inglês começou:

— Refleti e já tomei a minha deliberação. Amanhã parte um paquete da Mala Real para a Europa, com escala pela Bahia; tu partirás nele com a Rita...

— Mas... agora...

— Exatamente agora.

— Mas pai... eu... tenho tanto interesse em acompanhar de perto estes acontecimentos!

— Não tens nada com isso! Amanhã partirás, está dito. Teus avós reclamam uma visita tua; aproveito o ensejo.

— O meu dever é ficar, tratar do ferido, remir assim o mal que lhe fiz.

— Deixa-te de sentimentalidades. Mme. Girard governará a casa; a irmã Pompília cuidará do enfermo; não lhe faltará nada. Quem trata disso agora sou eu.

— E o Dr. Abrantes? — Balbuciou Mary com timidez e tristeza.

— Esse tem família. Irei visitá-lo logo. A irmã Pompília promete-me na carta mandar me avisar, à fábrica, da hora em que posso ser recebido.

— Por que à fábrica e não aqui?!

— Porque é mais perto, está claro.

— Oh! Se eu pudesse ir também...

— Não. Compreendo o teu interesse; mas deves limitá-lo, desde que sabes que o médico não morrerá.

— Quem sabe?

— Um ferimento leve em um braço não mata ninguém! Eu irei vê-lo. Agora, que deves estar sossegada, vai deitar-te um pouco e procura dormir. Logo à tarde mandarás a Rita fazer as tuas malas. O paquete deve partir à tarde, tens muito tempo.

— Meu papaizinho... faça o que lhe peço... deixe-me ficar!

— Não, minha filha, não posso. Estas comoções fazem-te mal. Definhas, andas pálida, nervosa como qualquer histérica romântica. A viagem far-te-á bem. Pede ao teu tio Euclides que passeie a cavalo contigo...

alegra a velha casa dos teus avós, que estão tão justamente saudosos... Quero-te forte, alegre, bem sabes que és toda a minha família... Entretanto, eu procurarei casa na Capital. Lembro-me que achaste sedutor o bairro das Laranjeiras. Comprarei um chalé nas fraldas do Corcovado e instalar-te-ei nele quando voltares...

— Eu quero ficar aqui!

— Não; este lugar é triste demais para uma rapariga da tua idade.

— Eu prefiro isto a tudo!

— Está bom, está bom... eu sei o que hei de fazer. Confessa-te a teus avós... o desabafo faz bem às almas novas; não te portes com eles como te portaste comigo!

— Oh, vejo que não me perdoou!

— Certamente que não... tanto mais que não justificas a tua mentira!

Vendo que Mary empalidecia sem achar uma palavra com que lhe respondesse, o inglês apiedou-se e repetiu o conselho:

— Vai descansar... dorme... não és precisa aqui, afianço-te! Palavra de honra! Esta resolução fez-me bem. Era inevitável!

Mary conservou-se calada; depois, tendo recebido aquela resolução como fato consumado, pois conhecia a vontade inabalável do pai, murmurou, por sua vez:

— O senhor deve deitar-se também um pouco... vá descansar...

— Eu não preciso disso. Vou tomar um banho frio, que me retemperará.

— Depois?

— Depois irei para a fábrica, esperarei as ordens da irmã Pompília. Está dito tudo; vai-te embora.

Mary cumpriu as ordens do pai, caminhando com passos fatigados para o seu gabinete de *toilette*; daí espreitou para o quarto: Luís Ulka dormia. Chamou Rita com um aceno.

— Que é, minha filha? — perguntou-lhe a mulata.

— Meu pai quer que você vá comigo amanhã mesmo para a Bahia!

— Virgem Maria, Nossa Senhora, que bom!

— Você ficou contente?!

— Pois não haverá de ficá?! Sinhô velho vai ficá como no dia em que você nasceu! Nunca vi aquele homem tão feliz! Você está triste, meu bem? Por quê?! Tem pena de deixá este inferno em que a gente tem vivido?

— Tenho.

— Ora já se viu! Quanto tempo vamos parar lá?

— Não sei. Estou por tudo. Façam de mim o que quiserem, já que eu não posso fazer o que quero!

— Seu Lane vai?

— Não.

— Hum...

— Avisa o cozinheiro de que papá quer o almoço cedo. Vou deitar-me... já não posso comigo.

— Dorme, Iaiá... Logo eu faço uma xícara de chocolate para você... Ih! Sinhá velha é capaz de ir pra cozinha fazê mané taiado, cuscuz e vatapá pra nós comê no primeiro dia!...

***

Mr. Lane saiu mais cedo do que era do seu costume. Félix mudara a parelha e, tocando os animais para o lado de Niterói, dirigiu-se para a fábrica, onde encontrou já Guilherme Boston, escrupulosamente penteado e bem vestido, com o modo mais calmo e de atenção ao trabalho que pode haver no mundo.

Depois de trocados os cumprimentos e da clássica pergunta do fabricante: — Não há novidade? — a que o guarda-livros respondera na mesma entonação: — Nenhuma —, Mr. Lane, mudando o tom frio e seco com que usava tratar de negócios para outro mais comunicativo, perguntou:

— O senhor conhece a professora de minha filha?

— Mme. Girard?

— Sim.

— Perfeitamente.

— Ela deve chegar da Capital na barca das onze horas... faltam vinte minutos. Peço-lhe que a espere na ponte e que lhe diga que eu lhe quero falar imediatamente, aqui.

— Acompanhá-la-ei.

— Obrigado.

Às onze e meia Mme. Girard entrava no escritório de Mr. Lane, com os seus límpidos olhos azuis brilhando através do veuzinho com viva curiosidade. Que lhe quereria o inglês? Boston retirou-se discretamente, fingindo interesse em percorrer a fábrica. Obedecendo a um gesto do fabricante, Mme. Girard sentou-se, acomodando no colo um rolo de músicas, o saco de veludo do lenço e um ramalhete de flores, que levava para a discípula.

— Não gastemos frases; desculpe-me! Diga-me o que sabe a respeito do homem que está no quarto de minha filha.

— Hein?!

Foi tamanho o sobressalto da professora, que o rolo de músicas, na estremeção do seu corpo, caiu e resvalou para o lado de Mr. Lane. O inglês abaixou-se, apanhou polidamente o rolo de papel e colocou-o sobre a secretária; voltando-se para Mme. Girard, continuou:

— Rogo-lhe o obséquio de me dizer o que sabe!

— Mas... eu não sei nada!... É impossível... Quem lhe disse isso?!

— Alguém que sabe; e eu preciso que também a senhora me elucide!

— Como?!

— Dizendo que determinou Mary a mentir-me! Mentir-me, a mim!

— Mary é um anjo!

— Um anjo! Bem, não é isso que eu pergunto. Está ou não um homem no quarto de minha filha?

Mme. Girard vacilou; mas não querendo trair a promessa feita à discípula, respondeu cegamente:

— Não.

— Mme. Girard! Também a senhora leva a hipocrisia a esse ponto? Não basta que seja a minha filha a mentir-me, mas combinam-se todos, em minha casa, para zombarem de mim, enganando-me vilmente?

— Senhor, a minha consciência...

— Está vendida ao segredo de minha filha! Basta, conheço-a agora. Fique sabendo que sei tudo! Esta noite esperei a saída do médico, feri-o com um tiro, penetrei no quarto de Mary e surpreendi a verdade que tão criminosamente me tem ocultado.

— *Dieu!*[71]

— Pedi-lhe que viesse aqui porque desejo evitar os interrogatórios ao pé de Mary, que está acabrunhada e porque da sua boca também quero ouvir, quero saber, qual o motivo por que Mary guardou segredo tão perigoso e... tão inverossímil!

— Ela não o quis magoar...

— Disse-me isso; é fútil. É a outra razão mais forte, e que necessariamente há de existir, que persisto em saber pela senhora. Seja franca.

— Visto que tudo sabe... assim seja! Mary escondeu aquele homem com medo de que o pai, que ela adora, morresse, visto terem lhe dito na Bahia que o senhor... sofre do coração...

Fora com tão sincera comoção que Mme. Girard disse estas últimas palavras, que Mr. Lane estacou, lívido, compreendendo a piedade e o amor que tinham inspirado tão monstruosa mentira. Em um súbito quebrantamento de forças, o inglês sentou-se, e duas grossas lágrimas rolaram-lhe pelas faces. Mme. Girard desfolhava o seu *bouquet*[72] com a mão

71 Traduzido do francês: "Deus!"

72 Traduzido do francês: buquê, de flores.

enluvada, deixando que as lágrimas que lhe caíam céleres dos olhos lhe alagassem o veuzinho preto.

— My dear Mary![73]

— Sim... Mr. Lane — gaguejou a francesa —, a verdade foi dura de dizer... mas tratava-se da salvação de uma alma querida... nunca vi filha mais extremosa, nem conheço coração mais digno!

— Tem razão. Que alívio! Eu não sabia o que pensar... Minha pobre filha!... Amo-a tanto que... Mas, vá depressa, Mme. Girard!... Não lhe diga nada do que se passou... entretanto, sempre seria bom desvanecer-lhe a ideia terrível de que eu estou com uma porta aberta para a sepultura. Qual doença do coração! Sei o que deu origem a isso! Foi o maníaco do Dr. Pita quem asseverou essa história à família. Esqueceram-se de que ele diz o mesmo de toda a gente!

— Sim? Foi ele... lembra-me bem!...

— Então! Afirme-lhe que não tenho nada e que a adoro!

— Mas como lhe hei de afiançar isso, se o senhor não quer que eu lhe diga ter estado aqui?!

— Tem razão... é a caduquice que principia...

— Dir-lhe-ei então que o senhor morrerá de velho!

Mr. Lane riu-se, abalando com um alegre *shake hands*[74] o braço da francesa que, pensando na discípula, murmurou baixinho uns versos de Millevoye:

> *Je t'aurais fait, enfant, l'existence bien douce;*
> *Sous chacun de tes pas j'aurais mis de la mousse.*[75]

73 Traduzido do inglês: "Minha querida Mary!"

74 Traduzido do inglês: aperto de mãos.

75 Traduzido do francês: "Eu teria feito sua vida muito doce, criança; / Sob cada um de seus passos eu teria colocado a espuma."

Capítulo XVIII
O EMBARQUE

Laurinda tinha acabado o trabalho e empacotava todas as costuras do Arsenal. Uma tosse seca e áspera sacudia-lhe o corpo magro e mal vestido. O quarto que ela ocupava na casa da D. Delminda era um cubículo estreito do segundo andar, com uma janela para a rua da Misericórdia e separado da sala por uma parede de tabique[76], forrada de papel feio e barato. Além da cama, um lavatório de ferro e uma mala de lona, mal havia lugar para a máquina de costura, que trabalhava, entretanto, desde a manhã até à noite.

Uma saudade profunda da família invadia a alma da pobre moça, que o era e já não o parecia!

Sonhava todas as noites com a mãe, revendo-a em casa, abalando tudo com as suas passadas pesadíssimas e atirando a voz grossa em admoestações justas e repetidas. Que desejo sentia de pousar a sua cabeça, febril e cansada, sobre aquele peito largo e franco, expansivo e leal! E o pai?! Como estaria o pobre velho? Parecia-lhe ouvir a sua tosse peculiar de asmático e sentia-o, adivinhava-o, envelhecido tristonho e fúnebre. Redobrava-lhe o remorso a certeza de ter sido sempre a filha predileta do major, a sua Laurindinha, como ele a chamava meigamente. E Loló? Perdoar-lhe-ia? Não fora também sacrificada por ela?

Laurinda soubera um dia, por acaso, por uma velha cozinheira dos pais que encontrara na rua, que depois da sua fuga, tudo mudara em casa! D. Miloca já não trabalhava com a mesma alegria ruidosa de outros tempos; agora era surpreendida muitas vezes a chorar sobre a costura, arrastando um certo desleixo nos arranjos domésticos, como fatigada da vida. O Major Figueiredo dera em tomar rapé, e acreditavam que fosse para servir de disfarce às contínuas caminhadas do lenço ao rosto. A pobre da Loló não deixavam pôr pé em ramo verde; era vigiada com impertinência e tenacidade. Espantado pelo procedimento de Laurinda, o namorado de

76 Parede de tábua, tijolo ou taipa, que serve de divisória.

Loló tinha arrepiado carreira, mudando-se para longe. E nunca mais naquela casa, dissera a informante, se fez um vestido de *soirée*[77], se abriram as janelas da sala sem que os velhos acompanhassem a filha, nem ouve um leve rumor de alegria, um esvoaçar sequer de tênue distração!

Loló saía pouco, porque D. Miloca evitava a sociedade; Loló era uma escrava do preconceito, uma vítima do erro alheio, como se, por mero acaso do nascimento, fosse cúmplice dos desvarios da irmã.

Laurinda tinha sabido de tudo isso ainda em companhia de Guilherme Boston; e a sua mágoa fora suavizada com a louca esperança de que o amante se reabilitaria e a reabilitaria pelo trabalho e pelo casamento e que, perdoados pelos pais e pela irmã, haviam de vir ainda dias de bonança e de alegria para todos. Essa mesma ilusão caíra despedaçada com o rompimento de Guilherme. Laurinda compreendia a verdade: ele já não a amava e queria ver-se livre do seu compromisso...

O que lhe passava pelo espírito era o motivo desse afastamento cruel.

Em vão amontoava cartas sobre cartas, dirigidas para a fábrica, visto que o amante tivera o cuidado de lhe não indicar o nome da rua nem o número da porta da sua casa particular. As cartas ficavam sem resposta, como se tivessem caído em um poço. Os recursos monetários faltavam, Laurinda erguia-se de madrugada e atirava-se à costura como uma doida!

O busto sempre dobrado para a frente fazia-a corcovada, os olhos empanados de saudades e remorso tinham um brilho baço e indeciso, os cabelos maltratados, os dedos picados e calejados pela costura grossa davam-lhe um aspecto de melancolia impressionadora!

A casa de D. Delminda, a que Guilherme a recolhera, era frequentada por gente de baixo comércio e por operários. Moravam ali sapateiros, que trabalhavam para as fábricas, alfaiates e mascates. Laurinda cruzava-se na escada estreita e íngreme, quando levava roupa ao Arsenal, com homens estranhos, de fisionomias assustadoras, fechadas e misteriosas. A moça encolhia-se, resvalando à pressa, rente à parede. Uma noite um deles agarrou-a num braço e quis beijá-la. Envilecida e triste, embora, era uma mulher! A moça conseguiu fugir, com o coração aos saltos. Desde então, nunca teve sossego. Dormia com a chave da porta embaixo do travesseiro, sonhando que os seus companheiros de domicílio lhe saltavam para o quarto por sobre a parede de tabique!...

Cansada da solidão e daquele contínuo sobressalto, procurou a convivência da dona da casa, em uma tarde de grande tristeza, para desabafar a sua pobre alma. D. Delminda, porém, saía depois do almoço e só voltava

77 Traduzido do francês: noite.

à noite, passando o dia a coser nos *ateliers*[78]! Mera alugadora de quartos, não oferecia pensão aos seus domiciliados, que arranjavam as suas sopas em fogareiros no próprio quarto de cama. Era essa a companheira assídua e bondosa que o Guilherme lhe tinha oferecido!

★★★

As decepções atropelavam-se e a paciência da pobre Laurinda ia lhe faltando...

Nessa noite ela acabara de enfardar as suas costuras, para as levar na manhã seguinte ao Arsenal, quando sentiu baterem à sua porta. Sem razão para isso, cuidou, entretanto, que fosse Guilherme ou alguém mandado por ele, e abriu a porta com ímpeto.

D. Delminda entrou, aconchegando ao corpo magro um xalinho de malha cor de cidra, e investigando com o olhar todo o aposento.

Foi com um suspiro de tristeza que Laurinda perguntou:

— Que milagre! Por que apareceu hoje, D. Delminda?

— Por causa das nossas continhas — respondeu a solteirona, com um sorriso que lhe descascava os grandes dentes amarelados.

— Contas?!

— Sim, meu bem... sim... Aqui lhe trago o recibozinho deste mês... já estamos em atraso... hoje são vinte e isto venceu a dezoito!

— Mas... meu... marido não lhe pagou adiantado por três meses?

— Seu marido?! Aquele moço bem vestido que a colocou aqui era... seu marido?!

Laurinda respondeu timidamente que sim, sentindo o chão fugir-lhe embaixo dos pés.

— Quem tal diria! Pois fique sabendo que não; pagou logo o primeiro mês porque isso é mesmo da praxe antes da instalação...

— Mas eu não estou prevenida...

— Previna-se, minha querida, previna-se... tem três dias de prazo, porque é senhora! E seu marido?!

— Está em viagem... a senhora conhece-o bem! Ele não morou já aqui, em sua casa?

— Ele?! Não!

— Como não?

— Nunca tive locatários dessa qualidade... desgraçadamente, a minha casa só oferece comodidade a gente de pouco dinheiro...

78 Traduzido do francês: estúdio de artesãos.

— Mas...

— Aqui lhe deixo a conta; o recibo está feito e guardo-o comigo, porque, enfim, isso é da praxe. Eu sou muito cumpridora da praxe!

— Ah...

D. Delminda sorria benevolamente e baixou-se para ver de perto a qualidade da máquina de costura.

— É Singer?

— É Singer — respondeu Laurinda, compreendendo a intenção da mulherzinha.

— Muito bem!

— Tenho então só três dias de prazo? E se no fim desse tempo eu não tiver arranjado o suficiente para o aluguel deste mísero quarto?

— Mísero?! Repare que ele tem janela para a rua. É um dos bons quartos da casa!

— Desculpe-me...

— A praxe é três dias; se no fim desse tempo não tiver entrado com o dinheiro, eu ver-me-ei obrigada a servir-me da lei. Luto com muitas despesas, D. Laurinda... do contrário, eu não teria este negócio ingrato. Passe bem.

— Passe bem — respondeu Laurinda secamente, fechando a porta sobre o vulto esguio da senhora, cujos passos miúdos mal se ouviam nas tábuas carunchosas do corredor.

Laurinda amparou o cotovelo à parede, sumiu no braço o rosto lívido de espanto e rompeu em choro resoluto. Aí estava a última vergonha, a última miséria! Mais uma exigência da sorte, mais uma negra mentira daquele a quem confiara toda a sua alma e todo o seu futuro. Todavia, custava-lhe a crer o que lhe afirmava D. Delminda. Veio-lhe a suspeita de que ela, sabendo Guilherme ausente, viesse exigir dinheiro já recebido. Para o desmascaramento daquela indignidade só havia um meio: apresentar os recibos em poder de Guilherme. Como obtê-los?

Escrever? Seria trabalho inútil! Boston recusava-se a todas as súplicas, todas as lágrimas, todas as imprecações e todos os soluços com que ela, havia dois meses, procurava abalar a sua consciência!

Laurinda deitou-se, por fim, extenuada. Teve uma terrível noite de insônia, em que a visão da casa paterna lhe sorria como um oásis no deserto! Por um beijo da irmã, pela benção dos pais, daria a sua vida mesquinha de abandonada. Afigurava-se aquilo ao seu espírito acabrunhado como um castigo do céu! De manhã, Laurinda levantou-se, vestiu à pressa a sua saia de lã preta, traçou sobre o casaco de chita um xale desbotado e desceu a escada sobraçando o embrulho das costuras do Arsenal.

Caminhou pelas ruas apressadamente, sentindo um grande vácuo no estômago sem alimento. No Arsenal teve de esperar pelo seu número e a tardança dava-lhe vertigens. Recebeu a paga automaticamente, pesando, sem contar, o dinheiro na mão magra e grossa. Saiu para a rua como uma bêbada. A bulha dos carros atordoava-a, os cheiros provocavam-lhe vertigens.

Andou ao acaso, apatetadamente, como se buscasse alguém, e viu-se de repente em uma calçada larga, parada junto ao mostrador duma confeitaria, onde se ostentavam pães louros e variados.

Laurinda, no impudor da fome, comprou e comeu mesmo ali, às dentadas, um pão, sem ver que o caixeiro a observava com certo espanto, olhando-a de perto.

Acabada a refeição, feita à porta da rua, vorazmente, ela ia continuar mais reanimada o seu caminho, quando enfrentou com a Loló, acompanhada de D. Miloca e o Major Figueiredo, que vinham pela mesma calçada. Laurinda encostou-se ao umbral da porta, com vontade de esconder o rosto embaixo do xale!

Loló pisava com timidez, desacostumada já de sair, e vinha bonita, com um vestido claro, novo em folha. Atrás dela, D. Miloca balançava o corpo enorme em um vestido escuro e o Major Figueiredo parecia mirrar-se embaixo de uma grande cartola de abas largas.

Foi como um relâmpago: os olhares cruzaram-se.

D. Miloca tornou-se vermelha como um lacre, o Major vacilou, agarrando-se ao braço firme da esposa e Loló moveu os lábios trêmulos... Passaram os três, com passos desconcertados, e Laurinda voltou-se ainda para os ver, com os olhos ávidos e o coração aos pulos.

Na primeira esquina, D. Miloca e o marido sumiram-se, como procurando um refúgio para a sua vergonha, e então Loló, recuando para trás dos *seus velhos*, voltou o rosto para a irmã e atirou-lhe um beijo na ponta dos dedos enluvados.

Laurinda sentiu-se subir ao céu, vendo aquele gesto, e foi por entre lágrimas que o retribuiu.

Uma onda de povo encheu a rua. Havia algazarra, fazia-se qualquer manifestação que entusiasmava os moços. Laurinda sentiu-se empurrada, foi impelida para diante como uma cega. Ela deixava-se ir sem protestos, gozando a indefinível doçura daquele beijo suave, que tinha passado sobre a turba sem que a turba o compreendesse e que lhe afagava a pobre alma esmagada, tão caridosa, tão divinamente!

Todo esse resto de dia ela viveu no enlevo daquele beijo! À tarde sentiu enorme excitação ouvindo o pisar áspero de D. Delminda, passando-lhe rente à porta como a fazer-se lembrada. Era preciso acabar com aquela tremenda situação. O encontro humilhante com os pais dera-lhe coragem para arrostar todos os trabalhos e perigos. Resolveu assim ir ela mesma no dia seguinte a Niterói procurar Guilherme Boston na fábrica do inglês. Estava resolvida, custasse o que custasse! Contou o dinheiro, dava-lhe para a passagem e o passadio de alguns magros dias...

Lembrou-se em desespero dos dias de solteira, em que se enfeitava para ver o Guilherme com as suas *toilettes* mais frescas e garridas... agora, para ir ao seu encontro, tinha só um vestido de lã ruço, umas botinas rotas e um xale desbotado!

Um doloroso sarcasmo transbordava do sorriso com que Laurinda olhou para aqueles trapos. As suas roupas melhores foram desaparecendo aos poucos, umas pelo uso, outras vendidas a uma preta de cortiço por magros tostões....

E Loló talvez se achasse um pouco ditosa dentro das suas saias confortáveis, com o estômago farto, o espírito acariciado por uma atmosfera tranquila e a amena! Cegueira do mundo. E o remorso tomava proporções desesperadoras! Laurinda suspirava pela morte como único remédio para a sua ignomínia. Sentia que só assim os pais lhe perdoariam.

Ansiosa por acabar com aquilo e ver Guilherme Boston, servindo-se do pretexto de lhe pedir os recibos da sua senhoria, Laurinda desceu as escadas do sobrado da rua da Misericórdia por uma formosa manhã. Removia em espírito todas as dificuldades para falar com o amante. Sendo duvidoso encontrá-lo cedo na fábrica, deixou-se na ponte das barcas à espera das onze horas.

O dia estava azul; bandos de gaivotas voavam, molhando na água tranquila a ponta das asas. Laurinda invejava-as, e olhando para o mar tão formoso, tão grande, tão calmo na sua majestade, veio-lhe pela primeira vez a ideia do suicídio. Era tão fácil aquilo, ali!

Morrer assim, rapidamente, em um mergulho, não seria muito mais doce do que cair na desonra, no abandono, na miséria? Um resto de pudor tornava-lhe a morte antipática; a exposição do cadáver no necrotério... o nome depois estampado nos jornais...

A barca largou. Laurinda respirava a grandes haustos a viração fresca do mar. Não sabia o que iria dizer... quem encontraria na fábrica antes de falar com Guilherme, nem se este a atenderia. Tinha medo, mas fechava os olhos e seguia, firme na sua ideia.

Chegou a Niterói tonta e cambaleante de fraqueza. Logo no desembarque indagou para que lado ficava a grande fábrica de tecidos do inglês e seguia na direção que lhe ensinaram quando estacou, boquiaberta. A uns dez metros de distância, Guilherme Boston, bem vestido, aprumado dentro de um *veston*[79] de flanela azul, descia de uma luxuosa carruagem particular, oferecendo depois a mão a uma moça formosíssima!

Fixando os olhos nele e em Mary, Laurinda não reparou em Mr. Lane, que ficara atrás, dando ordens ao cocheiro, nem a Rita, a mulata carregada com a bolsa e a chapeleira de *Miss* Lane e que ficava na retaguarda também.

Guilherme caminhava ao lado de Mary, fazendo reluzir a sol o polimento dos seus sapatos, a graça do seu ramalhete na *boutonnière*[80], o nó irrepreensível da sua gravata clara, onde um rubi sanguíneo desprendia fulgurações, e o primor de toda a sua *toilette* correta e elegante.

Laurinda continuava perplexa, sem atinar com o que fizesse! Chamar Boston, ali, não seria uma indiscrição perigosa?! Acompanhá-lo? As ideias tumultuavam-lhe no cérebro em uma dança macabra terrível, em que as suspeitas mal esboçadas tomavam um caráter medonho e indefinido. Com os olhos esgazeados, o cabelo agitado pela viração forte do dia, o xale resvalando-lhe pelos ombros magros, a pobre moça parecia uma mendiga louca! Foi assim, naquela postura, imóvel no cais, que ela viu o amante passar por ela, todo curvado para outra mulher, embebido na beleza serena dos seus olhos azuis.

Uma nuvem de fina essência de Atkinson envolveu Laurinda, que a respirou com desespero!

Uma lancha a vapor esperava a família Lane junto às escadinhas. Boston foi o primeiro a descer, amparando Mary para a fazer saltar para dentro, acomodando-a e auxiliando logo a Rita, que lhe passavas os embrulhos e se atirava depois, desastradamente, sobre o peito do moço.

Nesse momento, Laurinda sentiu que alguém lhe batia no braço; olhou e viu ao pé de si um velho alto, bem vestido, que sem dizer uma palavra, lhe passou para a mão uma nota de dez mil réis, seguindo logo para adiante, a reunir-se com os outros na lancha, o que fez depressa, em três ou quatro pernadas.

Laurinda corou até a raiz dos cabelos. A esmola! A última ignomínia! Teve ímpetos de correr, atirar àquele velho desconhecido o dinheiro, que amarrotava entre os dedos febris; mas a lancha largava já, cortando com um silvo rouco a água azul, e ela via, assombrada, fugir-lhe o amante ao lado de uma mulher moça, elegante, evidentemente rica!

Mary, com um vestido de linho, o seu chapéu de palha de véu branco e uns cravos vermelhos no cinto, parecia-lhe de uma graça fascinadora. Estava tudo acabado. O acaso encarregava-se-lhe de demonstrar isso! Se

79 Traduzido do francês: casaco.

80 Tradução do francês: decoração floral na lapela.

tivesse vindo a outra hora, erraria com esperança pelas ruas e iria bater à fábrica como se fora a própria porta do céu!...

Estava tudo acabado! Boston iniciava uma viagem de gozo, de fortuna e deleites! Aquela moça seria talvez já a sua noiva, quem sabe? Talvez a sua mulher! Daí por diante ele teria abertas todas as portas! Entraria quando lhe aprouvesse em palácios confortáveis, teatros, bailes e nos grandes transatlânticos para viagens caras e largas. E ela? Tinha diante de seus olhos, queimados de lágrimas, só os lôbregos caminhos da miséria, no fim dos quais se escancaram as portas largas e francas dos hospitais e do cemitério!

O beijo da irmã esvoaçava na mente de Laurinda como um raio de luz tênue em masmorra negríssima! Havia alguém no mundo, enfim, para quem ela não era só lama. As suas almas unidas sempre, separadas depois pela rajada do amor pecaminoso, encontraram-se um dia e, sem uma palavra, a que voejava na região pura disse a outra, que se arrastava embaixo do lodaçal: — Sou eu mesma! Amo-te ainda!

Abençoado beijo!

Laurinda conservou-se no mesmo ponto, vendo afastar-se no mar a lancha de Mr. Lane, que demandava o paquete *Nile* da Mala Real. Quando a lancha se sumiu de todo, ela murmurou baixo, com voz estrangulada:

— Acabou-se!...

Voltou então para a ponte, comprou o seu bilhete de segunda classe e esperou a barca para regressar à Capital. Que ia ser dela! Nem sabia... O seu desejo era atirar-se à água, esconder no mar a sua vergonha e o seu desespero, mas não queria matar-se sem o perdão dos pais, sem lhes dizer de joelhos, batendo no peito: "Estou arrependida, estou arrependida!"

Era já tarde quando Laurinda subiu as escadas da rua da Misericórdia. D. Delminda, recolhida do trabalho, expulsava furiosa um dos seus domiciliados, um espanhol magro, cigarreiro, que lhe desacreditava a casa com reunião de amigos vagabundos e mulheres de má vida. O homem, doente, atrasado no pagamento dos aluguéis, aceitava o pretexto sem protestos, com o modo de quem ouve coisas perfeitamente indiferentes...

D. Delminda, vendo Laurinda, chamou-a de parte e levou-a ao quarto do espanhol, dizendo-lhe em confidência:

— Veja a senhora o que aquele patife me deixa em pagamento de três meses de aluguel, a trinta mil réis!

Laurinda olhou e viu só uma cama de ferro com o colchão roto. Mais nada.

— E isto mesmo queria levar! Embarguei-o com a lei! O que é de praxe, é de praxe!

Laurinda lembrou-se da sua máquina de costura e fugiu para o quarto. Não podia mais. As comoções daquele dia terrível prostravam-lhe o corpo e o espírito. Fechou-se por dentro, à chave, e sozinha, silenciosa, sentada na sua mala quase vazia, com os olhos parados, a fisionomia amargurada, parecia-lhe ver ainda, ver sempre, uma lancha elegante singrando o mar, e dentro, Guilherme Boston, bem vestido, bem barbeado, com essências no lenço e flor na lapela, ao lado de uma mulher distraída, rica, moça e linda, a caminho da fortuna, viajando no país do sonho e do amor!

★★★

Guilherme Boston vira ou não Laurinda no cais em Niterói? Vira-a, sim, de relance, logo ao descer do *landeau*[81] de Mr. Lane. A sua coragem e sangue frio não o abandonaram; passou pela amante com um medo horrível do escândalo, entretanto, nem um pestanejar traiu a sua comoção. Lançava a última cartada; estava agora bem certo da submissão da outra.

Sabendo da viagem de Mary a Bahia, ele, não se querendo fazer esquecido e procurando tornar-se amável, oferecera-se a Mr. Lane para o auxiliar nos arranjos da partida. Fora ele quem viera comprar as passagens à agência, quem alugara a lancha, procurando por todos os modos cativar aquela família a que aspirava unir-se.

À última hora apresentara-se em *Green House*, tendo deixado a fábrica bem entregue ao gerente e com recomendações especiais. Mr. Lane ofereceu-lhe um lugar no seu *landeau* e ele aceitou sem *gaucherie*[82], como homem acostumado a todos os usos da sociedade; a sua intenção, porém, era ficar no cais, deixando com delicada discrição, em liberdade, pai e filha para os últimos adeuses na lancha e a bordo do *Nile*. A sua vista, porém, não o traía nunca. Antes de ver a figura, ele sentiu a alma de Laurinda ao pé de si, ali mesmo na rua clara de sol. As frontes latejaram-lhe, cerrou os dentes com ódio, disfarçando tudo, na superioridade da sua força extraordinária, em um sorriso de amável cortesia com que procurava reter a atenção de Mary. Foi para evitar a amante que ele acompanhou os viajantes até o paquete...

Ele detestava agora o apego da Laurinda, achando-a abominável. Mal reparara nela, sentira-a, mais do que a vira! A sua dor, o seu desespero era compreender também que ele estava ainda tão longe do coração de Mary, quanto a pobre Laurinda já estava no seu.

81 Traduzido do francês: carruagem de quatro rodas.
82 Traduzido do francês: constrangimento.

Capítulo XIX
LUÍS ULKA

Depois da partida de Mary para a Bahia, *Green House*, de silenciosa, parecia muitas vezes uma casa desabitada! A irmã Pompília deslizava sem bulha pelos corredores trazendo e levando os caldos, os remédios e o leite para o doente; Mme. Girard, pouco afeita às determinações caseiras de copa e cozinha, sempre a cargo da Rita, deixava quase tudo ao arbítrio do cozinheiro, homem perito no seu ofício. Mr. Lane trabalhava com afinco na fábrica, alargando a sua já grande empresa. Estimulado pela saudade da filha, e por uma notícia lida no *Times*, em que se falava de um industrial inglês, Mr. Sidney Moore, habitante do Chile, como o inglês mais rico da América do Sul, ele perdia horas de sono em cálculos e combinações de financeiro apurado, procurando ultrapassar-lhe o renome e o mérito.

A vida corria monotonamente. O Dr. Abrantes vinha agora ao meio-dia ver o seu doente, no carro de Mr. Lane, que o mandava buscar todos os dias. Eles tinham esclarecido a situação na primeira visita que o rico fabricante fizera ao moço.

D. Mariana fechara-se obstinadamente no seu quarto, atônita da generosidade do filho, que tão pronto perdão concedia ao velho. A entrevista não fora demorada, mas os dois homens apertaram-se as mãos à despedida, na certeza de que tratava cada um deles com um homem de honra. Mr. Lane saíra mesmo alegre, vendo que o ferimento do Dr. Eduardo não o obrigava a ficar de cama e que seria ele quem havia de continuar o tratamento de Luís Ulka.

Cada vez que, à luz forte do sol, o médico pisava a areia do jardim da Casa Verde, uma impressão mista de tristeza e de alegria lhe enchia a alma e atribulava o espírito.

Quando penetrava alta noite, depois de grandes caminhadas a pé, pelo portãozinho do pomar, esgueirando-se colado aos troncos das árvores, como um criminoso que não quer ser preso em flagrante, ele tinha no fundo desse suplício a ideia amada e risonha de ir encontrar Mary, bela no seu desalinho da noite, como uma esposa que o esperasse na intimidade do seu quarto honesto e delicado. O coração deleitava-se no antegozo daquele sorriso, daquela mão que se lhe oferecia, daquela voz suave que punha tanta música e tanto perfume no ambiente! Entrando agora pelo portão principal, molemente recostado em um carro de luxo, sem medo de que olhos estranhos o vissem, ele tinha o espírito desassombrado e tranquilo, mas no coração frio e entristecido não havia um único vislumbre da namorada e encantadora impaciência! *Green House* parecia-lhe de uma melancolia inquietadora.

Tinham se passado quinze dias depois da partida de Mary. Luís Ulka entrara em convalescença e era tratado pela irmã Pompília com extraordinário mimo. Sentado em uma larga poltrona propositadamente comprada por Mr. Lane para seu uso, ele passava os dias perto da janela, com ar pensativo e dolorido. Havia qualquer ideia no seu cérebro que o atormentava e que ele tinha medo de expandir! De resto, ninguém lhe fazia a menor pergunta e aquela delicadeza e respeito pela sua desgraça perturbavam-no e comoviam-no até às lágrimas! Como apagar o seu erro e fazer desaparecer a sua vergonha? E vinha-lhe uma infinita pena de não ter morrido!

Uma vez, ele olhava para fora, par os grandes canteiros de cravos escarlates que morriam sem encontrar quem os colhesse, quando ouviu a voz serena da sua enfermeira, perguntando-lhe:

— Por que está tão triste? Quer que eu lhe leia alguma coisa?

— Não, minha irmã... obrigado.

— É preciso ter mais coragem... a sua saúde depende, agora, segundo disse o Dr. Abrantes, só da sua vontade! Na mocidade as curas são rápidas. Não o quero ver assim tão pensativo! Que hei de fazer para o distrair?

— Contar-me uma história...

— Ainda está nesse tempo? Confesso-lhe que sei poucas coisas de pura fantasia. As minhas são histórias de santos, alheias naturalmente à sua religião. Em todo caso, talvez o interesse alguma delas. Por exemplo, a vida de São Bartolomeu...

Corando um pouco, Luís murmurou:

— Posso ter o direito da escolha?

— Pois não, meu filho!

— Então conte outra história.

— A de São Cristóvão... de Santa Catarina... ou de Santa Luzia?...

— Não, não!... Repita aquela de outro dia...

— Outro dia? Mas não me lembro de ter contado ainda nenhuma, aqui!

— Contou, sim... a de Santa Pompília... Lembre-se bem! Foi ali naquele canto...

— De Santa Pompília?! Mas quando lhe contei isso?

— Não foi a mim... foi ao Dr. Abrantes, naquela noite terrível... meu Deus, parece-me que ainda a estou ouvindo!...

— Mas aquela história não era de Santa Pompília, era a minha!

— Eu bem sei! E quem terá mais jus ao título de santa do que a senhora?

— Ah, meu filho! Não diga heresias! Interessou-lhe então o caso que eu contei?

— Muito!

— Efetivamente, lembro-me da sua atenção!...

— Oh! Se soubesse!

— O quê?

— Não sei explicar bem a impressão que a sua narrativa me causava... Era como se evocassem do fundo da minha alma uma lembrança apagada e a fizessem, ao calor da palavra, aparecer bem desenhada diante dos meus olhos... Seria de febre, do cansaço ou a que deverei atribuir essa reminiscência surgindo de repente com tamanha precisão no meu espírito?

— Seria por causa da febre... a excitação nervosa em que está, tudo explica... Mas diga-me: já esteve no Paraná?

— Não... pelo menos dizem-me que não... Entretanto, tenho estado em toda parte. Conheço bem o Brasil!...

— Pois meu filho, se não esteve no Paraná, como poderia eu reavivar-lhe lembranças mortas, se não falei senão desse Estado, que é o meu?

— Tem razão... a senhora disse que a sua terra era...?

— Uma povoação à margem do Rio Negro.

— Falou de um lugar montanhoso...

— Sim. Morávamos, meu pai e eu, no alto de um morro pedregoso, onde os pinheiros nascem livremente. Meu pai era herbanário, remetia ervas, que ele colhia e catalogava, para as principais cidades do Paraná. No povoado todos tinham fé na sua sabedoria e consultavam-no como se fosse médico! Saí com ele muitas vezes e conhecia toda a gente do lugar. O nosso inverno lá é áspero... mas quando chega a primavera, que delícia! Eu gostava daquilo!

Luís Ulka interrompeu-a:

— Muitos pinheiros... flores na primavera!... Um rio largo, abundante de águas... Oh! Fale mais, irmã!...

— A história que narrei ao Dr. Abrantes foi a do roubo das crianças da pobre Ana Brites... não foi?

— Sim... sim... Ana Brites... o nome não me impressiona... pensando bem... evoco a figura duma mulher no meio da paisagem que a senhora me descreveu... mas tudo é confuso... vago... e não sei mesmo por que persisto em fixar-me tanto nessa ideia...

— Mas que ideia?

— De que já vi tudo isso!... Conte a vida da tal Ana Brites, sim?

— Era uma viúva trabalhadeira e bondosa, e com dois filhos, Matilde e Julião...

— Julião! Ah! Este nome faz-me voltar a cabeça quando ouço! É uma impressão antiga, que me ficou de criança, não sei por quê!

— É singular!

— Sim... é singular... continue, suplico-lhe!

— A Ana Brites trabalhava muito. Era uma rapariga clara, pálida... sardenta.

Luís Ulka interrompeu-a:

— De rosto magro... olhos verdes... meu Deus!... Ajudai-me!

— Sim! Era isso mesmo!

Luís Ulka transformava-se. Os olhos enchiam-se-lhe de luz, as faces tornavam-se rosadas e as narinas palpitavam-lhe no ofego de uma respiração impaciente, curta, constantemente renovada. A irmã Pompília repetia com pasmo:

— Sim... era isso mesmo... Ana Brites ocupava-se na preparação da erva-mate, que ela plantava e colhia em um terreno baixo, onde morava. A sua casa era digna do nome de cabana; era ensombrada na frente por uma videira de uvas brancas...

— Lembro-me! Havia um banco de pedra ao pé da porta...

— Sim... julgo que sim!

— Parece-me estar vendo vagamente, como se fosse atrás de uma nuvem!... Uma menina alourada... magrinha... brincava naquele banco com umas bonecas...

— Realmente, a filha de Ana Brites era alourada e magrinha! As bonecas é que devem ter sido emprestadas pela sua imaginação. A coitada era muito pobre...

— Muito pobre!... No inverno, neve à roda de casa e os olhos verdes da mulher pálida, cheios de lágrimas... mas eu via aqueles olhos muito de perto... era à luz deles que eu adormecia... era à luz deles que eu acordava... Oh! Minha irmã, tenho medo!

Luís Ulka escondeu o rosto entre as mãos e desatou a chorar.

— Como está nervoso! Medo de quê? Expanda o seu coração, desabafe, meu filho!

— Medo de quê?! Ainda a senhora me pergunta! Pois não adivinha?!

— Não...

— No entanto é bem fácil! — continuou Luís Ulka nervosamente, falando com febre, com precipitação —; se eu me lembro da cabana à margem do Rio Negro, se tenho no coração ainda o calor dos olhos verdes daquela mulher pálida, que eu via bem de perto, suspenso nos seus braços, com o meu rosto rente ao seu, se me recordo da imagem débil de uma menina, que a senhora afirma ter existido tal qual a descrevi; se as coisas correspondem na minha memória com igual fidelidade que os seres, quero dizer, se me lembro igualmente da neve branca amortalhando os campos, os pinheirais traçando linhas negras no horizonte e a primavera inigualável daquela região tingindo de cores brilhantes as campinas... se me lembro de tudo isso... e porque sinto no ouvido cantar-me o nome de Julião... deduzo... que uma das crianças roubadas pelos ciganos... era eu!

A irmã Pompília tremia, estupefata e comovida diante do rosto alterado do rapaz.

— O senhor? Como? Será o pequeno Julião que eu tenho diante de mim? Mas conte-me a sua história. Não conhece então seus pais?

— Conheço... mas... isto é... Se Tomás Ulka é meu pai e Sara Ulka minha mãe, eu não posso ser o filho de Ana Brites! Mas a verdade é que eu conservo mais ternura por essa vaga sombra da minha infância do que a que me inspira o casal de ciganos meus pais. Porque eles dizem-se meus pais e mandaram me educar especialmente para os substituir mais tarde como chefe do bando....

— Então tem vivido sempre entre os ciganos e como cigano?

— Sempre. Meu pai é o chefe; cigano sou eu também; é verdade que a vida nômade e aventureira da tribo nunca me agradou deveras. Serei eu efetivamente cigano, serei o Luís Ulka ou o Julião de Ana Brites do Paraná? Não sei. A minha razão, as minhas crenças, as minhas canções dizem-me que eu sou cigano; mas o meu coração fala-me de outra gente menos áspera, de mais doces costumes, com quem eu não me recordo ter vivido, mas com quem seguramente vivi! Onde? Decerto na minha terra. Quando? Na minha infância, sem dúvida, porque vou entrando agora nos vinte anos, pelas contas do pai Ulka...

— E como veio parar aqui? Como se explica que estivesse em cima da árvore, dentro deste jardim?

— Essa é a pergunta que eu espero há muitos dias! Para evitá-la, tenho me conservado calado, apesar do grande desejo de falar, que me torturava mais do que a moléstia. Chegou o momento do interrogatório e confesso-lhe, minha irmã, que estou admirado por não me terem feito há mais tempo...

— Mr. Lane recomendou que o não afligissem com perguntas antes de estar completamente restabelecido. Eu mesma fui agora imprudente, interrogando-o.

— Não foi. Se eu não confessasse toda a verdade a quem me tem tratado com tanto carinho, parece-me que morreria de pesar e de vergonha.

O instinto e os nossos costumes aconselhavam-me a fugir desta casa logo que me pudesse mover; mas alguma força oculta me tem retido aqui... É talvez a bondade admirável da gente que me tem rodeado. Principalmente a da princesinha inglesa, que se arrependeu de ter querido matar-me. Por que se arrependeria ela? Afinal, eu merecia o tiro...

— Ela não se arrependeu, porque não quis matá-lo. Foi por acaso; ela atirou para a figueira, sem o ver, e ficou aflitíssima quando o viu cair lá de cima, tão aflita que praticou as maiores imprudências para o salvar...

— É verdade o que me diz? Ela não teve intenção de me ferir? Bem o suspeitava, bem o suspeitava, mas não podia explicar o tiro! Quando penetrei no jardim e subi a figueira, ninguém me viu; disso tenho certeza...

— E para que fez isso?

— A outra pessoa talvez o não confessasse; mas a senhora é uma religiosa, uma santa; dir-lhe-ei tudo, se jura guardar segredo...

— Oh, juro!

— Pois bem. Nós, os ciganos, não ganhamos pelo nosso trabalho o suficiente para viver... Depois, o pai Ulka é ambicioso de riquezas... então...

— Já sei, não precisa afligir-se...

— Principalmente animais. É a venda e a troca de cavalos que nos dá para comer e para guardar. Ora, o pai Ulka vende cavalos, mas não os compra nunca. De modo que nós, os mais moços e mais ágeis ou as mulheres mais animosas, é que nos encarregamos de vigiar e estudar os hábitos das casas em que há bons animais. Pai Ulka ambicionava as duas soberbas parelhas do inglês; eu encarreguei-me da atalaia – nós chamamos a isto atalaia – e vim rondar a casa. Naquela tarde vi sair o hortelão e o cocheiro, e dali a pouco a princesinha...

— Por que a chama princesinha?

— É o nome que damos a todas as moças ricas. E esta parece mesmo uma princesa; nunca vi moça tão formosa! Pois vi-a sair com a francesa, a passeio, por essa estrada fora. O portão de ferro ficou encostado. O inglês ainda não tinha vindo. Espreitei tudo com cuidado e entrei no jardim disposto a encarapitar-me na figueira, certo de que dali veria muito bem tudo que se passasse, a situação da cocheira, os aposentos dos criados e dos donos da casa, tudo...

— E subiu.

— E subi. A senhora está vendo que logo ali acima do tronco há aqueles galhos abertos, estendidos como bancos, onde até uma pessoa se pode deitar. E a folhagem encobre tudo. Só me poderia ver, e assim mesmo com dificuldade, quem ficasse junto ao tronco a olhar para cima. Imagine agora o meu assombro quando vi a moça apontar o revólver para o ponto onde eu estava muito bem deitado. O meu primeiro ímpeto foi de gritar; depois refleti que a princesa não me podia ter visto e que aquilo do revólver devia ser brincadeira, alguma arma fingida para jogos de salão. De repente o tiro partiu. Senti-me ferido e o assombro, mais talvez que a dor, fez-me perder o equilíbrio; as minhas mãos seguraram-se a folhas que não poderiam suster-me, e vim abaixo. Nada mais senti. Quando dei acordo de mim, verifiquei que o meu ferimento estava sendo tratado e que a princesa estava ao pé de mim cheia de solicitude, a velar o meu sono.

— É tudo?

— É tudo.

— O que admira é que os seus companheiros não tenham vindo procurá-lo.

—Vieram.

— Santo nome de Deus! E ainda virão?

— Fique descansada; não tornam a vir.

— Como o sabe?

— Nós não fazemos nada que dure mais de uma semana. Sete é o número da nossa tribo, para tudo. Quando um dos nossos é filado em lugar desconhecido, os outros vão chamá-lo durante sete dias...

— Chamá-lo como?

— Por uma combinação de assobios. Um aproxima-se do local e assobia, um silvo agudíssimo, estridente, que se ouve a grande distância; o que está preso responde com outro assobio. Se o preso não responde, repete-se sete vezes o chamado durante o dia, de hora em hora, se é possível, sete horas; e assim por sete dias seguidos.

— É curioso!

— Se no fim de sete dias não há resposta ao chamado, calcula-se que o cigano não está onde se supunha e vai-se chamar a outro ponto onde possa estar o desaparecido. A senhora não ouviu aqui esses silvos algumas vez?

— Não.

— São difíceis de notar, por não serem repetidos senão com intervalos de uma hora. E não sei mesmo se a senhora esteve aqui nos primeiros sete dias... Eu ouvi-os três dias, o que quer dizer que estive quatro sem acordo. Mas não podia responder.

— E tinha vontade disso?

— Não sei bem; a princípio parece-me que tinha.

— Mas que tem de particular esse silvo para ser entendido pelos senhores? Ora, vá lá, quero ouvi-lo assobiar uma vez.

— Não! Deus me livre! Pode estar algum aí por perto e ouvir-me.

— Ah, querido filho! — exclamou a irmã Pompília, radiante. — Não tem então vontade de voltar para a sua tribo, quer abandonar essa vida inútil e criminosa?!

— Inútil, talvez; mas criminosa por quê? Nós não matamos – senão em defesa própria.

— Nem só o matar é crime, meu filho. Apossar-se do alheio, roubar, é feio pecado aos olhos de Deus e é um crime merecedor de castigo.

— É o que nós não podemos perceber. Então um homem rico tem muitos cavalos e pode ainda comprar mais; nós, que não temos dinheiro para os comprar e que precisamos deles para nos transportarem nas viagens e para os vender, somos criminosos, porque os vamos buscar?

— Se ficar conosco, se abandonar essa vida indigna da sua bondade – porque eu estou vendo que é bom –, há de facilmente compreender a nossa moral, muito diferente daquela em que o educaram.

— Olhe que quem me educou foi o Capitão Malabro, que é um grande sábio.

— E que lhe ensinou ele?

— Tudo que sabe meu pai: ler e escrever, doutrina e canções. Depois, quando eu pilhava algum livro ou jornal, lia-o todo, muitas vezes, muitas vezes...

Luís Ulka, já fatigado, calou-se por largo espaço, recostando a cabeça no respaldar da poltrona e cerrando os olhos. Depois, procurando com o olhar a irmã Pompília, sentada defronte dele, perguntou:

— E que é feito da mulher dos olhos verdes?

— Desapareceu em busca dos filhos; depois desse fato eu só estive um ano no Paraná e nunca mais soube dela.

— Como Maria, como Maria!

— Quem é essa Maria?

— Minha irmã mais velha.

— Tem então uma irmã?

— Tive, mas também desapareceu, há oito anos. Fugiu não sei para onde. É o que me espanta, porque os zíngaros[83] não fogem nunca da sua tribo, o único exemplo que conhecemos é o de minha irmã. E eu não estou também com vontade de abandonar os meus?! Será possível que eu não seja zíngaro?

— Lembre-se de Ana Brites. Não se recorda da ternura com que ela o tratava? E a mãe cigana tratava-o bem?

— Em pequeno, não. Agora, sim, porque me temia.

83 Ciganos.

— Temia-o?

— A mulher teme o homem. Em criança batia-me com varas; por isso talvez me ficou a memória de outra mãe que me não batia, que me beijava e acariciava. Eu senti sempre a falta desses beijos e dessas carícias. Maria, essa não podia suportar a mãe Ulka, por isso fugiu...

— Mas sua irmã não se chamava Maria.

— Qual delas? A filha da mãe Ulka ou a da mulher de olhos verdes?

— Pois não era a mesma? A sua irmã chamava-se Rosa, Rosinha.

— *Losinha*... Sim, era esse o nome por que eu tratava Maria, sem saber bem por que razão, e eu era o único da tribo que a tratava assim: *Losinha*.

— Sem dúvida era uma reminiscência da infância. As crianças chamavam à Rosa – *Losa*.

— Sim, deve ser isso. Não imagina que martírio é esta dúvida. Se eu for zíngaro, nunca poderei deixar a minha tribo sem ser amaldiçoado e perseguido por Deus. Todos dizem.

— Mas se o não for...

— Se o não for, não me perseguirá a maldição. Ah! Se eu tivesse algum indício mais claro, mais positivo do que a simples suspeita, a recordação vaga dos primeiros anos!...

— Espere... espere... Rosa tinha uma singularidade...

— Também Maria.

— Era uma sobrancelha inteiramente branca.

— Também Maria; do lado esquerdo!

— Do lado esquerdo; inteiramente branca. Então já vê que Rosa e Maria são uma e a mesma pessoa. Isto agora é positivo.

— Tem razão. Oh, minha irmã, como me sinto feliz! Deixarei a vida aventureira, nunca mais sairei daqui. Mas eu estou bom. Sinto-me forte; veja como já posso andar! — exclamou o rapaz, erguendo-se e passeando no quarto com energia e contentamento.

A irmã Pompília sorria, benévola, encantada com aquela revivescência do seu conterrâneo, envolvido na mais dramática e misteriosa aventura que ela tinha conhecido...

Capítulo XX
CARIDADE

Era uma bela tarde. Tilde dava os últimos pontos em uma saia destinada à viúva pobre de um marinheiro, cosendo ao lado de D. Mariana, que se entretinha também com uma costura de caridade. Eduardo saíra e Carolina arrumava a cozinha, lavando na pia os pratos engordurados.

— Depois do jantar, faz mal coser, Tilde!

— A mim nada faz mal... depois, é preciso acabar hoje sem faltas esta saia... E a senhora, por que está cosendo?

— Por causa do seu exemplo. Quando a mocidade dá lições, justo é que até os velhos aproveitem.

— Pobre de mim!

— Você precisa ter cuidado consigo, Tilde, acho-a magrinha... mais pálida...

— Eu?! Tenho uma saúde de ferro, D. Mariana!

— Sim... eu sei disso! Quanto mais fracas vocês são, mais se blasonam de fortes! Verdade é que eu nunca a vi doente...

— Nunca.

D. Mariana bem desconfiava de qual fosse a causa oculta do abatimento de Tilde. Não era um segredo para o seu perspicaz coração materno o amor entranhado e puro que a filha do Sr. Matias dedicava a Eduardo. Com prudência, ela fingia ignorar isso. Para quê? Via que o filho mal olhava para a pobre moça, conservando-se impassível para todos os seus encantos. E ele também não mudara tanto, depois da partida de Miss Lane para a Bahia? Ao princípio, nos primeiros dias, o coração de D. Mariana exultou de júbilo. Eduardo parecia reconquistado pela ciência. Recolhia-se cedo, trabalhava horas seguidas no seu escritório, manuseando com aparente interesse obras de autores modernos. Os seus hábitos tornaram a ser pautados pelo sistema antigo; tinha horas certas para a visita do hospital, para as consultas, para as visitas particulares, avisando sempre a mãe dos lugares para onde ia, de modo tal que ela, longe ou perto, sabia dizer a qualquer hora em que ponto da cidade o filho estava.

Essa alegria egoísta foi depressa substituída por uma apreensão melancólica. A aplicação de Eduardo era um esforço, a sua tranquilidade uma coisa fictícia e falsa. O moço deixava por vezes, vencido pelo cansaço, transparecer o seu desalento. Olhos estranhos não perceberiam isso, mas D. Mariana tinha a vista clara e aguda para penetrar no coração do filho. Quanto mais triste o sentia, mais lhe crescia no peito a sua raiva terrível pela inglesinha que, depois de virar a cabeça do filho, levantara a bela plumagem e partira para longe!

Para ela aquela era uma gente fatal! Conquanto não fosse extremada em religião, atribuía todos os sucessos desagradáveis de *Green House* a um castigo do céu, por ser Mr. Lane protestante. Tilde também não realizava o seu ideal como noiva de Eduardo. Conquanto a adorasse, chamando-a inconscientemente de filha, achava-a de origem humilde, modesta em exagero, pouco ornamental! O seu sonho, que esperava realizar ainda algum dia, era encontrar na esposa do filho as qualidades perfeitas de caráter e de coração da filha do floricultor, unidas a uma educação primorosa e uma instrução sólida! Ele merece tudo: beleza, fortuna, mocidade, talento e critério e tudo isso junto D. Mariana esperava encontrar em uma só mulher...

As conversas de Tilde eram quase sempre as mesmas; falava das suas flores, das suas costuras e dos seus pobres, e de mais nada. D. Mariana ria-se das suas ingenuidades e acolhia com doçura e amizade todas as palavras da moça. Nessa tarde, porém, estavam ambas contrafeitas, remoendo em silêncio os seus pensamentos, que convergiam para o mesmo ponto – Eduardo.

Estavam assim abstratas, quando deram um salto, assustadas com a voz forte e alegre de Carlos Ramos que, encostando-se à janela, pelo lado de fora do jardim, disse-lhes, rindo:

— Esta pressa toda é para acabar o enxoval do casamento de Mariana?!

— Não, que eu não sou como você, que está sempre a casar... e fique sabendo, senhor malvado, que apesar de velha... não me faltariam noivos, melhores do que...

— Eu! — interrompeu Carlos alegremente.

— Sim, senhor...

— Tem razão, talvez...

— Talvez?! Ainda põe isso em dúvida?!

— Por amabilidade direi que não.

— A propósito: como vai a viuvinha?...

— Quê? As senhoras já sabem??!

Tilde sorriu, D. Mariana replicou:

— Entre, venha conversar um bocado... quer café?

— Acabei de tomar neste instante.

— Não quer entrar?

— Estou bem aqui. Mas diga-me, D. Mariana — insistiu Carlos —, quem foi que lhe falou a respeito da viuvinha?

— Toda a gente!

Carlos olhou para Tilde, interrogando-a:

— É verdade, D. Tilde?

— D. Mariana não mente...

— Mas brinca e gosta de atirar às verdes para colher as maduras... — E mudando de tom: — Eduardo não está?

— Não. Foi ver um doente nas Neves.

— Ainda a senhora fala de mim! Naquele é que a paixão faz mossa!

D. Mariana tornou-se séria. Tilde corou até a raiz dos cabelos, fincando o olhar na costura.

— Realmente eu pareço transparente — continuou o moço —, mal desponta um amor em meu coração e logo todo o mundo dá fé! A viuvinha está furiosa porque, sabem, ela agora vive à inglesa, amarra uma carranquinha adorável e para tudo diz – *shocking*![84] O brinquedo mais inocente, a frase mais simples, enche-a de pudor. Entende mal os ingleses, conhece-os através das *charges* das comédias e das descrições dos romances sem psicologia... o inglês é alegre, gosta de gozar, ama a vida... Eu não me oponho àquela mania, porque acho que não fica bem... até o alimento, creiam; ontem, levei-lhes livros de Walter Scott, de Thackeray, Dickens, o diabo-a-quatro. Eu já não entendo patavina daquilo. Do inglês do colégio bem pouca coisa me ficou: — *give me*; *I love you*;[85] e pouco mais.

— Mas por que gosta assim da viúva Torres do inglês? — perguntou D. Mariana com ar de motejo.

— Ora por quê! Por causa do Lane e da filha. O Eduardo tem razão, o demonico da moça é linda. Vi-a a primeira vez no dia em que ela embarcou para a Bahia... se não...

— Já se teria casado com ela, não é verdade?

— Sem dúvida nenhuma!

— Veja se arranja isso!

— Hum... já ouvi resmungar por aí que ela está prometida ao sócio, guarda-livros ou o que quer que seja do pai.

Tilde ergueu os olhos luminosos com ar alegre de espanto.

— Sim?

84 Traduzido do inglês: Chocante!

85 Traduzido do inglês: Dê-me; Eu te amo.

— Ouvi dizer... Não repitam isso ao pé de Eduardo...

— Que tem ele com isso? Pensa você, Carlos, que meu filho ama a tal inglesa?

— Brasileira...

— Seja o que for!

— Penso... Quer que lhe diga mais?! Tenho a certeza.

— Por quê?

— Por quê... por tudo.

— Deus me livre!

— Ora essa!

— Você está enganado, Carlos; Eduardo tem um temperamento de ferro, não ama, nem se casará nunca!

Tilde não via a costura; a sala parecia andar-lhe à roda e as palavras picavam-lhe na alma como abelhas assanhadas. O lusco-fusco da tarde protegia-a, escondendo-lhe dos olhos dos outros a sua enorme comoção. D. Mariana, porém, adivinhando isso, voltou a falar da viúva, gracejando com o moço:

— Então a Torres trá-lo pelo beiço?

— É verdade...

— E a Dudu; e a sobrinha do Inigo; e a Bentinha; e mais a Fernanda, que dizem?! Não se opõem?

— Qual... Estão todas mais ou menos noivas! A Torres é mais bonita... e depois, esta paixão já dura há três para quatro meses... É uma mulher cheia de fantasias, como eu gosto. Assim como lhe deu para inglesar-se agora, dará amanhã para enjaponesar-se... e como na variedade está o deleite, percebo que aquela é a mulher que me serve!

Tilde continuava silenciosa, e como a Carolina viesse acender o gás, Carlos deu as boas-noites, pedindo para dizerem ao Eduardo que o viera procurar.

D. Mariana voltou, silenciosa e entristecida, os olhos para Tilde, que dobrava a sua costura sem dizer uma única palavra, com os lábios entreabertos em um sorriso forçado.

— Acabou a saia? — perguntou D. Mariana, querendo desviar a atenção da moça para assuntos de outra natureza.

— Acabei...

— E agora, vai mandá-la já?

— Levo-a eu mesma, a casa da Dionísia fica a dois passos daqui.

— Quer que a Carolina a acompanhe?

— Não é preciso... Mamãe deve estar no portão do jardim; se não estiver, chamá-la-ei.

— Veja lá, minha filha, que não a vão roubar — disse D. Mariana, sorrindo.

— A mim?! Ninguém me quer!

Tilde murmurou estas palavras com mal disfarçada amargura. A mãe de Eduardo, percebendo-lhe a intenção, não pode replicar de pronto.

— Boa noite, D. Mariana.

— Boa noite, Tilde. Peça a Deus, esta noite nas suas rezas, que lhe dê mais alegria e coragem.

— Para quê? Tenho a alegria bastante para viver cantando, como a senhora sabe. Lá em casa dizem que eu faço muita falta quando saio...

— Você virá amanhã ajudar-me a coser?

— Não prometo. Papai quer fazer mudas de amores-perfeitos e de roseiras e é provável que precise de mim para o auxiliar...

— Se toda a gente fosse como você, útil e boa, o mundo seria uma perfeição!

Ouvindo os elogios, Tilde apressou-se em sair, corada e confusa. Ao abrir o portão da rua esbarrou com Eduardo, que se recolhia. A moça parou trêmula, sem atinar com o que lhe dissesse. Eduardo pegou-lhe na mão, cumprimentando-a com familiaridade:

— Já se vai embora?!

— É tarde...

— Por isso, não! Eu irei acompanhá-la.

— Não se incomode...

— Apraz-me até andar ao seu lado.

— Obrigada...

Eduardo tirou-lhe a mão do embrulho das costuras e caminharam juntos até a porta da Dionísia, dois quarteirões adiante. Depois de um instante de silêncio, Eduardo perguntou:

— A senhora nunca me disse qual foi a impressão que lhe deixou a sua visita à Casa Verde... Gostou?

Tilde parou instintivamente, com um baque no coração, depois, dominando-se, murmurou com esforço:

— Gostei...

— Foi bem recebida, não é verdade?

— Fui...

— Falou com... quero dizer... viu Miss Lane?

— Vi...

— Que tal a achou?

— Bem...

— Não a acha meiga e misteriosa?

— Acho...

— Quer fazer-me um favor?...

— Quero...

— O obséquio que lhe peço é este: quando Miss Lane voltar da Bahia, ir visitá-la. Sim?

— Sim...

— Desejo que ela seja sua amiga...

— Por quê?

— Por tudo. Essa amizade será benéfica para as duas e influirá em minha mãe...

— Ah!

— Através da sua simpatia e das palavras com que falar de Miss Lane, irá minha mãe se reconciliar com ela... É simples, não é verdade?

— É...

— Desde que me confessou ter gostado de *Green House*, não é um sacrifício o que lhe peço...

— Não....

— Obrigado. Diga-me agora uma coisa: tem cravos escarlates em casa?

— Tenho...

— Bom... Pois estou certo que a sua convivência com Miss Lane tornará a sua vida mais agradável. Realmente, Tilde, a senhora definha neste ramerrão de costuras e de plantações. Mary há de proporcionar-lhe algumas distrações; é rica, tem gosto e tem uma companheira digna do seu espírito...

Tilde, que fizera esforço em arrancar da garganta os monossílabos com que respondera ao médico, sentiu uma espécie de alívio chegando à porta da viúva Dionísia, a quem destinava a saia acabada nessa mesma tarde. Assim, bateu apressadamente com os nós dos dedos na veneziana, passando para dentro o embrulho da saia logo que a viu abrir-se. Eduardo sorria àquela rapidez, julgando-a filha de um sentimento diverso. Conhecia a caridade de Tilde e supunha que ela desejava fugir a um agradecimento inevitável; fora por isso, sem pasmo, que ele vira a moça arrebatar-lhe o embrulho das mãos, entregá-lo à viúva sem uma palavra e rodar sobre os calcanhares em direção à sua residência.

Depois de uma pausa, Eduardo disse emocionado, contemplando o rosto pálido e alterado de Tilde:

— A senhora devia ser irmã de caridade!

Tilde estacou ao ouvir estas palavras e nos seus olhos luminosos passou um relâmpago que a transfigurou, dando-lhe um ar espiritual, de divindade. Recomeçaram a andar em silêncio, até ao portão da chácara de *seu* Matias, que berrava no interior, ralhando com um empregado.

Tilde estendeu a mãozinha gelada e trêmula ao médico e sumiu-se jardim adentro, correndo por entre os pés de magnólia e dos vasinhos de barro floridos, preparados para o mercado. A pobre levava a morte no coração. O diálogo de Eduardo confirmava a suspeita de toda a gente: ele amava Miss Lane! Compreendia tudo. Amava Mary e queria servir-se dela para como um instrumento de paz, um traço de união entre as duas famílias, a sua e a do inglês. Estaria destinado para a sua alma fraca o papel escabroso e terrível de reconciliar a sua rival com a mãe daquele a quem amava mais do que a própria vida?

Tilde foi sozinha até ao fim da chácara, evitando o encontro dos pais e das criadas. A noite estava escura, protegia a sua dor. Depois de ter errado os passos febris por entre os canteiros cheirosos, de rosas e de heliotropos, escondeu-se em um caramanchão de glicínias e, deixando-se cair em um banco, chorou amarga e desabridamente, sacudindo o corpo em repetidos soluços.

***

Eduardo abriu vários livros. As letras dançavam diante dos seus olhos e mentalmente ele só via Mary! Nesse dia despedira-se de *Green House*, dando alta a Luís Ulka. O seu dever estava acabado; só como médico poderia reentrar na habitação de Miss Lane. Uma impressão de saudade lhe enchia a alma de sonhos. Que faria Mary? Por que teria partido? Quando voltaria a *Green House*? Lembrar-se-ia ela alguma vez do moço médico que tão cega e imprudentemente obedecera à sua vontade e até ao seu desatino? Quanto daria ele para voltar à calma antiga, estudar os seus autores, cultivar as teorias, observar na prática os progressos e conselhos da ciência! Sentia um vácuo, uma grande falta de energia, como se toda a sua vida estivesse para sempre inutilizada.

O seu trabalho de longos anos, a sua investigação, as suas demoradas pesquisas, as suas insônias, os seus triunfos e o seus desesperos, tudo varrera o sorriso, tredo[86] talvez, de uma mulher. A mulher! Compreendia agora, é a maior força da natureza! Ela é o encanto, a graça, o perfume, a magia, a mentira, a vaidade, o sacrifício, a doçura e o fel, a tentação e a abnegação, o engano e a lealdade, tudo o que há de mais sutil e tudo o que há de mais ponderado, pérfido como a onda, no dizer do poeta, mansa como o lago em que as almas se retratam, feita com sopros celestiais e infernais, grande inspiradora, terrível inimiga e santa companheira. A mulher resume em si tudo o que Deus criou de belo e de generoso e tudo o que o diabo inventou de malévolo e de embusteiro!

86 Traiçoeiro.

É todo o bem e é todo o mal. As suas ações são mais violentas e mais acentuadas do que as dos homens. Se são boas, têm qualidades a que nenhum homem pode atingir; se são viciosas, descem à degradações a que nenhum homem pode descer; para o crime são mais impassíveis e mais sanguinárias, para a virtude são mais idealistas e mais aptas; para a avareza são mais caínhas[87], para a caridade mais generosas do que o homem. É assim, composto de grandes forças, o ente fraco que o uso põe ao abuso da proteção do homem. Dizem-na escrava... Será, mas é, em todo o caso, uma escrava voluntária, senhora do momento oportuno para de assalto dominar o dono!

Era o que pensava Eduardo, com o olhar pasmado diante das páginas dos mestres da ciência. Quebrara o selo da sua indiferença o olhar de uma mulher nova e franzina! Mary! Mary, como ele a evocava do fundo da sua miséria!

Como todos os namorados, Eduardo supunha que ninguém percebera o seu amor por Miss Lane. A primeira pessoa a quem falara dela fora agora a carinhosa Tilde, cujo segredo ele não tinha percebido nunca! Afigurava-se-lhe que não podia encontrar conselheira melhor nem mais discreta confidente. Tilde era de casa, já um pouco sua irmã! Tivera, entretanto, medo de lhe abrir abruptamente o seu coração, queria fazer-se adivinhado e esperava uma pergunta para dar a resposta em um desabafo de que a sua alma precisava!

Daí por diante tudo seria mais difícil e rareariam as ocasiões de ver e de ouvir falar de Mary!

A irmã Pompília, mesmo, chamada ao asilo por outros deveres, despedira-se de *Green House*, dando a sua missão por finda.

Eduardo conjeturava: quem seria Luís Ulka? Interrogá-lo-ia Miss Lane? Seria um criminoso? Um apaixonado? Um ladrão? Sabia que o seu interesse havia de ficar sem resposta, e vinha-lhe com isso um desespero que não sabia e nem podia dominar!

87 Sovinas, mesquinhos.

Capítulo XXI
OS CALONS

Que animal seria aquele, híspido[88] e bruto, de negros olhos fuzilantes no fundo das órbitas que disséreis fossas em terreno turfoso e boca aberta em chagas, abismo guardado por dois enormes dentes encardidos, que mal se via entre a juba emaranhada, grisalha, cheia de terra e fragmentos de folhas secas? Que animal seria aquele, de tão compridos, descarnados braços e mãos aduncas, de garras negras, que ora se entrevia pelas ramagens finas e baixas da samambaia, ululando à beira da estrada, ora esgueirando-se entre altas árvores, bosque adentro, como a internar-se para longe do povoado? Os magros membros, trazia-os mal cobertos por uns frangalhos de saia, pela qual, entretanto, se percebia que era ou tinha sido uma mulher, pois nada de feminino havia no seu rosto, nem nas suas espáduas agudas, nem no seu peito chato, nem nos seus braços de esqueleto. O rosto de górgona[89], que a intensa guedelha[90] circundava e cobria em parte, era quase negro, de pisado e arranhado pelas correrias infrenes[91] entre espinheiros de ásperas madeiras e pelas ferroadas dos moscardos[92] famintos, que o borbulhavam todo de empolas[93] roxas.

Às vezes a desgraçada vinha à beira dos caminhos e monologava imprecações, com a voz rouca em um tremendo dialeto latino, áspero, mas cheio de expressão, a que ela dava singular intensidade com o gesto desordenado e largo, ameaçador, de quem tivesse por destino vir do seio augusto da natureza objurgar[94] à sociedade delitos, os seus crimes, as suas iniquidades[95].

88 Arrepiado.
89 Criatura da mitologia grega, representada por um monstro de aspecto feminino e garras.
90 Cabeleira comprida e desgrenhada.
91 Desenfreadas.
92 Moscões.
93 Bolhas.
94 Censurar, repreender severamente.
95 Ação contrária à moral e à religião.

Alguns raros passantes dos caminhos quase ermos da mata tinham-na visto de longe, esguia e negra, em um relance, pois ela emboscava-se, mal percebia tropear de cavalgaduras. E não parava, a desgraçada, caminhava sempre, ao acaso, em uma febre, em uma fúria de andar e de mover-se, de dia e de noite, alimentando-se de frutas que topava em velhos bananais abandonados ou de alguma goiabeira brava, cuja semente os ventos trouxeram porventura de S. Gonçalo; nas horas de sede chupava cajus, abundantes na região, ou descia da serra a beber em alguma poça por folhas largas de taioba. Quanto tempo andou a pobre louca pela floresta, ninguém o soube, nem ela própria. E assim, saltando de serra em serra, de mata em mata, transpondo caminhos, atalhos ínvios, rompendo macegas, sebes, pulando valados, foi ter a uma ponta de terra que se metia pelo mar num gracioso ângulo, em frente de uma ilhota verdejante, encantadora de cor e de viço. Era a Ponta da Areia; mas por ali aglomerava-se o casario, e Teresa Nutti fugiu, subindo a praia até um ponto que parecia despovoado, sem sinal de habitação. E foi andando; de repente, em uma volta brusca da praia, deu com um abarracamento, cerca de vinte tendas de algodão-lona, entre as quais homens altos e morenos, de longos cabelos anelados, batiam vasilhame de cobre, cantando. Um pouco afastada do bando, em um recanto, uma bela adolescente trigueira, de olhos azuis em um rosto muito redondo, de aspecto contemplativo, entoava a meia voz, docemente, uma canção melancólica:

Não sei qual seja o destino
Que os fados me querem dar,
Quanto mais penas eu choro
Mais penas tenho a chorar.

No altar do sentimento
O silêncio é a oração;
Quando os lábios emudecem
Melhor fala o coração...

A toada gemente da canção, a voz lacrimosa da rapariga, atraíram primeiro que tudo a atenção da velha. Teresa estacou, escutando a música e contemplando o rosto simpático e triste da moça. Depois, como esta continuasse, a velha louca foi-se aproximando. Sentindo-lhe os passos, a rapariga voltou-se e, ao ver junto de si a estranha e repelente criatura, soltou um grito de susto, erguendo-se e correndo para o acampamento:

— *Dai*, vem um *bengue*! Um *chucá-bengue*.[96]

Uma velha magra e baixa entreabriu as barracas e gritou em resposta:

— Que *godes* são esses, *chavina*?[97]

— *Chucá-bengue, bata*![98]

A velha, depois de examinar Teresa com algum espanto, riu-se.

— Que *bengue*... É *ronin quindim*.[99]

— Santíssimo *Duvel*[100]! Então é *nachindoi*[101] do hospício — respondeu a moça, já à porta da barraca, agarrando o braço da mãe.

Teresa Nutti queria falar, mas a voz perdera-se-lhe por completo, de sorte que abrindo a boca apenas deixava ouvir um som rouco, muito frouxo, quase imperceptível.

— Não *sima achibe, dai*![102] *Diquinha* como *despandinha* a boca e não *descovinha* um ai.[103]

— Ih! Que *dous dánes busnãos*?[104]

— Não é *calin*, não, *dai*?[105]

— Que *calin*, quê? É *gajin*.[106]

— Que *jungalipén*! Vais *chidá-la, bata*, vais?[107]

— Para quê? Anda talvez *manguinhando*[108]. O que ela *sima* é *bôque*.[109]

—Vamos-lhe *dinhar* de *caiar, bata*?[110]

— *Dinha*-lhe algum *cabén*.[111]

A ciganinha entrou na barraca e saiu dali a momentos com uma tigela de barro, meia de carne e farinha, que ofereceu a Teresa. Esta estava ainda na mesma posição, diante da barraca, olhando ataroucada[112] para tudo e considerando idiotamente aquela linguagem de que não

96 Esses diálogos são em língua cigana, que famos transcrever num anexo no final, mas seguem explicados aqui: "Mãe, vem um demônio. Um demônio!"
97 Do vocabulário cigano: "Que gritos são esses, filha?"
98 Do vocabulário cigano: "É um demônio, mãe!"
99 Do vocabulário cigano: "Que demônio... É uma mulher miserável."
100 Do vocabulário cigano: Deus.
101 Do vocabulário cigano: Fugido.
102 Do vocabulário cigano: "Não tem voz, mãe!
103 Do vocabulário cigano: "Veja como abre a boca e não solta um ai."
104 Do vocabulário cigano: "Ih! Que dentes pretos?"
105 Do vocabulário cigano: "Não é cigana, não, mãe?"
106 Do vocabulário cigano: "Que cigana, quê? É de outra raça."
107 Do vocabulário cigano: "Que feia! Vais pôr para fora, mãe, vais?"
108 Do vocabulário cigano: esmolando, pedindo.
109 Do vocabulário cigano: "O que ela tem é fome."
110 Do vocabulário cigano: "Vamos lhe dar de comer, mãe?"
111 Do vocabulário cigano: "Dê-lhe algum alimento."
112 Apatetada, idiota.

percebia patavina. Mal viu a tigela nas mãos da moça, arrebatou-a e começou a comer sofregamente, com ânsia, enchendo a boca de carne e farinha, quase sem respirar, soltando apenas uma espécie de grunhido de satisfação, como a dos bácoros[113] na hora do cocho.

— Ih, que *boque*[114]! — exclamou a moça.

— *Dinha*-lhe *panin*.[115]

A rapariga foi buscar água. Teresa, já quase sem forças para comer, com a boca cheia, emborcou a caneca e bebeu longamente, com delícia. Bagas de suor caíam-lhe já pelo rosto imundo, cheio de crostas de lama e sangue seco, diluindo-o. Arquejava, resfolegando ao cansaço. Depois, o corpo vacilou e teria caído se os braços das duas ciganas a não amparassem.

— Que é isso, minha velha? — disse a mãe, segurando-a por um braço.

Teresa não respondeu. Revirava, no fundo das órbitas, os olhos negros, numa ânsia. Vendo que ela ia talvez desmaiar, as duas mulheres trocaram entre si um olhar e carregaram-na para dentro da barraca, deitando-a sobre um couro de boi que lhes servia de cama, à mãe e à filha. A pobre louca ainda ficou toda a tarde e toda a noite, vencida ao fim pelo cansaço, prostrada pela imensa fadiga daqueles longos dias de vagabundagem pelos matos. Na manhã seguinte, já um pouco repousada, ergueu-se e quis sair, mas a velha cigana começou a fazer-lhe perguntas. Quem era, de que país, a que raça pertencia, qual o seu ofício. A louca, a princípio, respondeu, ainda quase sem voz; depois, tomou a habitual irritação e nada mais disse. Tornou a deitar-se e adormeceu profundamente. As ciganas debalde a chamaram; o segundo sono parecia ainda mais pesado que o primeiro. Por fim, impaciente, a mãe foi relatar o caso ao chefe Ulka, pedindo-lhe que chidasse[116] da sua barraca aquela importuna a quem tinham matado a fome e proporcionado descanso. Ulka veio com alguns homens para expulsar Teresa do acampamento. Não houve, porém, meio de acordá-la. Por fim o chefe mandou buscar um balde de água.

— Despejem-lhe isso na cara — ordenou ao portador.

Quando este ia obedecer, erguendo o balde, a rapariga interpôs-se.

— Não, assim não — exclamou ela no seu dialeto.

— Pois então aguentem-se com ela — respondeu o chefe em tom áspero. E foi-se com arrebatamento.

Pouco depois, Teresa começou a agitar-se. A velha cigana aproximou-se e pegou-lhe no braço nu para sacudi-la e acordá-la. Mas a pele do braço, muito seca, escaldava.

113 Porco pequeno e novo.
114 Do vocabulário cigano: fome.
115 Do vocabulário cigano: "Dê-lhe água."
116 Do vocabulário cigano: Colocasse para fora.

— Está ardendo em febre — disse a cigana à filha. — Inês, vai chamar o Capitão.

A mocinha saiu da barraca. Teresa continuava agitada. Abriu os olhos e pediu água. Quando, porém, ia levar à boca a velha caneca de ferro, sentando-se, não o pôde fazer; a cabeça pendeu-lhe e a mísera deixou-se cair sem beber.

— Que sente, velha? — perguntou a cigana.

— *Dolor di testa*![117]

Nisto, um velho de venerando aspecto, alto e magro, curvado, longos cabelos brancos maltratados e grande barba cor de âmbar, entrou na barraca, seguido por Inês.

— Tá o Capitão Malabro — disse esta para Teresa. — Vancê vai ficar boa.

O velho curandeiro, mestre de toda a tribo e seu médico para todos os casos, tomou o pulso de Teresa, examinou-lhe os olhos e a língua e exclamou:

— É só fraqueza.

Abriu em seguida uma grande bolsa de couro cru que trazia a tiracolo, sacou um frasquinho e vazou algumas gotas na água da caneca.

— Deem-lhe isto; e nada de comer até à tarde. O que ela precisava era leite, mas isso não há, podem dar-lhe café, até que ela ganhe forças. A febre vai-se embora em três horas.

Malabro, lentamente, sem dizer mais nada, saiu da barraca. A ciganinha tinha vencido a repugnância e o terror que Teresa lhe inspirara no primeiro momento e olhava agora para ela compassivamente.

— Eu vou buscar *xuti*, *bata*[118]; precisa ter caridade...

— Sabes lá quem é essa vagabunda? Corpo estranho é com certeza.

A rapariga não respondeu e foi buscar o leite.

A velha cigana, então, vendo-se só, procurou uns panos velhos e com eles cobriu a enferma.

Ao fim de dois dias, Teresa sentia-se forte, a cabeça já lhe não doía e o tremendo cansaço que a prostrara havia quase desaparecido com o último sono, um sono tranquilo, de que acordava agora, quase ao fim da tarde. Acordou e olhou em roda de si. Junto da entrada da barraca alguém soluçava. Teresa reconheceu Inês. Estava sentada no chão, com as pernas cruzadas e fitava o horizonte. O seu perfil, curioso e suave, de uma admirável regularidade de linhas, desenhava-se na meia luz crepuscular. Os seus olhos, banhados de lágrimas, pareciam mais azuis no rosto moreno a que uma ruga da testa dava indizível expressão de melancolia. Teresa pôs-se a fitá-la longamente. Por fim exclamou: "Não pode ser!" e começou

117 Traduzido do italiano: Dor de cabeça.

118 Do vocabulário cigano: "Eu vou buscar leite, mãe."

a gesticular com os braços, como acompanhando palavras que não saíam do pensamento. Depois, tirou do pescoço um colar e pôs-se a passá-lo lentamente, exclamando com voz chorosa, dolentíssima, cabeça pendida sobre o ombro esquerdo:

"Luís! Por detrás te vejo em cruz, e por mim, Luís, o sol e a luz!
"Luís! Tu irás e acharás; em busca de mim, Luís, tu tornarás.
"Luís! Deus é; Deus quer; Deus pode tudo quanto quer.
"Assim, Luís, tu acabarás em bem.
"Amén!"[119]

E repassava as contas e repetia a reza, muitas vezes, muitas vezes. De vez em quando parava, estendia o pescoço para fora da barraca e olhava de longe, como se quisesse ver alguém que esperasse. Teresa olhava-a sem compreender nada.

"Luís! Eu não tenho por quem te mande buscar, nem por quem te mande abalar, nem por quem te mande quebrar as mãos, cordas de coração! – Só tenho quatro *familiais* que estes moram nos Paraísos Infernais! Vem! Que estes não possam ter sossego sem que entres por esta porta adentro!"

E as contas passavam agora nervosamente, impelidas pelos dedos crispados. Teresa parecia ter percebido a intenção desta última reza. Sentada no couro, o seu busto fino e muito alto, macérrima, escaveirada, a velha ia acompanhando, com o movimento dos lábios, a reza aflita da ciganinha.

Quando esta, parecendo exausta, se ergueu e mais uma vez fitou a praia deserta, Teresa perguntou-lhe:

— Quem é esse Luís?

— Meu noivo.

— Ah! Mas então está de viagem?

— Não; desapareceu...

— Aqui?

— Lá para os lados de Santa Rosa, há quase um mês. Foi a uma casa que chamam *Casa Verde* e até hoje não voltou!

— Ah, ah, ah! É o caçado! É o caçado! — exclamou Teresa, às gargalhadas.

A mocinha olhou para ela muito espantada.

— O caçado?!

119 "Reza para ver-se a quem está ausente." Do livro "Os ciganos no Brasil" (1886), de V. Mello Moraes Filho.

— Sim, deve ser o que levou o tiro da filha do capitalista, do inglês. Ah, ah, ah! Muito que eu ri!

— O que levou o tiro? Então mataram o meu Luís! Vancê viu?

— Vi. Eu andava no mato, escolhendo lenha miúda e rondando a *Casa Verde*. O moço estava no jardim, eu vi, e trepou na árvore grande. Depois veio a filha do capitalista e pum! Deu o tiro e ele caiu. Eu ri muito. Foi tão engraçado!

— Vancê tá louca, mulher! Então ri-se da desgraça! Seria mesmo o meu Luís? Oh! Meu Deus! E morreu?

— Não sei. Levaram-no pra dentro da *Casa Verde* em braços...

***

No dia seguinte, ao romper da manhã, Luís Ulka, ao acordar, abriu a janela do quarto e ouviu uma voz argentina e fresca entoando perto da *Casa Verde* uma canção familiar:

> Se um inseto venenoso
> Te quiser emurchecer,
> Pende a haste p'ro meu lado
> Vê se te posso valer.

— É a voz de Inês — disse Luís consigo. Decerto desconfia que eu estou aqui e vem chamar-me. Pobre *calin*[120].

A canção continuou:

> "Sobre as águas quis lançar-me
> E não temia morrer.
> Mas me lembrei que morrendo
> Não te podia mais ver."
>
> "A Morte viu-me chorando:
> — Tu quem és! — me perguntou;
> — Sou a Desgraça, me acolhe!
> A Morte riu-se e passou."

Luís ouvia com profunda comoção a voz da moça enamorada. Ela confessara-lhe um dia o seu amor, com a ousadia da perfeita inocência.

120 Do vocabulário cigano: Cigana.

Mas à confissão ingênua não respondeu no seu coração mais do que um eco de estima, talvez de gratidão por aquele afeto espontâneo, que se lhe oferecia como uma delicada, rescendente flor.

Mas a paixão de Inês era tão intensa e tanto se expandia em queixumes, em dedicação e cuidados na convivência diuturna, que o moço se acostumara a considerá-la sua esposa, conquanto não fosse celebrado o casamento nem executada a cerimônia cruenta do Gade[121].

Agora, que a sua vida sofrera um abalo violento, que uma paixão rebentara deveras na sua alma, paixão sem esperança e sem correspondência, a voz meiga e dolente vinha inesperadamente chamá-lo à realidade da sua condição. E veio-lhe de repente uma viva e inexplicável saudade da vida livre do campo, das perenes viagens, das contínuas aventuras. A força do hábito vinha reclamar os seus direitos, impor-lhe um a resolução.

Olhou para tudo o que o cercava – o quarto luxuoso, o leito macio, o elegante lavatório cheio de perfumarias caras, os reposteiros e as cortinas.

— Isto não pode ser para mim! A princesinha não pode querer-me bem, como Inês. Eu não sirvo para esta vida, nem esta vida me serve... Agora que já estou bom, que faço aqui? A irmã Pompília já se foi, o inglês mal me fala! Mary partiu! Talvez não volte... O melhor é dizer adeus a tudo isso e voltar para pai Ulka. *Mistões*![122]

Fora, mais plangente, mais triste, mais lacrimosa, num crescendo de dor e de paixão, a voz de Inês entoava:

> "Um peito que é magoado
> Desterra toda a paixão,
> Amor não pode morar
> Onde mora a ingratidão."

Luís abriu a porta do quarto e olhou para fora. Ninguém no jardim, daquele lado. A casa estava silenciosa e com certeza só ele ouvia a canção desesperada da *lacrin*[123]. Saiu e encaminhou-se para o jardim da frente. Na rua, agarrada aos portões de grade, com o rosto colado aos ferros, Inês fitava a casa. Ao vê-lo, a moça soltou um grito de júbilo:

— Ah! Luís, Luís!

O rapaz, ainda com algum custo, marinhou pelas grades altas, transpôs as pontas de lança e saltou para a estrada. Inês recebeu-o nos braços, tonta de alegria.

121 Do vocabulário cigano: Camisa.
122 Do vocabulário cigano: Muito bem!
123 Do vocabulário cigano: Moça.

— Ah! Não te mataram! A *mardadora*[124] não te pôde *muladar*[125]. Meu Luís! Meu Luís! Vamos, foge.

— Vamos! — respondeu o moço, enlaçando-a.

E os dois partiram correndo como se fossem perseguidos. Os olhos de Inês, ainda cheios de lágrimas, nadavam em júbilo. Descalça, ágil, com os cabelos soltos na carreira, voando como uma nuvem, ela quase arrastava o noivo, ainda fraco da doença e da longa inação.

***

Horas depois, no acampamento da Ponta da Areia, reunidos ao chefe do bando, os maiorais da tribo ao ar livre, Luís Ulka era submetido a rigoroso interrogatório.

O moço narrou minuciosamente a aventura, que lhe ia custando a vida.

— E por que não respondeste ao chamado que fizemos durante sete dias?

— Porque nos primeiros dias nada ouvia nem via, estava sem acordo; depois ouvi, mas era impossível responder; não tinha forças e estava sempre alguma pessoa perto de mim...

Depois Luís Ulka disse o carinho com que fora tratado, os cuidados de que o rodearam, como a enfermeira angélica lhe velara as noites tormentosas, como eram boas as roupas e delicada a alimentação.

Contou tudo, os menores incidentes de que se lembrava, omitindo somente o caso do tiro de Mr. Lane no médico.

À vista do seu aspecto, ainda enfermo, e da transparente veracidade da narração, o conselho dos maiorais resolveu desculpá-lo.

Depois de lhe comunicar esta resolução, o chefe Ulka disse-lhe:

— Muito bem. Agora que deves conhecer perfeitamente a *Casa Verde*, podes dirigir com toda a segurança os trabalhos que vamos recomeçar e que tínhamos suspendido por prudência.

— Quê? Assaltar a *Casa Verde*? — exclamou Luís, cheio de espanto.

— Então? Para que fomos lá? Por que te deixamos lá ficar? É preciso acabar com isso, que temos de partir dentro de três ou quatro dias.

Luís, voltando a si do espanto que lhe causaram as palavras de Ulka, teve uma inspiração:

— É impossível e inútil.

— Mau. Por quê?

— Por quê? Porque o inglês, desconfiado que eu tinha lá ido assaltar a

124 Do vocabulário cigano: Assassina.

125 Do vocabulário cigano: Matar.

casa, preveniu-se, contratou mais três homens, que ficam de guarda todas as noites, bem armados, e preveniu a polícia. Além disso, é inútil agora o assalto, porque na casa não há nada.

— Não há nada?

— Nada de valor. A princesa foi para a Bahia e levou tudo, todas as joias, todas as sedas, e muito dinheiro. O inglês, tudo que tem está na fábrica, de modo que na casa só estão a mobília e talvez algum dinheiro, do patrão e dos criados, mas não pode ser muito...

— Bem, em lugar de nos demorarmos três dias, ficaremos por aqui três semanas. A princesa há de voltar...

— Foi para se demorar.

— Quanto tempo?

— Não sei.

— Bem; voltarás lá para indagar isso.

— Tu queres que eu volte àquela casa? Lembra-se de que fugi, sem me despedir nem dar explicações; de que me trataram com muita caridade...

— Idiota! Podes fazer o que quiseres. Não vês que o inglês tem o maior interesse em ocultar o crime da filha?

— O crime?

— O crime, sim. Podes até denunciá-la à polícia. E como ele não há de querer escândalo, estará sempre às tuas ordens. Enfim, vamos esperar. O que eu resolver, há de ser feito. Precisamos tirar proveito da situação.

Capítulo XXII
SEMENTEIRA DO FUTURO

A fuga de Luís Ulka de *Green House* causara grande surpresa a toda a gente, menos a Mr. Lane.

Mme. Girard arrepelou-se quando deu por falta do moço, julgando ter a responsabilidade daquele ato por sua má ou descuidada fiscalização. Foi envergonhada e trêmula que ela narrou ao dono da casa, logo que o viu chegar da fábrica, esse pasmoso acontecimento.

Com a calma de costume, Mr. Lane respondeu:

— Eu já esperava isso mesmo...

— Para mim foi uma terrível surpresa!

— Ora essa! Por quem tomava a senhora aquele pobre diabo?! Por algum príncipe encantado? Realmente, as mulheres têm muita imaginação! Eu sinto que ele se tivesse ido embora, só por um motivo, um único!

— Qual?

— Queria interrogá-lo. Esperei para isso que estivesse bom... fui também um pouco sentimental; hei de perder este vício que o meu amor por Mary me está fazendo adquirir. Ele foi mais esperto do que eu, adivinhou isso mesmo e escapuliu-se. Fez bem.

— O senhor tem um espírito extraordinário!

— Que quer a senhora que eu faça? Saiba que o tempo mais mal perdido é o que se gasta em lamentações! Viver é agir. Um espírito que se queixa é um espírito que se esfacela. Agora o que é preciso é pôr trancas nas portas e armar as espingardas. Já reparou se o patife nos deixou os talheres em casa?

— Não levou nada.

— Então, visto que temos talheres, vamos jantar. Depois trataremos do resto...

— Mary vai sofrer uma decepção tão grande como a que eu sofri.

— Criancices! Que podia ela esperar de um gatuno que se introduz numa casa na hora em que a vê mais só e se esconde encarrapitado no alto de uma árvore, ou por sentir que se aproximava gente ou por poder dali descortinar o interior da habitação?! É a tal história: julgava redimi-lo, salvá-lo, fazê-lo entrar no bom caminho... não era?

— Sim... Mary dizia isso mesmo.

— Patetinha! Só digo uma coisa: olho vivo, Mme. Girard, olho vivo!

— Por quê? O senhor assusta-me!

— Por quê? Porque o rapaz conhece agora a nossa casa por dentro e por fora tão bem como nós mesmos. Sobrou-lhe tempo para fazer os seus planos... se ele se aventurava a assaltá-la em antes, imagine agora, que a sabe de cor!...

— Meu Deus!

— Não se assuste, não faltam homens em casa! Prevenirei os criados. Em todo caso, acautele-se; quando andar sozinha pelas estradas, leve o revólver de Mary, que está no meu quarto... contanto que não me traga o ferido para casa — acrescentou, rindo; e logo depois: — Digo isto porque ouvi dizer exatamente que andam por aí uns ciganos ou pseudo-ciganos, fazendo das suas!

— Ah...

— Ponhamos pedra no assunto. Sabe? Recebi hoje carta de Mary!

— Oh! E como estava ela?

— Hum... Caiu na Bahia em má época; o avô está com uma bronquite e retém a menina ao pé da cama o dia todo. Não tem feito passeios a cavalo, nem mesmo ido ver as amigas... sinto-a triste através das suas palavras alegres. Minha filha tem um coração raro; um coração forte. Bebo à sua saúde — concluiu o velho com os olhos úmidos, engolindo o seu *calix*[126] de vinho do Porto.

Mme. Girard imitou-o, olhando ambos involuntariamente para o lugar vago de Mary.

Uma hora depois, Mr. Lane via entrar em casa um ferreiro, que ele mandara chamar pelo Félix, criado da sua predileção, por ser o mais inteligente. Ordenou logo ali o serviço, assistindo à medição das janelas e das portas, e depois de mandar chamar os criados e recomendar-lhes vigilância, dando-lhes duas boas espingardas de caça, compradas para as matas dos arredores, mas ainda intactas, contou-lhes em frases sóbrias o ocorrido, concluindo: — Durmam à vontade; mas se ouvirem bulha, leve rumor que seja, levantem-se, já que me encontrarão de pé.

Depois disso Mr. Lane recolheu-se ao seu gabinete, fumando e lendo serenamente.

Entretanto, não estava tranquilo, vinha-lhe uma espécie de raiva contra aquele lugar e aquela polícia! Ah! Se aquelas coisas se tivessem passado na sua Inglaterra! Aqui os indivíduos escapavam-se-lhe dos olhos como se

126 O mesmo que cálice.

fossem líquidos. Onde estaria Teresa Nutti, a velha incendiária, a terrível megera, que tão entranhado ódio parecia votar ao seu capital e à sociedade em geral?

Quem seria aquele Luís Ulka, tão novo, tão bonito, de ar inteligente e expressão franca, mais talhado para usar uma espada na cinta do que uma gazua[127] no bolso, mais digno de empunhar a lança de cavaleiro do que o punhal de ladrão, e que, todavia, se vestia na pele de bandido vulgar, assaltando os quintais alheios?

Começava a sentir-se mal naquele lugar, não por ele, mas por Mary, temia expô-la a qualquer perigo. Havia na sombra, na impalpável mudez das coisas sobrenaturais, como que um espectro que os ameaçava...

Mr. Lane venceu-se. Toda a gente do lugar tinha quezília[128] e medo àquele sítio, chamando-o de mal-assombrado. Ele não era, nem queria ser como toda a gente! Não! O que era preciso era chamar à *Green House* uma vida nova. Reformaria o quarto de Mary; faria vir um pintor de mérito para decorar-lhe as paredes e o teto, adquiriria mobília nova para ele e encheria de gente moça e alegre as suas *soirées*[129] e as suas partidas de *cricket*[130] na praia das Flechas, nos melhores dias de inverno. Mr. Lane bem sabia que para as almas moças há um único remédio eficaz – a alegria!

No dia seguinte o inglês disse ao seu guarda-livros:

— Peço-lhe que indague a quem pertence àquele terreno da praia de Icaraí de que lhe falei outro dia e que veja se posso realizar a sua compra. É esplêndido para os jogos ao ar livre. Os dois filhos do Ministro e as sobrinhas de Mr. Bryce já me falaram um dia nisso... Convidarei algumas famílias daqui... por exemplo o Dr. Abrantes...

— Esse é arredio e consta-me mesmo que...

— Que?

— Que fala mal dos ingleses... parece-me que não ficou contente...

— Como assim?!

— Foi o que eu ouvi, não sei nada de positivo... entretanto, não faltam outros rapazes...

— Isso não! Não admito na convivência de minha família pessoas cuja educação eu não conheça. O senhor deveria ter sido mal informado; o Dr. Abrantes comigo foi perfeitamente correto.

— O senhor... pagou bem...

127 Gancho para abrir fechaduras.

128 Antipatia, repugnância.

129 Traduzido do francês: reuniões noturnas.

130 O críquete é um jogo de origem inglesa que utiliza bolos e tacos.

— Oh! Pelo amor de Deus! Pouco delicado teria ele sido se, não tendo razões para isso, não me quisesse levar nada pelos seus serviços. São coisas melindrosas. Em todo caso, ponha na lista o nome do Dr. Abrantes! Lembrei-me também da filha do Sr. Matias.

— Um jardineiro...

— Um floricultor. A filha agradou a Mary, é uma menina modesta e interessante... O senhor joga bem o *cricket*?

— Razoavelmente...

— Bem. Conhece a família Bryning, das Laranjeiras e a James, de Botafogo?

— De nome...

— Ponha-as na lista, também. Vamos a ver se com estes novos elementos Mary vive mais alegremente; se nem assim o conseguir — murmurou Mr. Lane, como se falasse sozinho —, levo-a para a Europa.

Ouvindo estas palavras, Guilherme Boston estremeceu. Conhecia, agora mais do que nunca, até que ponto extremado o seu velho patrão amava a filha. Para Mr. Lane, Mary era como que a personificação de todos os bons e grandes sentimentos da terra. Nela o inglês amava a esposa, tão cedo roubada pela morte aos seus carinhos, via o seu futuro, a pátria dela que tão hospitaleira e amiga lhe abria os braços; e a sua pátria, de que guardava na lembrança e no coração tão fundas saudades. Mary fazia-lhe lembrar a irmã mais velha, a sua preferida na infância e reproduzia na voz e no gesto a harmonia e a graça da esposa. Duas raças opostas identificavam-se nela com tamanha doçura e encanto, modificando-se nos seus defeitos, aperfeiçoando-se nas suas qualidades, que o olhar mais agudo e o espírito mais perspicaz e atilado teria dificuldade em dizer onde acabava uma e começava a influência da outra.

Todo homem tem o seu lado fraco: o vulnerável calcanhar de Aquiles. O lado fraco daquele inglês era a força daquele amor!

Boston não perdia todas as ocasiões de bem observar todas as minúcias que o ajudassem a levar mais tarde água ao seu moinho! Entretanto, procurava por todos os meios e modos ir-se insinuando e tomando espaço na afeição de Mr. Lane.

O seu procedimento em Niterói era irrepreensível; com força de vontade notável, sabia até dominar os seus mais inveterados vícios.

O jogo fora sempre, entre todas, a sua paixão dominante; pois bem, ninguém o viu nunca, depois de empregado na grande fábrica de fiação, pegar em uma carta ou olhar sequer para uma mesa de roleta. Recolhia-se cedo, era pontual nos seus pagamentos, vestia-se com um esmero denotador de primoroso asseio, fugia de todas as questões, guardando uma compostura grave e tranquila.

Na casa de pensão onde comia, tinha a sua mesa à parte e uma hora diversa dos outros hóspedes; gratificava bem, tinha sempre o guardanapo e a toalha renovados, o que não acontecia aos outros.

Da gente daquela casa podia, direta ou indiretamente, subir alguma informação a seu respeito, até aos ouvidos finos do inglês, e ele apurava-se em qualidades que o pudessem tornar simpático...

A dona da pensão era uma tal D. Leonarda, mãe de três filhas moças que a ajudavam e esposa de um sujeito hepático, que não fazia nada, pretextando doença.

As filhas matavam-se, ora na cozinha, ora com a vassoura ou o ferro de engomar na mão; eram galantes; uma merecia mesmo o qualificativo de bonita, a Zaíra, moreninha de olhos negros e dentes alvíssimos.

Boston nem parecia dar pela graça da moça, e o respeito com que tratava a todas fazia-o adorado pela D. Leonarda, que o distinguia sempre entre todos os seus hóspedes, soprando aos quatro ventos a bondade dos seus dotes naturais.

Boston contava com isso!

Ao princípio tinha medo da Laurinda, que não viesse de repente um escândalo derrubar-lhe a igrejinha... a pouco e pouco, porém, foi se certificando que a sua ex-amante, a desgraçada vítima do seu capricho e da sua ambição, não lhe atiraria ao caminho nem o mais insignificante seixo que lhe embaraçasse as rodas da Fortuna.

Teria razão para isso?

Guilherme Boston estava certo da vitória... Mr. Lane começava a distingui-lo, percebendo-lhe o mérito; Mary seria um dia sua esposa, custasse o que custasse... Além do seu interesse, ele amava-a, amava-a com o ímpeto a que o seu caráter violento o obrigava a querer todas as coisas. Fora por isso que a sua alma se confrangera ouvindo, ou antes, pilhando casualmente, a frase de Mr. Lane, em que denunciara o propósito de partir com a filha para a Europa, caso não lhe voltasse a sua antiga e costumada despreocupação e alegria.

Boston adivinhara o amor de Mary por Eduardo. A sua sagacidade fizera-lhe bom serviço! Por isso só tinha agora um propósito: sacrificar por todos os meios essa paixão, partir, espedaçar esse sonho perigoso, tornar Eduardo Abrantes incompatível com a família e, se possível, que fosse odiado por Mr. Lane.

A empresa era difícil. Todo mundo em Niterói elogiava o médico e queria bem a D. Mariana, senhora adorada pela pobreza do lugar. Que trama poderia ele urdir naquele meio, hostil ao seu projeto? Nem o sabia; entretanto, passava noites e noites de insônia, febril, nervoso, à procura de uma ideia que, de assalto, o pusesse para sempre ao lado de Mary!

Desligado do passado, sem nada querer saber da mãe, que se finava em Porto das Caixas em casa de um genro que a desfeiteava; sem nada querer saber das irmãs nem da amante, ele procurava semear em terreno fértil sementeira de grandes proveitos futuros, que o pusessem à sombra de cuidados e aflições.

Insinuando-se cada vez mais no ânimo do inglês, Guilherme Boston não parava um instante.

Assim, fazia tudo para lhe ser agradável; descobria parasitas de extraordinária beleza, com que presenteava o patrão, para os preparos da recepção da moça; redobrava de atividade na fábrica; alcançara a compra do terreno de Icaraí para a fundação do recreio que Mr. Lane desejava; foi ele quem contratou os operários para a construção de um chalé de madeira, espécie de barracão disfarçado, para a armazenagem dos jogos, dos barcos e dos remos de Mary; foi ele quem assistiu ao nivelamento do terreno, foi ele quem fez o programa da *matinée*[131] ao ar livre, foi ele quem fez tudo, enfim, sem imposição, com o ar mais satisfeito do mundo, em uma adulação constante, mantida com inalterável paciência.

Mr. Lane atirava-se então a grandes empresas. Não lhe bastava a fábrica, cujos lucros, entretanto, ultrapassavam todos os cálculos da sua expectativa. Pensava em comprar grande extensão de terras para a criação de carneiros importados da Nova Zelândia... estudava o seu projeto e encarregava um agente de o informar das melhores fazendas do Estado do Rio. Boston nada sabia dessas tenções[132] que ferviam ainda no fundo do espírito do inglês.

Os dias passavam-se em uma verdadeira febre de trabalho; a fábrica recebia grandes encomendas, que satisfazia de pronto; e assim a fortuna de Mr. Lane crescia de um modo assombroso.

Guilherme Boston, bem enfronhado nos negócios do fabricante, conhecendo os segredos comerciais da casa de que tão habilidosamente era o guarda-livros, sentia imensa alegria vendo-a prosperar, farejando que tudo aquilo correria um dia para os seus bolsos, agora quase vazios.

A ambição descomedida cega as criaturas; Boston, porém, sabia olhar para o terreno onde punha os pés, e não pisava em pedra que não estivesse bem firme. Sabia fazer-se preciso e tinha a convicção de que Lane o julgava um homem indispensável. Sabia igualmente fazer-se estimado pela sua lhaneza[133] e correção. Era um rapaz perfeito, vestia-se bem, toda

131 Traduzido do francês: apresentação realizada pela manhã ou início da tarde.
132 Intenções, propósitos.
133 Singeleza, afabilidade.

a sua pessoa retinha com prazer a vista dos mais exigentes em questões de apuro e elegância; a vida corria-lhe aparentemente como as águas de um rio sem pedras...

Era um homem feliz.

Um dia, ao voltar para a sua pequena e alegre casa, Boston encontrou, metida por baixo da porta, uma carta; ergueu-a e viu que era de Laurinda. Antigamente todas as cartas da amante iam para a fábrica, por não trazerem outro endereço. Receoso de que o patrão visse por qualquer acaso o seu nome escrito por letra de mulher, avisou ao carteiro para que as levasse à sua residência. Entretanto, era certo, não as lia nunca! Para quê, se nem as julgava dignas de uma resposta, embora negativa?! Nesse dia, como nos outros, Boston, depois de ter mirado com desdenhosa indiferença a carta de Laurinda, acendeu um fósforo e chegou-lhe fogo. O papel barato do envelope levantou subitamente uma clara e vívida chama, que fulgurou diabolicamente nas mãos acetinadas do moço; depois, encarquilhou-se enegrecido, como se o contorcesse a dor daquela injustiça, e foi soprado pela janela aberta par o quintal ajardinado de fresco. O vento levou-lhe as cinzas.

O vento é o grande dispersador, a mais formidável força da natureza! Boston sabia-o bem e era ao vento do destino que ele entregava, como uma folha seca e frágil, a sua pobre vítima, aquela doce Laurinda! Onde iria ela parar? Que lhe importava isso? Iria onde o vento a levasse, como as suas palavras!

Guilherme Boston voltou para dentro e, sentando-se na sua *chaise-longue*[134], perdeu-se em conjecturas sobre o melhor modo de atrair a atenção de Mary e de cativar cada vez mais o patrão. Queria fazer sementeira provida de grandes proventos futuros e havia de consegui-lo. Em cada serviço prestado, ele semeava uma esperança, que já, talvez com razão, se lhe afigurava uma certeza...

134 Traduzido do francês: cadeira para reclinar o corpo, deitar.

Capítulo XXIII
UMA NOITE DE TEMPESTADE

Depois da ida a Niterói, Laurinda definhava a olhos vistos. A esmola de Mr. Lane servira, entretanto, para aquietar D. Delminda, que entrava agora nas confidências da filha do Major Figueiredo.

Laurinda dissera-lhe toda a verdade, suplicando-lhe proteção. A senhoria ouvira-a de sobrolhos carregados, ar de poucos amigos e depois, sem mostrar nem espanto nem piedade, perguntou:

— Por que não escreve a seu pai?

— A meu pai?

— Sim. De que se admira?

— Oh! Ele amaldiçoou-me...

— Ora! Faça o que lhe aconselho...

— Nunca!...

— Então, minha amiga, resigne-se e não se queixe.

— Eu não me queixo... conto-lhe estas coisas só para ver se a senhora... me reduz um pouco o preço do quarto... Eu trabalharei sempre... bem vê que não me falta vontade...

— Mas falta-lhe a saúde!

— Ah... mas... ando sempre de pé!

D. Delminda contemplou pela primeira vez, bem em face e demoradamente, o rosto de Laurinda, e houve na sua fisionomia dura e azeda uma mudança súbita e só perceptível para olhos bem observadores. Acostumara-se a falar com os seus inquilinos de raspão, evitando simpatias que a pudessem prejudicar nos seus interesses; todavia, o seu coração não era tão empedernido e insensível como ela o queria fazer, e todos o julgavam.

A expressão de Laurinda impressionou-a; em todo o caso, sem deixar perceber isso, continuou:

— Seu pai é hoje o único protetor natural que a senhora tem. Em vez de comer sopas alheias, procure as dele!

— A senhora é cruel!

— Não sou. Pensa que eu também não sofri? Ah! Ah! O meu quinhão foi duro de roer, é o que lhe digo, mas, como não há mal que sempre dure... cá estou vivendo, relativamente feliz! Mova-se... deixe-se de vergonhas e vá à casa de sua mãe... Um pai ainda pode renegar uma filha; mas uma mãe, nunca!

— Meu Deus!

— Entretanto, eu lhe arranjarei trabalho... conheço uma senhora que precisa de costureira. Trata-se de um enxoval de colégio... ela quer pagar pouco... e exige pressa... nas condições em que está, a senhora não pode escolher muito. Aceita?

— Aceito.

No dia seguinte D. Delminda entrou no quarto de Laurinda com uma enorme trouxa de camisolas, fronhas e lençóis. O negócio corria por sua conta; ela arranjaria a sua comissão, encobrindo-a, contudo, como intermediária piedosa...

Laurinda atirou-se ao trabalho, como gato esfaimado a peixe fresco! Levantava-se ao romper do dia, já com o sentido na sua máquina de costura, seu único ganha-pão. Cada vez mais fraca, alimentando-se com uma só e parca refeição por dia, ela parecia cada vez mais magra e pálida, puxava a custo a respiração em haustos dolorosos. Malgrado seu, o pensamento voava-lhe para Guilherme Boston em uma teimosia infernal, com assomos de vingança! Seria justo que ele gozasse todas as regalias da terra, e que ela morresse naquela penúria abominável?!

Uma noite Laurinda desceu a estreita escada do sobrado para ir comprar pão na padaria do lado. Chegando à rua, o movimento do povo que passava acordou-lhe a ideia de andar também. Ir para onde? Para onde a mandava o coração; para os lados do seu velho lar paterno. Envergonhada e triste, nunca mais pusera os pés na sua antiga rua; de resto, ninguém a veria nem a reconheceria agora; a noite estava negra e ameaçadora de tempestade.

Laurinda apertou o xale sobre o busto delgado e pôs-se a caminho; no Rocio tomou o bonde, encolhendo-se no último banco, muito unida ao balaústre. Infinda tristeza ensombrava-lhe a fronte de uma palidez doentia.

Durante toda a viagem, Laurinda ia relembrando as doçuras da sua vida de família. Passavam-lhe pela memória os nomes dos seus antigos namorados, passatempos inocentes que a divertiam e à irmã. Onde estariam e como estariam eles? Naturalmente, esses rapazes, em cujas promessas ela não acreditara, viveriam hoje casados, felizes e tranquilos... E ela?!

Quando o bonde entrou na rua Formosa, Laurinda mal teve forças para tocar o sinal de paragem e descer. Uma ventania forte varria as calçadas, levantando espessíssimas nuvens de pó. A moça abaixou a cabeça e rompeu a caminho, em passadas vacilantes, como se estivesse embriagada; as pernas tremiam-lhe, os joelhos vergavam-se-lhe, como se ela sentisse mais do que nunca o peso da maldição que carregava.

A poucos metros da casa dos pais, deteve-se, amparando-se ao muro de um quintal da vizinhança.

Mais alguns passos e entraria em casa... era a hora do chá... a mãe havia de estar sentada na sua cadeira de balanço, cosendo roupa branca, enquanto a Loló estendia manteiga nas torradas e o Major Figueiredo fazia uma das suas paciências... Como havia de ser agradável estar lá dentro, sentada em uma daquelas cadeiras, ao lado a mesa confortável, no suavíssimo calor da família! A rua estava negra, fria e empoeirada. Lá dentro estaria tudo limpo, bem arranjado, claro e bom. Ainda teriam a sua cama armada? Os trastes do seu quarto estariam no mesmo lugar? Custar-lhe-ia tão pouco saber de tudo isso! Era só ter coragem, avançar mais uns passos e bater naquele corredor, onde ela outrora passava livremente, sem pedir licença por entrar no que era seu!

Agora era uma estranha... ainda pior do que isso! Laurinda sentia ímpetos de ceder ao seu desejo e ir de joelhos bater àquela porta, dizendo:

— Meu pai e minha mãe, perdoem-me! Eu fui má, eu fui ingrata, eu fui louca; mas estou arrependida, estou com frio, estou com fome, ando por estas ruas abandonada como um cão leproso, e como o coração dos pais é todo misericórdia, eu venho pedir, ao menos por hoje, agasalho, um beijo e um bocadinho de pão!...

As lágrimas corriam em fio pelas faces cavadas da moça, e ela ficou assim longo tempo, contemplando as paredes da casa paterna. De repente teve um sobressalto; um vulto de homem assomou à porta e saiu para a rua, caminhando com pressa.

Laurinda, vendo-o passar ao pé do lampião do gás, reconheceu-o: era o médico da família, o velho Dr. Gomes Neiva, só chamado em casos de muita importância e gravidade, porque D. Miloca atendia às necessidades médicas da casa com tino e prontidão tais, que faziam dispensáveis, na maior parte das vezes, as visitas do doutor. Quem estaria doente?!

Já Laurinda não tinha ânimo de se arredar dali! Entretanto, começava a roncar a trovoada. O espírito de Laurinda só formulava agora esta pergunta:

— Quem estará doente?! — Que lhe importava a chuva, o vento, a escuridade, o frio, a fome e a miséria diante da ideia de que talvez fosse a mãe ou o pai que estivessem à morte ou que morressem sem a consolação de a verem reabilitada e de lhe deitarem a bênção?!

Laurinda permaneceu largo tempo com os olhos fitos na casa da família, até que viu um criado branco descer os quatro degraus do corredor e vir fechar a porta.

Era como uma despedida silenciosa e fria.

Laurinda pôs as mãos, e na sua amargura, sem poder conter o impulso do coração, avançou trêmula, servindo-se de um alvitre que lhe pareceu bom.

O criado não a conhecia; era com certeza novo na casa, nem talvez tivesse nunca ouvido referências ao seu nome; assim, a sua ousadia passaria despercebida. Laurinda chegou-se à porta e perguntou:

— O Dr. Gomes Neiva não está aqui, vendo uma doente?...

— Não. Já saiu. Se quer falar com ele vá à rua de S. Cristóvão nº 20. Mas, olhe que os indigentes costumam procurá-lo na farmácia do Sr. Meireles, às nove horas da manhã.

— Ah!... Mas... sim, afirmaram-me que ele fora chamado para ver aqui uma senhora... e eu vinha procurá-lo...

— Qual senhora! Quem está vai-não-vai para o outro mundo aqui é o patrão!...

— Meu Deus!

— Bom! Avie-se! Bem se vê que vossemecê está com cara de doente... Boa noite!

— Não! Espere um pouco... só duas palavras mais...

— Ora essa!

— Tome! — Laurinda, ao dizer esta palavra, pôs na mão do criado dos pais toda a sua fortuna, representada numa moeda de quinhentos réis.

— Olá!... Que vem a ser isto?!

— É dinheiro, para que me diga tudo, tudo, ouviu? Que doença tem o seu patrão? Ele está de cama? Fala em morrer? Responda!

— Está de cama, tem uma doença a modo que dos rins ou do coração e tanto pensa em morrer que até já se confessou. E se era para isso que veio cá, não lhe gabo o gosto... E não chore... olhe que homens não faltam... console-se. Ele também, coitado, pouca satisfação tinha na vida... Quer mais alguma informação?

— Quem é a enfermeira dele?

— A patroa e a filha... Mas por que está vossemecê assim a chorar?! Quer ir lá dentro? Eu falo à família!

Laurinda recuou, balbuciando:

— Não...

— Então, boa noite! Estou com o corpo moído de trabalho; vou para a cama... Muito obrigado... se quiser notícias amanhã... eu irei levá-las... Mas sempre gostaria de saber por que tanto se interessa pelo patrão?...

Tudo isso era dito à meia voz, em um sussurro medroso. Receavam que os ouvissem de dentro e viessem espiar. O criado, um rapaz português, continuou:

— Olhe que a patroa é boa pessoa, se quiser, venha amanhã; não faça cerimônia...

— Meu Deus! — murmurou Laurinda, encostando-se à parede, para o lado em que a sombra era mais densa.

— Hum!... Olhe que vai apanhar chuva!... Boa noite!

Laurinda não respondeu; embebia as lágrimas na ponta do xale. O criado espreitou-a ainda com olho atrevido e curioso e, afundando o dinheiro no bolso, repetiu, cerrando as portas:

— Boa noite!

Laurinda teve um sobressalto e disse apressadamente:

— Até amanhã!

— Onde?!

— Aqui.... a estas mesmas horas...

O criado ia dizer: — E pelo mesmo preço... — mas conteve-se e contentou-se com murmurar pela quarta ou quinta vez:

— Boa noite!

A porta fechou-se, tornando a rua ainda mais lúgubre. A chuva começava a cair em fios grossos, o vento sossegara. Laurinda colou o ouvido à fechadura da porta, esperando ouvir um gemido ou uma sílaba ao menos dita pelo pai. O silêncio lá dentro era profundo e na rua, solitária e deserta, a chuva fazia grande bulha. Laurinda voltou, desnorteadamente, para o lado oposto da cidade e assim caminhou à toa; de repente, um bonde que passava tilintando e de cortinas corridas, chamou-a à realidade; fê-lo parar, entrou, mas daí a pouco descia de novo, envergonhada: só na ocasião do pagamento verificou que não tinha dinheiro; nada, absolutamente nada!

O condutor julgou-a bêbada, ela não tivera coragem de confessar a verdade. A pobreza envergonhava-a de uma maneira atroz.

Descendo do carro, a moça caminhou a pé para a cidade, debaixo da chuva que descia do céu em fios pesados.

A cidade parecia morta; a tempestade pusera as ruas vazias e negras. Quando Laurinda chegou à casa, era já noite alta.

Por fortuna, a porta do sobrado de D. Delminda não se fechava nunca, por causa dos inquilinos que se recolhiam em horas diferentes.

Laurinda passou um resto de noite amargurado. As palavras do criado feriam-na no coração: o pai não escaparia!... Não se lembrava de mais nada! A primeira vez que se aproximara da sua porta fora para ser tratada por um criado bruto, como uma indigente importuna ou como uma mulher suspeita...

Oh, noite horrível! A tempestade da alma de Laurinda não era menos poderosa do que a outra que, lá fora, redobrando a violência, retorcia os galhos fortes das árvores, destelhava as casas e fazia soçobrar os barcos nas águas revoltas do mar.

Laurinda compreendia agora, mais e melhor que nunca, que precisava reagir contra o destino, ser mais ativa e menos platônica, para alcançar a sua reabilitação. A ideia da morte provável do pai acendia-lhe o ânimo, estava resolvida a todos os sacrifícios, a afrontar todas as iras e humilhações para alcançar, por um dia ao menos, que o seu nome ficasse limpo de toda a culpa e pudesse ser balbuciado pelo moribundo de envolta com uma bênção.

Que deveria fazer?! Guilherme não lhe respondia às cartas, que ela, com uma frágil mas teimosa esperança, escrevia sempre. Voltar a Niterói! Ele lhe fugiria, como da outra vez, ao lado de outra mulher mais bela e mais moça.

Como um raio iluminando subitamente a treva, uma ideia cruzou o espírito da moça; falar com o inglês, o velho dono da fábrica, contar-lhe toda a sua vida, implorando a sua intervenção e o seu conselho.

A situação era de resoluções extremas, e Laurinda, extenuada, adormeceu quando já o dia clareava, certa de que acertara finalmente com o melhor alvitre.

Entretanto, em *Green House* faziam-se grandes preparativos, Mary escrevera participando a sua próxima volta.

Mr. Lane, apesar de saudoso, não tinha acolhido bem a resolução da filha, que achava precipitada e imprudente. Que motivaria tal desejo de regresso?

Mme. Girard queixava-se de dor nas solas dos pés, pouco acostumada aos serviços caseiros; entretanto, não parava um instante, alindando tudo, com o seu delicioso tato de parisiense.

O quarto de Mary fora completamente reformado.

Guilherme Boston tinha já organizada a primeira *matinée* da praia de Icaraí. Lane admirava-lhe o cuidado e a previdência. O programa estava bem organizado, a lista para os convidados já feita; contratada a música, contratado o serviço de bufete[135]. Seria essa uma excelente surpresa para Mary, que por educação apreciava esses divertimentos ao ar livre.

Na véspera da chegada de Mary, Mr. Lane pediu ao guarda-livros a lista de convidados para a *matinée*, e deparou logo, no cimo do papel, com o nome do Dr. Eduardo Abrantes. O inglês, satisfeito com isso, restituiu a lista a Guilherme, pedindo-lhe que enchesse os cartões.

135 O mesmo que buffet ou bufê, comida servida numa festa ou colocada em mesas para as pessoas se servirem.

— Mary chegará amanhã, sexta-feira; dou-lhe só um dia para descansar. A festa será no domingo!

No dia seguinte, à mesma hora em que Laurinda dormia extenuada no seu feio quarto da rua da Misericórdia, o *Nile* entrava barra adentro.

No beliche, Miss Lane, com os olhos cerrados, deixava todo o trabalho dos últimos arranjos à Rita. A mulata vinha um pouco ressentida; achara curta a estada na Bahia. Ela falava sempre, à proporção que ia arrumando a mala:

— Iaiá, meu bem!

— Que é, Rita?

— Eu, se fosse você, não me casava no Rio de Janeiro...

— Por quê?

— Os homens da Bahia são mais sisudos... A gente no Rio nem tem religião!

— Não diga isso...

— Digo.

— Eu não me caso, descanse!

— Uê, gente! Pra mode o quê?

— Não sei...

— Seu Juquinha, lá da Vitória, não está morto por você?! E o seu tio Euclides?! E o doutorzinho da Barra?! E o seu Boston da fábrica?! E o Dr. Abrantes?!

Uma onda de sangue cobriu as faces de Mary, ao ouvir este nome, e uma lágrima brilhou-lhe por entre as pestanas longas e negras. A mulata não deu por isso e Mary, abafando um suspiro, murmurou:

— Tira o meu vestido azul escuro... o chapéu preto... preciso fazer-me bonita para alegrar meu pai! Daqui a poucas horas estaremos em *Green House*... estou ansiosa pelo momento de entrar em minha casa...

— Eu prefiro isto! Aquele lugar é tão triste, tão arrenegado! Mas ainda é muito cedo... são seis e meia só... por que é que você não dorme mais um bocado, minha filha?

Mary fingiu ceder ao desejo da mulata; fechou os olhos e conservou-se imóvel, entretanto, o pensamento trabalhava no seu cérebro. Que iria encontrar? O seu destino decidir-se-ia nos primeiros dias da sua chegada. Se Eduardo a esperasse... se ele a fosse visitar à *Casa Verde*, teria a certeza de triunfar do seu medo de não ser amada por ele...

Mary só tinha um sonho: vê-lo, ouvi-lo, falar-lhe, sentir a sua presença, nela estava toda a sua alegria!

O mar continuava em ressaca; as ondas rebentavam enormes novelos de espuma alvíssima de encontro às pedras da Laje e às muralhas de Santa Cruz. A criada de bordo, entrando com o chocolate na cabine de Mary, incitou-a a subir para o convés; a moça ordenou-lhe que arranjasse o banho e saltou do beliche; quando a Rita a ajudava a vestir o roupão, ela lançou-lhe os braços ao pescoço, dizendo-lhe rente à cara:

— Rita, por estes dias lançar-se-á toda a minha sorte, e você, conforme vir nos meus olhos lágrimas ou nos meus lábios risos, saberá se eu sou feliz ou desgraçada.

— Cruzes! Que tolice! É melhor mesmo que você suba para o tombadilho; isso são restos de algum sonho! Que palavreado! Nossa Senhora!

Era já meio-dia quando Mary entrou em *Green House*. Boston fora esperá-la; pedindo licença para oferecer-lhe um grande ramo de cravos escarlates, frescos e belíssimos. Mr. Lane sorrira àquela gentileza, que a filha acolheu com um sorriso contrafeito.

A chuva cessava e no céu pardacento rasgavam-se as nuvens, descobrindo nesgas de azul.

Green House aninhava-se em flores. Pelos extensos relvados surgiam grupos de jasmineiros do Cabo, de roseiras e sobretudo de craveiros esmaltados de flores sanguíneas. A chuva lavara as folhas do arvoredo, que rebrilhavam agora à intermitência da luz.

Mary contemplou tudo silenciosa e comovida. Onde estaria Eduardo Abrantes? Por que não fora ele que correra ao seu encontro e lhe desse aquele ramo de cravos, tão revelador de intenção delicada e de amoroso cuidado?

Mary aproximou o seu *bouquet*[136] do rosto, mais para encobrir a sua perturbação do que mesmo para aspirar-lhe o aroma. As flores roçaram-lhe pelas faces e pelos lábios frescos e não menos vermelhos do que elas. Mr. Lane, porém, que não perdia a filha de vista, acreditou ver naquele gesto um movimento de alma enamorada. Julgou que a sua Mary beijava as flores recebidas das mãos de Boston como uma prova de amor por este...

A precipitação da vinda de Mary da Bahia, o seu interesse em ficar morando em Icaraí, tudo se explicava agora de um modo um pouco confuso, mas natural.

Boston não era positivamente um partido como desejava para a filha, mas, enfim, era um rapaz honesto e da sua raça...

Homem prático, ele almejara sempre para a filha um marido trabalhador e educado. Não queria para genro um homem cuja riqueza fosse herdada. Queria vê-lo ganhar a vida primeiro para conhecer-lhe as aptidões. O acaso protegia-o nesse sentido, porque Guilherme Boston era moço, vigoroso, cumpridor dos seus deveres, sério, correto, trabalhador e de uma reserva de maneiras muito de acordo com o seu modo de pensar.

136 Traduzido do francês: buquê, de flores.

Capítulo XXIV
CONTRASTES

Eram onze horas da manhã quando D. Delmina, estranhando a demora de Laurinda em abrir a porta do seu quarto, foi chamá-la no corredor:

— D. Laurinda?... D. Laurinda?! Oh! D. Laurinda?!

Como ninguém lhe respondesse, ela ia abalar a porta do aposento, mas esta cedeu logo ao primeiro impulso e abriu-se para a miséria da pobre filha do Major Figueiredo.

D. Delmina pôs as mãos na cabeça:

— Jesus, Maria, José! Que é isso? A senhora está que nem um camarão cozido! Que tem? — Laurinda não respondeu; ardia em febre. — Esta só a mim acontece!... Oh! D. Laurinda?!

— Que é? — perguntou por fim a moça, com voz fraca.

— Que é que a senhora tem? Estava dormindo?

— Não... tenho dor de garganta... dor de cabeça... tive muito frio... meu pai está muito mal...

— Ora, seu pai!

— O médico receia não poder salvá-lo... não quero que ele morra... não quero, ouviu?

— Ora! Então dói-lhe a cabeça?

— Muito... meu pobre pai!

— Não vá ser escarlatina... ainda na semana passada morreu disso a filha do Dr. Mendes ali da esquina... A senhora está tão vermelha!

— Eu quero levantar-me... preciso ir saber de meu pai!

— Verdade, verdade, a senhora não pode ficar aqui! Por mim, não; eu não tenho medo de nada, e sou muito caritativa até... mas trata-se de outras pessoas; a dona de um estabelecimento como este, precisa sacrificar-se para ser agradável aos seus inquilinos...

— Ah... mas para onde hei de ir?...

— Para onde?! Para a casa de seus pais!

— Oh! Que vergonha... isso seria apressar a morte de meu pai!...

— Então...

— Então?!

— Para a casa dos pobres...

— O hospital?

— Sim, a Misericórdia.

— Tem razão... mas antes de ir... quero saber notícias de meu pai...

— De que lhe serve isso?!

— Meu Deus!

— A senhora gasta muito tempo em exclamações! Em seu lugar, eu vestia-me e ia já para a Misericórdia... de mais a mais estamos perto... Vamos lá, eu ajudo-a. Por mim não tenha medo de nada!

— Obrigada...

— Creia que eu estou com muita pena... mas tenho fé que a senhora há de ficar boa...

— Antes morresse...

— Não diga isso...

— Digo.

— Faz mal. A senhora anda enchuchada[137] que mais parece defunto ambulante que gente viva... lá lhe darão remédio para tudo, e há de voltar gorda, com outras ideias e com força para trabalhar... lembre-se que me está devendo um mês de aluguel do quarto... mas não faz mal... o que eu quero agora é que se trate!

Laurinda, muito agoniada, mal ouvia as palavras da sua senhoria. Que lhe importava a sua dívida? Só pensava na maneira de saber do pai. Deixou-se vestir pela outra, que falava sempre enquanto lhe atava os cadarços da saia. Por fim, desceram juntas as escadas; mas, embaixo, Laurinda, prostrada pelo esforço e pela fraqueza, desmaiou. D. Delminda, passado o desmaio, teve de chamar um carregador e pedir-lhe que a auxiliasse a transportar a doente para a Misericórdia. E foi entre os braços cabeludos e sujos de um homem grosseiro e os braços avarentos e magros de D. Delminda, que a filha do Major Figueiredo, a *Lindinha*, tão estimada outrora no salão do Clube de S. Cristóvão pela sua graça, o seu espírito e a sua alegria, percorreu parte da rua a caminho do hospital.

A casa dos pobres, como bem dissera D. Delminda, recebeu-a com a indiferença a que todas as desgraças a acostumaram! Pela sua larga porta escancarada, entra, na enxurrada da miséria humana, tudo quanto a dor tem marcado com o seu dente venenoso e cruel. Homens, mulheres, crianças, velhos, ou não, ali passam de olhos tristes, almas sem esperança, corpos muitas vezes mutilados, cobertos de sangue, na dor viva, que é a mais pungente de se

137 Abatida, apática.

ver, na dor que palpita na carne esfacelada, cem vezes mais horripilante para olhos alheios do que a dor oculta no fundo da alma, que mal transparece no embaciado olhar, ou no trejeito do lábio que o sarcasmo desviou do sorriso.

Laurinda passou como todos os doentes da sua qualidade passam: sem despertar curiosidade.

Um toque de sineta, um arrastar de pés pelo lajedo, vindas de enfermeiras, portas de corredores que se abrem e que se fecham, é tudo.

Meia hora depois, D. Delminda saiu sozinha.

A outra ficara lá, engolida naquele casarão!

Na praia de Santa Luzia, à sombra da avenida copada, passavam bondes tilintando. Uma rede estendida à beira da água dava àquele canto da paisagem uma nota de poética rusticidade. No mar passavam lanchas silvando e abrindo sulcos brancos na água cor de anil.

D. Delminda sentiu um grande alívio, respirando cá fora o ar do dia. Felizmente via-se livre daquela inquilina pobretona e queixumeira! Entretanto, havia no fundo do seu coração um pouco de piedade por aquela mulher... Não era mau o seu espírito, mas embirrativo e teimoso. No azedume do seu celibato, a senhoria do sobrado da rua da Misericórdia destilava acidez em todas as suas palavras e ações; mas se consultava no seu peito, ainda lá encontrava, de longe em longe, o perfume de uma ou outra flor de sentimento. Era isso que ela evitava sempre.

D. Delminda caminhou assim sob o arvoredo copado, gozando o frescor da sombra que ele projetava. Pensava em alguma coisa que a preocupava seriamente: era em ir à casa da família de Laurinda e expor-lhe toda a situação da moça. Resolvida a isso, ela encaminhou-se mais apressada para o seu sobrado, com a tenção de mudar de *toilette* e aparecer mais decente em casa do Major Figueiredo. Chegando à sua escada, encontrou um novo inquilino solicitando um quarto... D. Delminda parou, interdita, e por fim, resolvida, fê-lo subir e deu-lhe o quarto de Laurinda. O interesse abafara a comoção. Ocupada em remover trastes e alegrar o triste aposento da Laurinda, a D. Delminda distraiu-se e adiou a sua projetada entrevista.

"Tratarei disso amanhã", pensou ela consigo; e tratou de fazer outra coisa.

***

Guilherme Boston nadava em mar de rosas! Na véspera da festa organizada por ele em honra de Mary, Mr. Lane entregou-lhe uma carta, escrita pelo próprio punho, e disse-lhe:

— Tenha a bondade de juntar esta carta ao convite para o Dr. Abrantes. — Guilherme não pôde impedir um movimento de surpresa. Mr. Lane concluiu: — Devo ter mais atenções com ele do que com outro qualquer. O cartão de convite é um pouco seco e por demais cerimonioso. Não quero que ele leve à conta da minha nacionalidade a sobriedade do escrito...

— Tanto mais que ele não morre de amores pelos ingleses...

— Disse-lhe isso?

— Ouvi dizer a outras pessoas...

— Ah! Não basta.

— Veremos se ele comparece à nossa... à sua festa.

— Pode dizer nossa; o senhor tem trabalhado muito mais do que eu.

Guilherme Boston encolheu-se modestamente; depois, retirando o maço de convites, um por um, adicionou a um deles a carta de Mr. Lane. O inglês viu tudo isso e acrescentou:

— Bem, estou descansado.

Assim que o velho fabricante virou as costas, Guilherme sorriu e, com jeito, de modo imperceptível e ligeiríssimo, fez escorregar para o fundo da sua gaveta o envelope endereçado ao Dr. Eduardo Abrantes. Aquele ficaria ali sepultado entre os seus livros e papéis. No momento de enviar a correspondência para o correio, Boston teve a ideia de esconder também o convite do floricultor Matias. Um novo plano surgiu de repente no seu espírito, fértil em embustes e intrigas. Aquela festa preparada por amor de Mary não reservava grandes doçuras para ela... Boston bem adivinhava tudo isso; mas, que lhe importava? O que ele queria era varrer do seu caminho todos os empecilhos e caminhar desassombradamente para a fortuna e para o amor!

Via agora o futuro radiante e sedutor. Com a sua astúcia conquistara a simpatia do velho Lane, homem de poucas expansões e de difícil acesso.

A filha viria também cair-lhe nos braços, submissa e terna como uma pomba-rola!

A primeira manhã de domingo rompeu luminosa e fresca. Em um grande terreno na praia de Icaraí, adquirido por alto preço pelo inglês, ostentava-se, graças aos esforços de Guilherme Boston, uma grande barraca de lona listrada de vermelho e de branco, um largo toldo, elegantemente armado. Aberta aos quatro ventos, essa grande tenda estava cheia de uma quantidade de plantas escolhidas: palmeiras graciosas das mais raras espécies, avencas rendilhadas em vasos cobertos de musgo, crótones de cores quentes, caládios transparentes e numerosos. Predominando, como uma nota cantante e alegre, ora sorrindo por entre o rendilhado de avencas, ora brilhando sobre o estrelado das palmas, apareciam, ali e acolá, ramos de cravos escarlates, de inigualável frescura.

Um dos cantos era tomado pelo bufete. Cadeiras de vários feitios, jardineiras, conversadeiras e pufes espalhavam-se artisticamente pelo recinto ensombrado e florido. Ao centro, derramando frescura pela atmosfera, rumorejava em um lago circular um repuxo de água cristalina, onde uma Vênus de mármore sorria, com os membros enroscados pelos longos e delgados braços da silvina[138]. Em volta, bosquetes de fetus e, orlando o lago, flores tuberosas, junquilhos, narcisos, anêmonas e nardos, retratavam-se na água, debruçando-se, cheirosas e lindas, nas hastes flexíveis.

Fora, o extenso terreno, bem nivelado e escrupulosamente varrido, esperava os jogadores do *cricket* e os ciclistas. O dia estava de um azul acariciante. O mar, manso e belo, lambia preguiçosamente a areia, rendilhando de fina espuma os rochedos da praia e a Itapuca[139].

Mary sentiu uma alegria imensa ao entrar pelo braço de Mr. Lane naquele recanto silencioso da praia. Boston e os empregados do bufete eram as únicas pessoas que lá estavam. Mr. Lane quisera chegar cedo para receber os seus convidados.

Mme. Girard, muito expansiva, despendia ohs! e ahs!, felicitando Guilherme pelo bom gosto que em tudo se revelava.

— Parece-me que estou em Nice! O senhor fez isso guiando-se por alguma recordação de lá, não é verdade?

— Eu nunca estive em Nice, Mme. Girard.

— De Cannes ou de Monte Carlo?

— Nunca fui à Europa.

— Oh... oh!... Pois tudo isto parece europeu... tem o nosso *cachet*[140]... digo mais, parece francês. Tem uma graça toda parisiense!

— Então na Inglaterra não se fazem coisas chiques? — perguntou Lane, com um sorriso malicioso.

— Grandes, sim. Chiques... não!

— Hei de mandar esta sua opinião...

— Para a Rainha Vitória?

— Ou para o *Times*[141].

— Mas papá, onde foi arranjar tanta quantidade de cravos escarlates?! Estou encantada!

— Pergunta ao senhor Boston...

— Ah!...

— Foi ele quem se encarregou de tudo.

138 Nascida na selva.

139 Itapuca era uma pedra fendida em forma de arco e um dos símbolos da cidade de Niterói, no Rio de Janeiro. Fica entre a Praia de Icaraí e a Praia das Flechas. Foi implodida em 1840 e hoje só resta um pilar rochoso.

140 Traduzido do francês: sinal distintivo, marca.

141 Times é um famoso jornal diário inglês.

Mary sorriu para Guilherme, com ar de agradecimento.

— O senhor é muito gentil...

— Oh, minha senhora... a sua flor predileta não podia deixar de ser também a minha!

Mary tornou-se repentinamente séria; disfarçando a impressão de desagrado que a precipitada frase de Boston lhe ocasionara, perguntou-lhe:

— Quantas pessoas, mais ou menos, devemos esperar?

— Muitas.

Mary estava ansiosa por saber se Eduardo Abrantes tinha sido convidado. Hesitou um momento, e depois, vencendo os seus escrúpulos, perguntou resolutamente a Guilherme:

— O Dr. Abrantes vem?

— Deve vir... com certeza! Além do cartão de convite, Mr. Lane enviou-lhe uma carta muito amável, insistindo que viesse. Bem vê que não pode faltar; é um cavalheiro educado e distinto, incapaz de cometer a grosseria de não corresponder à amabilidade de Mr. Lane...

Tudo isto foi dito com modo simples e natural, sem que o menor vislumbre de perturbação se pudesse notar na fisionomia risonha e tranquila do guarda-livros.

Mary exultou. Enfim, ia tornar a vê-lo! Uma onda de sangue purpureou as faces da moça; entretanto, para não mostrar a Guilherme Boston a sua comoção, ela afastou-se, continuando o exame da decoração.

Ao guarda-livros não passou, porém, despercebido o movimento de alegria de Miss Lane. Os olhos faiscaram-lhe e ele mordeu os beiços, despeitado. O sabor da vingança veio depressa adoçar-lhe o desapontamento. A sua perfídia tinha preparado uma excelente decepção para Mary que, evidentemente, amava o outro...

E como ele a achava linda agora, com o rosto iluminado de esperança e de alegria!

Mary trazia uma *toilette* leve e clara, onde o seu indefectível ramo de cravos vermelhos punha uma nota vibrante. O vestido deixava-lhe o corpo à vontade, inteligentemente feito para os jogos do *sport*, em que os movimentos são por vezes precipitados e bruscos. Guilherme Boston, vestido de flanela branca, com uma esplêndida orquídea na lapela, seguia--a de perto, inebriado com o perfume de Ambre e de água de Chipre, que se evolava da sua pele fresca e moça.

Rita, endomingada, lia claro nos olhos de Boston. Perto do bufete, onde engolia copos de cajuadas, ela seguia enciumada, com a vista, o formoso par. Temia que Boston vencesse. O seu desejo ardente era ver a sua Mary casar-se na Bahia com o tio Euclides...

Era lá para os lados de Bonfim, em um chalé discretamente envolvido em trepadeiras cheirosas, onde os colibris fizessem ninhos, que ela desejava embalar os filhos de Mary, criá-los aos seus braços, não esquecidos do peso doce da criança, que aí estava mulher agora! Depois, era seu sonho também que Mary casasse com católico, homem sem sangue de herege. Para Rita os protestantes eram hereges. Via com desgosto a indiferença de Miss Mary por coisas de religião. Mr. Lane era todo Bíblia, mas cedera à esposa a educação religiosa da filha, guardando a sua influência para o espírito dos filhos, se os tivesse. Não os teve e a esposa morreu-lhe cedo.

"Oh!" pensava Rita, "se a Mary se casa com este demônio, eu nem poderei ensinar o *pelo sinal* aos seus filhinhos... ante fosse com o outro... a ser aqui... sim... a ser o casamento aqui, eu preferiria o Dr. Abrantes..."

Chegavam os convidados: os Wright; os Fox, irlandeses pernaltas e risonhos; a família Bryning, das Laranjeiras, verdadeira tribo de gente sardenta, de olhos pálidos; o banqueiro Lewis James com os seus rapazes, a família do cônsul, vários representantes do alto comércio britânico e algumas pessoas baianas domiciliadas no Rio.

À cada convidado que aparecia, Mary sentia bater-lhe o coração com força. E Eduardo, por que tardava assim em vir? Os seus olhos procuravam constantemente a porta da entrada...

Boston escondia um sorriso de perverso triunfo, percebendo a comoção e a impaciência da moça.

Chegaram ainda os dois filhos do Ministro da Inglaterra, que Mr. Lane se apressou em conduzir até ao lado da filha, distinguindo-os muito e, logo após, Mr. Burchell, do Telégrafo, com as suas duas filhas gêmeas, Eva e Ema, ambas tão iguais que nem mesmo o próprio pai as distinguia. Amigas do *sport*, iam preparadas para tomar parte nos jogos. A natureza fizera de uma o espelho vivo da outra, espelho em que qualidades e defeitos se refletiam de tal sorte, que por vezes elas se repeliam, desgostosas de si próprias... no desespero de uma dualidade que lhes vedava o encanto de um segredo...

Ia-se fazendo a animação. Tocava a música e continuava a entrar gente de fora: agora eram as netas do Barão de S. Romão, com os respectivos noivos; e o casal Rocha Bueno, de S. Domingos, acompanhados da viúva Torres e o seu amigo, Carlos Ramos.

A viúva era bonita e vestia-se bem. Feitas as apresentações, como desatasse a falar inglês, Mr. Lane, muito lisonjeado, não pôde esconder a preferência que ela lhe merecia, o que fez cochichar entre si as netas do barão e aborrecer um pouco Carlos Ramos, a quem Guilherme Boston apresentou Mary, sem aludir à amizade que ligava este senhor ao médico Abrantes.

Ia começar o jogo; o dia estava lindo e o burburinho de música e de vozes era intenso. Sem poder reprimir um movimento nervoso, Mary tirara do cinto o seu ramo de cravos vermelhos e pusera-se a girá-lo entre os dedos celeremente. Boston, que a não perdia de vista, lembrou-lhe alto, de modo a ser ouvido por muita gente, que ela oferecesse como prêmio aquelas flores a quem saísse vencedor da batalha que iam encetar.

Ela cedeu; ouve palmas e começou o torneio.

Seguiam todos os olhos as ocorrências do jogo; só os de Mary se empanavam de lágrimas que ela bem disfarçava. Por que não viria Eduardo?! Por quê? Porque não a amava; a resposta era esta, única e claríssima! Entretanto, ela não pensava em outra coisa senão em vê-lo. Por isso abreviara duma maneira brusca e pouco gentil a sua estada na Bahia; por isso passava noites em claro, doida de impaciência e de saudade, torturando o espírito, febricitante e doente! Ela só pensava nele, e ele... ele, convidado, solicitado para ir ao seu encontro, desdenhava esse convite com indiferença.

Ao redor de Mary havia um grande rumor de vestidos que se machucavam, vozes que se trocavam, risos e arrastar de cadeiras. Os criados passavam com as bandejas de sorvetes e evolava-se de todas as moças um aroma complexo, em que havia de tudo: desde o heliotropo das netas do Barão e do Sherry-blossom da viúva Torres, até os aromas discretos das águas de Chipre e de Colônia.

A partida era bem disputada. Os dois filhos do Ministro atiravam bem e desviavam o corpo com destreza aos arremessos das bolas. Os Bryning, menos práticos, enchiam a partida sem se distinguirem. Boston sobressaía entre todos pela sua firmeza e agilidade. Tinha a mão segura e o olho atilado.

Por vezes rompia uma roda de palmas e as moças sacudiam os lenços.

As Bryning marcavam os pontos nas suas carteiras de couro da Rússia, apostando com os rapazes à moda americana. Eva e Ema Burchell, ao lado das suas bicicletas, irradiantes na brancura dos trajes e no ouro dos cabelos, olhavam para Guilherme Boston com a mesma admiração. O pai espreitava-as com atenção assustada...

Uma aragem deliciosa sacudia em largos acenos as bandeiras desdobradas sobre o pavilhão. Os sons dos clarins tremulavam do ar límpido de um azul de cristal.

Mr. Lane andava em júbilo; todos o cumprimentavam pelo brilhantismo da sua festa.

A atenção dos convidados era constantemente atraída para Guilherme Boston como o melhor jogador, por isso não passou despercebido a ninguém o olhar assíduo, apaixonado e indiscreto com que ele envolvia de instante em instante a filha do patrão.

Mr. Lane mesmo surpreendia várias vezes aqueles lampejos de amor, tão propositadamente demonstrado... Rita, lá do seu canto, observava tudo com tristeza; e de casa, só Mme. Girard se entretinha com os convidados, desprendendo-se das pessoas da família.

Recostada em uma jardineira baixa, a viúva Torres aspirava o aroma das suas violetas.

Quisera também, a exemplo de Mary, ter a sua flor predileta. Andava agora sempre, mas sempre, com grandes ramos de violetas.

— E não é que há já muita inglesa elegante no Rio de Janeiro? — perguntou ela a Carlos Ramos, que lhe respondeu com outra pergunta:

— Sabe que está hoje muito bonita?

— Deveras?

— Deveras. E eu não minto senão...

— Quando diz que me ama.

— Não, então é quando falo verdade.

— Obrigada... Sabe do que me lembrei?

— De fazer uma festa igual a esta...

— Oh! Como adivinhou?!

— Porque sou perspicaz e leio-lhe o pensamento — respondeu Carlos com um sorriso.

— Hum... então não serve para meu marido... Mas agora diga-me: que tal acha a minha ideia?

— Chocha. Devemo-nos contentar com os tangos do costume; aquele – Sinhá tem fogo! – é bem sugestivo.

A viúva fez-se de escandalizada.

— Aquilo é tão burguês e tão chato! Não creio que você esteja falando com sinceridade!

— Acha então mais distinto estar aos pinotes ao sol, suando como uma bica e vermelho como um tomate?

— Que comparação!

— Invente uma coisa nova...

— Que há de ser?

— Por exemplo: o nosso casamento.

A viúva riu-se. Carlos continuou:

— O inglês está velho... olhe para mim e compare... depois, aquela enteada é um perigo!

— Mas quem lhe disse que Mr. Lane gosta de mim?

— Ninguém... mas já me disseram que a senhora gostava dele...

— Para casar, não.

— Então para quê?

As netas do Barão, fazendo tilintar os berloques das pulseiras, interromperam o diálogo, pedindo a Carlos que lhes arranjasse um sorvete.

Mary esforçava-se para parecer risonha e tranquila. Já não olhava para a porta e tinha crises de verdadeira abstração. E Tilde, por que não vinha?!

A partida de *cricket* teve de ser suspensa para o intervalo do repouso. Os jogadores recolheram-se à barraca. Guilherme Boston, fingindo não perceber a melancolia e o desapontamento de Mary, puxou uma cadeira e sentou-se a seu lado. Estava radiante e com uma audácia que lhe dava ares mais de patrão que de empregado! Mary afastou o vestido, que Guilherme tocava com os joelhos indiscretamente.

— Está contente com a sua festa? — perguntou-lhe Mary.

— Oh! Muito contente! Por mim, juro-lhe, considero ser um dos dias mais belos da minha vida.

— Ah... tanto assim?!

— Vê-la feliz, risonha, satisfeita, e saber que concorri para essa alegria, é a maior ventura a que eu poderia aspirar... — Mary franziu as sobrancelhas, ele continuou: — Repare como todos acolheram bem o convite, não faltou senão o Dr. Abrantes!... Parece impossível... mas com certeza Mr. Lane recebeu alguma explicação. O contrário seria de uma grosseria imperdoável...

Mary sentiu um arrepio de indignação e teve desejo de defender Eduardo; dominando-se, porém, simulou indiferença e perguntou:

— E a Tilde... por que não viria?!

— Naturalmente pelo mesmo motivo que o Dr. Abrantes. Hoje vi-os de manhã à mesma janela, conversando com tamanha intimidade e atenção que nem me corresponderam ao cumprimento. Dizem por aí que eles são noivos, e esta ausência indelicada de ambos é como que um testemunho disso mesmo. Só o amor pode explicar e fazer perdoada qualquer falta, não lhe parece?

Mary mudara de cor e o coração batia-lhe com tamanha violência que fazia tremer as rendas do corpinho.

Boston falava baixo e com um sorriso enamorado. Miss Lane tremia.

— É um bonito par — acrescentou o guarda-livros. — Dizem que eles se amam desde a infância. Contou-me isso, em segredo, pessoa muito íntima da casa. O casamento deve realizar-se antes do fim do ano...

— Ah!

— A senhora quer tomar alguma coisa?

Boston perguntou isso com o modo mais natural do mundo, fingindo não perceber a comoção violenta da moça. Mary não respondeu, repetia mentalmente a última frase de Guilherme: "O casamento deve realizar-se antes do fim do ano!"

Com o ar decidido, Mary voltou-se e perguntou-lhe:

— Quem lhe disse isso?!

— Um amigo muito íntimo dele, eu já disse. De resto, creio que ninguém ignora isso, tanto em S. Domingos como em Niterói!

Mary levantou-se, sacudindo o torpor que aquela horrível surpresa lhe ocasionara. Precisava disfarçar, precisava mentir! Ele amava outra, pois bem! Ela simularia adorar outro! O seu amor-próprio, a sua altivez não lhe permitiriam tolerar o papel de mártir, de anjo desconsolado e choroso. Se pudesse matar, mataria. Um grande ódio enchia-lhe o peito e transtornava-lhe o olhar.

Boston esgueirou-se para o outro lado e disse com toda a naturalidade a várias pessoas ter-lhe constado por outras que o Dr. Abrantes estava noivo da Tilde...

Em poucos minutos, toda a gente que os conhecia falava desse casamento, louvando a escolha do médico. Já ninguém sabia donde partira a notícia que ia circulando em voo rápido. Mary ouvira-a de várias bocas, em uma terrível confirmação do que lhe dissera Boston.

Uma dor pungente varava-lhe o peito e era com enormíssimo custo que a moça reagia à prostração que aquelas palavras lhe ocasionavam.

Tilde noiva de Eduardo! Eduardo enamorado de Tilde! Como eles eram venturosos!

Uma inveja surda e cruel daquela felicidade turvou o rosto pálido de Mary. Que seria dela? Toda a sua vida se concentrava agora naquele amor; dele recebia todo o bem para as suas esperanças, dele vivia cuidadosa, como uma mãe de um filho pequenino...

Boston fora notado por toda a gente no diálogo com Mary. A viúva Torres apontara-o ao Carlos, dizendo:

— Veja como os olhos e o sorriso daquele rapaz trescalam a paixão... que *flirtation*![142]

— Por que não prefere dizer: que namoro!

— Porque é menos fino. Mas repare... como ele é assíduo!

— É. Pobre...

Carlos conteve-se antes de concluir a frase em que ia lamentar o amigo, o Eduardo Abrantes.

— Pobre de quem?

— Ia dizer: pobre moça, porque não me parece que ela escolhesse bem...

Entretanto, Guilherme abordava Mr. Lane e jeitosamente achava meio de, sem o censurar, fazer notar o feio procedimento do médico; acabou perguntando:

142 Traduzido do inglês: flerte, fazer a corte.

— Mas ele escreveu-lhe, ao menos?

— Nada.

— Oh!... Bem me diziam. Tendo recebido uma carta sua, como recebeu, só por muita antipatia ou muita grosseria devia deixar de dar uma explicação...

— Fico-o conhecendo.

— É bom, para evitá-lo.

— Não falemos mais nisso, e peço-lhe que não se queixe a ninguém a esse respeito.

— Oh... absolutamente. Não devemos ligar importância a semelhante criatura...

Nessa ocasião Mary aproximou-se e Guilherme ofereceu-lhe gentilmente o braço, conduzindo-a ao bufete.

— Que prefere?

— Champanhe.

Guilherme olhou um pouco admirado para a moça, cuja comoção percebia. Mary repetiu:

— Prefiro champanhe.

O criado serviu-os. Mary, pálida, vencendo uma indecisão qualquer, ergueu a taça e, sorrindo, tocou a de Boston. Os seus olhares chamejaram febris; aquilo era como que um pacto.

Carlos Ramos observou aquela cena com tristeza. Amigo de Eduardo Abrantes, conhecendo-lhe a fundo os seus sentimentos e a paixão violenta que Miss Lane lhe inspirara, não imaginara nunca que a outro fosse dada a simpatia da moça!

Daí por diante Mary transformou-se.

Ia de grupo em grupo, muito risonha e animada.

O intervalo tinha acabado. Recomeçaram a partida de *cricket*.

As sobrinhas de Mr. Fox e cinco rapazes de Niterói tinham aproveitado os minutos de descanso dos jogadores para correrem nas bicicletas na areia. Mr. Lane aplaudia-as sem perder de vista a filha, cuja alegria o entusiasmava.

O jogo acelerou-se; Miss Lane demostrava agora interesse pela partida; animava os jogadores com bravos em que a sua voz argentina se destacava, vibrando alegremente no ar.

Toda a gente a contemplava com assombro, achando-a bonita, muito rosada, com os olhos cintilantes e os lábios entreabertos em um sorriso encantador.

A partida tocava o seu termo. Guilherme Boston ganhou. Houve uma roda de palmas; a mais velha das Fox recebeu das irmãs o preço da sua aposta, enquanto Mary, ligeiramente trêmula, desprendia do seu corpinho o formoso ramo de cravos escarlates e pregava-o no cinto de Guilherme.

Várias bocas murmuraram:

— Que lindo par!

Entre elas, foi a da viúva Torres a primeira.

Daí a pouco dançavam. Mary valsou com Guilherme; mas, cansando-se depressa, sentou-se junto a um grupo de palmeiras. Boston não a deixou e, sentando-se a seu lado, disse baixo, com o olhar acendido de paixão:

— Perdoe-me, mas eu não posso por mais tempo conter a minha língua... amo-a, amo-a, adoro-a, Miss Lane!

Mary estremeceu e tornou-se branca como o mármore.

Houve um instante de silêncio; Boston continuou:

— Desde o primeiro dia em que a vi que o meu coração e o meu espírito lhe pertencem de um modo absoluto. A senhora é o ar que eu respiro, a vida que eu vivo! Sei que é um arrojo[143], um arrojo sem nome, dizer-lhe eu estas coisas... Sou um réptil apaixonado por uma estrela... Não a posso atingir, mas também não posso sufocar no fundo do coração esta onda de ternura que purifica a minha alma de pecador e de homem... pobre. A minha vida é sua, use dela. Será a própria morte para mim uma delícia, se for ordenada pelos seus lábios, Mary... que me responde?

Miss Lane quedara-se extática, com o olhar perdido na multidão e o seio arfante. Boston, julgando adivinhar a abstração daquele olhar azul e sombrio, continuou:

— Bem sei que não mereço uma resposta sua... Louco que eu sou! Ainda hoje, quando vi o Dr. Abrantes debruçado com ternura para o rosto da noiva, tive uma visão, um sonho de inenarrável ventura... Passou... dissipou-se! Que razões pode ter a formosa Miss Lane, tão altamente colocada, para amar, como a modesta Tilde ama, um homem que, se não é superior a mim, é pelo menos superior a ela? Foi aquele exemplo que me deu este atrevimento... de que me arrependo... Perdoe-me, ao menos, Miss Mary?

— Perdoo...

A invocação do nome de Eduardo fora impiedosa, mas artística. Boston sabia jogar com as palavras e espicaçar o sentimento alheio. Ouvindo-o aludir ao amor de Eduardo e de Tilde, uma estremeção sacudira Mary da cabeça aos pés. Era demais! O seu coração, de cheio e angustiado, parecia querer desmoronar-se. Para dissimular, ela ergueu-se e, com uma alegria nervosa e febril, convidou Guilherme para outra valsa.

Era a segunda vez que dançava com ele e não faltou quem reparasse nisso.

Rita, escandalizada, afogava a sua tristeza em sorvetes e cajuadas; Mme. Girard não prestava atenção à gente de casa e Mr. Lane observava tudo,

143 Audácia.

admirado das evidentes provas de distinção que a filha conferia ao seu empregado... A seu ver, ela tinha razão. Os filhos do Ministro eram dois estroinas[144], os Bryning já noivos e os outros, todos estranhos, não valiam talvez a mão direita de Guilherme Boston, que afinal descendia de ingleses.

Acabada a valsa, começou a retirada dos convidados. Apertando a mão de Guilherme, Mary convidou-o para na tarde do dia seguinte fazer um passeio de carro em sua companhia.

Carlos Ramos ouviu o convite. Fora, caminhou ao lado de Boston, que se retirava também.

A tarde estava formosa, de um azul delicado. Em poucas palavras, o guarda-livros da fábrica achou meio de insinuar ao outro, que sabia intimamente ligado ao médico, que era quase noivo de Miss Lane!...

Acendendo o charuto, Carlos Ramos não respondeu, e pensou que bem fútil e desassisado[145] é o espírito das mulheres. Entre os dois rapazes, Eduardo e Guilherme, certamente que não seria a este último que uma pessoa inteligente e educada devia dar preferência. A escolha devia obedecer a uma questão de raça...

144 Irresponsáveis, sem juízo.
145 Doido, desajuizado.

Capítulo XXV
O RAMO DE CRAVOS

D. Mariana tinha acabado de podar as suas roseiras, auxiliada por Tilde, que, com uma grande tesoura em punho, ia decepando os galhos mais velhos das plantas, que já juncavam o chão. Acabado este serviço, a dona da casa gritou para dentro:

— Carolina? Venha regar o jardim.

A tarde estava um pouco mormacenta. Enquanto a criada amontoava a um canto as ramas esparsas no chão, abrindo caminho entre os canteiros, D. Mariana e a filha do floricultor conversavam sentadas em um banco, à sombra de um cajueiro.

— Então, Tilde, você também não teve convite para a festa do inglês, hein?

— Não... e mesmo que tivesse, não iria...

— Por quê? Você não gosta daquela gente?

— Gosto... a senhora bem sabe que eu simpatizo com essa família...

— Ainda?!

— Ainda.

— Valha-me Deus! Você tem muito estômago!

— Por quê?

— Porque, no seu lugar, eu estaria a ferro e fogo com eles! Desaforo! Convidam toda gente, até pessoas com quem nunca trocaram uma só palavra, e àquelas de quem receberam provas de amável cortesia não mandam dizer nada!

— Talvez que os convites se tivessem extraviado no Correio...

— Você é de uma ingenuidade! Eu por mim até estimei isso. Não me agradavam os laços de amizade que se iam estreitando entre Eduardo e eles.

— Por quê?

— São hereges. Eu nunca fui fanática, mas entendo que religião há uma: a que eu professo.

— Quer me parecer que entende mal...

— Sei disso: mas que quer você? Judeus e protestantes não me merecem fé; digo mais: tenho medo deles! Tanto me aborrece ver uma pessoa sempre na igreja, como saber de outra que nunca lá vá. Mulher que não reza, não me entra no coração...

— E das que não fazem outra coisa?

— Dessas desconfio sempre.

Carolina não podia por muito tempo conservar-se em silêncio. Com o regador na mão, ao mesmo tempo que deixava cair sobre as roseiras a água benéfica, perguntou:

— D. Tilde, a senhora sabe de uma novidade?

— Não...

— Estão dizendo por aí que a filha do inglês vai casar com aquele moço bonito da fábrica.

Tilde sentiu uma comoção extraordinária. Ergueu as mãos e os olhos para o céu, como em ação de graças, e uma doçura indescritível se espalhou pelo seu rosto. Mas tudo isso foi rápido como um relâmpago; veio-lhe o arrependimento e uma súbita tristeza. Pobre Eduardo! Que seria dele?

D. Mariana voltou-se e indagou, pressurosa:

— Quem te disse isso, Carolina?!

— Seu Abel do botequim. Contou que foi mesmo o noivo quem comunicou isso lá.

— Está direito! Assim, sim, tão bom, como tão bom!

D. Mariana estava radiante. Percebia a verdade, toda a tristeza do filho provinha do amor que dedicava a Mary. Ele não confessara isso a ninguém, mas toda a gente o adivinhara... O mal era cortado agora pela raiz, e a cura, portanto, de mais fácil prontidão. Enquanto houvesse uma esperança, débil que fosse, se prolongaria aquela situação amarga, febril, doentia, que lhe estragava a saúde e o humor do seu Eduardo. A sua antipatia por Miss Lane baseava-se na indiferença com que, a seu ver, ela correspondia ao afeto do filho. Era preciso ser cega, surda, estúpida, para não ir ao encontro de uma paixão tão nobre, tão pura e tão sincera como a dele! E que outro rapaz havia por ali que se pudesse comparar com ele em garbo[146], em beleza, em instrução e talento?

Católica fervorosa, D. Mariana não era, contudo, intransigente, e apoiara-se nesses sentimentos para repelir a família Lane com uma justificativa.

— Quase que me roubaram meu filho... — murmurou ela, lembrando-se do ferimento de Eduardo —; e verão como se hão de esquecer dele outra vez, no dia das bodas...

Carolina voltara a encher o regador no tanque e nesse momento entraram de fora Eduardo e o seu amigo Carlos Ramos.

146 Elegância.

— Venha cá, senhor Carlos, venha cá — disse alto D. Mariana, acolhendo o moço com um bom sorriso —; então, diga-nos: como foi de festa ontem?

— Bem...

— Não ouviu por lá falar em Eduardo?

— Ouvi...

— Mal?!

— Não! Estranhavam que ele não tivesse aparecido...

— Ora essa! Sem convite?

— Isso é que eu não sabia... disse-me agora o Eduardo. Houve com certeza algum *malentendu*...[147]

— Oh! Pois sim...

— O fabricante é um homem correto...

— Muito. E... é verdade o que dizem da filha?

Eduardo olhou atônito para a mãe. Tilde contemplou-o em silêncio e teve pena. O moço estava pálido, com as feições alteradas por um sentimento de angústia. D. Mariana não quis olhar para o filho. O seu empenho era aclarar depressa a situação; sabia-o criterioso e forte; ele havia de reagir!

— Que dizem da filha? — perguntou Carlos, adivinhando a resposta.

— Disse o Abel à Carolina que ela se vai casar com aquele moço da fábrica, o...

— Boston — atalhou Carlos em tom de afirmativa.

— Então é verdade!

— Parece... não sei...

Eduardo levantou-se e começou a passear entre os canteiros. Que interesse maldoso poderia ter D. Mariana em estar assim revolvendo a ferida do seu coração? Desde a manhã que não ouvira falar em outra coisa lá fora; na rua, em casa dos clientes, no hospital, na barca, em toda parte havia sempre uma boca ansiosa por lhe dizer que a filha do inglês ia se casar com o Boston e em todos parecia ler o mesmo ar de espanto e de comiseração! Era demais! Por que tudo aquilo? Ao seu ciúme juntava-se a vergonha de ser vencido por um nulo qualquer. Ainda não tinha visto Mary depois da sua volta da Bahia e não pensava nem queria outra coisa senão vê-la! Passara uma noite por *Green House*, estava tudo em trevas; esperava com avidez o convite para a festa, cujo ruído se espalhou com tamanha antecedência, e passara pelo desapontamento de não receber nem um simples cartão! Mary enchia-lhe a alma, não podia, não sabia,

147 Traduzido do francês: mal-entendido.

nem queria viver sem ela. O coração tinha-lhe acordado tarde, mas por isso mesmo não se resignava a sofrer por amor.

— Quem foi que notou a ausência de Eduardo? — perguntou D. Mariana ao Carlos.

— Toda a gente.

— Ah! Os de fora...

— Todos. Sabe o que eu ouvi dize também lá?!

— Não...

— Que o Eduardo está para casar com...

— Com quem?! — perguntou D. Mariana, estupefata.

Carlos sorriu e olhou para Tilde. A moça corou até a raiz dos cabelos.

— Qual! — respondeu D. Mariana. — Eles estimam-se como irmãos. O meu filho não se casará.

— Bem vê a senhora que não podemos nem devemos acreditar em todos os *diz-se*...

— Tem razão...

Tilde ia levantar-se quando, sentindo o ruído de um carro e uma exclamação de D. Mariana, voltou-se para a rua e olhou.

Em um carro descoberto passavam Mr. Lane, a filha e Guilherme Boston. Mary, inclinada para o guarda-livros do pai, mostrava-se de perfil e havia no seu todo um certo abandono.

Mr. Lane tocou ligeiramente no chapéu, com modo seco e frio. Eduardo correu ao portão e seguiu o carro com a vista até vê-lo ao longe dobrar para outra rua.

— Meu pobre filho... — murmurou D. Mariana.

Carlos estava contrafeito. Por que diabo se tinha Eduardo comovido tanto? Decididamente, quando os frios, os homens da ciência, se querem fingir de gente como a outra, é o que acontece, vão até ao escândalo. Para as grandes paixões não há nada como os amores supérfluos e preparatórios!

Tilde, embaraçada, amparando-se na sua abnegação e bondade, ergueu-se e foi direita ao médico, a quem disse em voz baixa:

— Estou pronta para cumprir a promessa que lhe fiz.

— Qual? — perguntou Eduardo, procurando voltar a si da extraordinária comoção que tinha sofrido.

— Já não se lembra?

— Não...

— Prometi-lhe ir à *Casa Verde* visitar Mary, quando ela voltasse da Bahia...

— Ah... sim... para quê?

— Consulte a sua memória; também já não se lembra para quê?

— Fui um louco... perdoe-me, Tilde!

— Mas não acho que fosse loucura, ao contrário, e tanto que amanhã irei lá!

— Não... é melhor não ir, Tilde.

— Por quê?

— Naquele tempo eu julgava que Mary fosse digna da sua amizade...

— E agora?

— Agora, não!

— Quem se fia nas aparências corre o risco de ser injusto...

— Eu não me fio em aparências... Depois... não tenho nada com isso!...

— Não vale a pena dissimular. O seu amor é muito grande para poder ficar escondido! Todos o veem, todos o sentem. Que posso eu fazer para a sua consolação? Nada? Pouco? Agarro-me à segunda hipótese e vou tentar salvá-lo... Imagine que eu sou sua irmã... para todos os instantes de grande alegria ou de grande tristeza é bom ter-se uma confidente... Quer que eu seja a sua?

— Tilde, você é um anjo!...

— Fia-se em mim?

— Absolutamente.

— Então espere.

— O quê?

— A felicidade. Eu não creio no amor de Mary por Guilherme Boston!

— Não?!

— Não.

— Pois ele é evidente!

— Talvez esteja enganado... sempre é bom esperar!

— O processo de minha mãe é mais rude, mas de melhores efeitos. Nós, os médicos, quando vemos em um doente uma ferida que a gangrena ameaça, tratamos de a cortar até à parte sã. É doloroso, mas é preciso. Este amor inutilizar-me-á se não for trocado por um sentimento de ódio, que principia a germinar em mim... É a primeira vez que eu falo nisso... será a última também...

— Rejeita então o meu oferecimento?

— Ele veio do coração, aceito-o. As minhas confidências serão outras, mas nem por isso menos sinceras nem menos entusiastas; falar-lhe-ei nos meus estudos e nas grandes esperanças de glória que a ciência me promete...

Tilde sorriu com tristeza, contemplando o rosto pálido de Eduardo. O seu amor por ele recrudescia de violência, mas, acostumada a dominar-se e a vencer-se, ninguém lhe perceberia no olhar transparente a agonia que lhe apertava o coração.

Eduardo não compreendia todo o alcance daquela divina abnegação!

Meia hora depois, a moça saía da casa do Dr. Abrantes com os olhos úmidos de lágrimas, mas a consciência tranquila e feliz!

Era a hora do crepúsculo, já quase noite, quando Tilde, impelindo o portão da sua chácara, percebeu uma sombra muito cosida ao muro, pelo lado de dentro do jardim.

— Quem está aí?

— Sou eu... Inês.

— Inês?!

— Vim para comprar umas flores, senhora, e estava esperando que aparecesse alguém...

— Sou da casa, pode falar comigo. Que flores quer?

— Cravos vermelhos; só cravos cor de sangue.

— Ah... por quê?!

— São para uma pessoa que só gosta dessa flor...

Suspeitosa, lembrando-se de Mary, Tilde aproximou-se e contemplou de perto a rapariga com quem falava. Achou-a bonita no seu tipo de cigana de olhos verdes e límpidos e cabelos longos, ondeados e negros, que quase lhe cobriam todo o vestido, rasgado e ruço.

— Quem te mandou cá? — perguntou a moça em um tom um pouco áspero.

— O meu noivo.

— E... são só para ele os cravos?...

— Não. São para pagar uma dívida de... gratidão. Se a senhora não os vender, adeus, vou-me embora!

— Espere. Por que não? Venha colhê-los comigo.

— Mal os vejo!

— Distingo-os eu perfeitamente... foram plantados por mim...

Tilde caminhou na frente. Lembrava-se bem! Fora já a pedido de Eduardo que ela passara um dia inteiro fazendo mudas de cravos vermelhos para um grande canteiro do fundo. Eram as flores que ele destinava para a recepção de Mary... entretanto ficara-se timidamente de longe sem a mais leve manifestação sequer de alegria pelo seu regresso!

Em poucos minutos, Tilde estendeu à cigana algumas dúzias de cravos escarlates.

— Bastam estes?

— Bastam

Inês começou a remexer em uma grande sacola encardida e murcha que trazia pendurada na cinta; o seu olhar verde cintilava na sombra e Tilde ouvia-lhe o murmúrio de palavras ditas em uma língua que ela não compreendia.

— Que diz você?

— Que tenho muito pouco dinheiro... quanto custam os cravos?

— Nada. Leve-os.

Inês não protestou, mas ficou imóvel. Daí a um instante, rompendo o silêncio, perguntou com docilidade:

— A senhora gosta de música?

— Muito. Por quê?

— Lá no acampamento chamam-me de cigarra...

— Você é cigana?

— Sou... quer que eu lhe pague os cravos com uma das nossas canções?

— Quero, mas venha para o fundo da chácara... lá estaremos melhor e muito mais isoladas...

O fundo da chácara do Sr. Matias dava para um capinzal enorme, onde já apareciam aqui, ali e acolá, como estrelinhas errantes, os pontos luminosos dos vagalumes. Junto à muralha, carcomida e baixa, que dividia a chácara desse grande terreno, havia um banco sob uma arcada de madressilvas e jasmins miúdos. Ouvia-se a pequena distância o sussurro da água enchendo os tanques para as regas da madrugada. Por toda a natureza se espalhava uma paz augusta e santa.

— Cante agora... — disse Tilde à ciganinha.

Inês não se fazia de rogada. Cantar era sempre para ela um dos prazeres mais doces. Começou logo:

Eu não sou *eu*, é engano;
O meu *eu* já se extinguiu.
Hoje o *eu* que represento
É sombra do que fugiu.

Certos pontos luminosos
Que dão brilho à minha sorte
Têm semelhança com raio
Que ilumina e deixa a morte.

A toada de Inês não tinha o requebro faceiro da modinha, era uma cantiga plangente e suave, queixa dolorida e trêmula, bem expressada na música.

Tilde, tão abalada pelas grandes comoções daquela tarde, deixou-se cair no banco, sob a arcada de madressilva e, escondendo o rosto entre as mãos, chorou amarga e longamente. Aqueles versos e aquela música revolveram-lhe na alma todas as suas desesperanças e amarguras. Quando levantou os olhos, não viu ninguém. Inês, mal acabara o canto, ouvira o sinal de Luís Ulka, o assobio peculiar à sua gente. Sem reparar em mais nada, partira como uma flecha. Sozinha, Tilde sentiu-se mais à vontade. Não queria testemunhas para as suas lágrimas e maldizia a sua fraqueza! Olhando para os vagalumes, relembrava a tristeza dos versos que ela não poderia aplicar a si. Sentia tudo mudado; nem o seu pensamento, nem o seu sentimento eram agora como em outros tempos de descuido e de alegria!

Lá fora, já de longe, vinha, nas ondulações do ar, o som quase indistinto da voz de Inês cantando as suas canções ciganas... até que, pouco a pouco, foi-se sumindo, sumindo...

***

Nessa mesma noite, em *Green House*, Mr. Lane chamava a filha ao seu gabinete.

— Preciso falar-te sem testemunhas — disse-lhe ele.

— Estou pronta a ouvi-lo.

— Trata-se de um assunto muito grave... Como sabes, vejo-me obrigado a empreender até o fim do ano uma viagem longa e penosa.

— A Nova Zelândia, não é verdade?

— Sim. Não me interrompas. Tenho pensado muito e encontro melhor alvitre do que o de te deixar casada. Assim irei mais sossegado...

— Pois eu lembrar-lhe-ei outro alvitre melhor: leve-me consigo!

— Estás louca! Eu não vou fazer uma viagem de recreio; vou internar-me por matos e sertões de terras estranhas, cujo clima desconhecemos absolutamente! És brasileira, nunca saíste da tua pátria e a tua primeira viagem ao estrangeiro não há de ser de trabalhos e surpresas; além disso, preciso de toda a minha liberdade, de toda a minha ação. O melhor é ficares casada.

— Com quem?

— Com quem há de ser? Com o Boston.

— Nunca.

— Hein?! — perguntou Mr. Lane espantado, boquiaberto.

— Com esse, não.

— Pois vocês não... não se amam?

Mr. Lane fizera violência para pronunciar estas últimas palavras. Mary compreendeu-o e sorriu.

— Com quem queres tu casar, então?

— Com um homem que não me ama.

— Ah!

— Bem vê que o melhor é levar-me para Nova Zelândia. O ar do mar cura os pulmões... quem nos diz que não cure também o coração? Vê como eu estou tranquila?

A fronte de Mr. Lane enevoara-se; evidentemente ele não tinha coragem de perguntar à filha o nome desse homem que a não amava e que ela escolhera... Devia ser um monstro, sem olhos para verem aquela perfeição, sem ouvidos para ouvirem aquela voz cantante e argentina que tamanha suavidade derramava nas almas que a escutavam.

— Ficarás, nesse caso, com teus avós...

— Na Bahia?

— Sim, na Bahia... também não te apraz isso?

— Também não.

— Por quê?

— O tio Euclides persegue-me e enfada-me. Declarava-me a sua paixão de quarto em quarto de hora... Leve-me consigo, repito.

— Não.

— Nesse caso, deixe-me aqui com a Rita e a Mme. Girard.

Mr. Lane passeou agitadamente pela sala; de repente, parando, perguntou:

— Tens certeza que o tal bruto não te ama?

— Tenho.

— Visto isto, casa-te com o Boston, que esse adora-te.

— Não gosto do Boston nem sei quem ele é.

— É um homem digno, trabalhador, sério, limpo e honrado. Tenho-o observado e estou satisfeito. Dará um excelente marido... Reflete... eu não te imponho o casamento, isto não estaria nem na minha razão nem no meu caráter; mas peço-te que abras os olhos, que penses, que escolher marido não é escolher bonecas, pela cor dos olhos e o talhe do corpo... Os brasileiros em geral são fracos e pouco enérgicos. Prefiro um inglês ou mesmo um americano... Sê prática; vê no homem a quem ligues o teu destino o animal perfeito, capaz de ter filhos sãos, limpos e belos. Isso é de magna importância. É o que eu exijo. Espírito forte e corpo são. Guilherme Boston realiza o meu ideal. Não tem nome ilustre, não tem talento, nem tem fortuna. Mas tem saúde e tem bom senso! São duas qualidades principais em um chefe de família. Se fosses só de meu sangue, preferi-lo-ia a todos! Espero, todavia, que modifiques a tua maneira de pensar... dou-te oito ou dez dias para resolver... entretanto, continuarei a estudar o gênio e o caráter de... do meu futuro genro. Não admito resposta... vai descansar. O sono é bom conselheiro.

O tom porque Mr. Lane falava não consentia réplica; Mary conhecia-lhe o azedume através das palavras que ele dizia de um modo decisivo e rápido. Erguendo-se, a moça foi até ele e pondo-se em bicos de pés, beijou-o na face. Era a melhor maneira de o desarmar; e para completar a sua doce pacificação, despediu-se dele em inglês:

— *Good night, little father!*[148]

— *Good night* — responde ele, disfarçando um sorriso que, malgrado seu, lhe franzia os lábios.

Depois que a filha saiu, Mr. Lane passeou agitadamente pelo quarto, nervoso, sentindo-se febril. A seu ver, Mary usara de um embuste, dizendo amar um homem que a não amava!... Sim! Percebia tudo! Ela queria ir em sua companhia para um mundo desconhecido e que, já lhe sorrindo à imaginação, fazia-a inventar um pretexto que o obrigasse a levá-la consigo... Pobre Mary... como lhe custava dizer-lhe agora – não! Mr. Lane não queria crer na sinceridade da moça. Mary era muito linda, muito expansiva, muito meiga e graciosa, para não ser adorada por aquele a quem ela distinguisse com um simples olhar... Sossegado com estas reflexões, o velho sentou-se à sua larga secretária de mogno e começou a leitura da Bíblia.

Na sala, Mme. Girard cantava a meia voz ao piano as suas cançonetas francesas e a Rita fazia renda de bilro, perto do lampião. Mary entrou para o seu quarto e fechou-se à chave. Admirava-se, ela mesma, da coragem com que dissera ao pai toda a verdade, humilhante e terrível, do seu coração. Não se arrependia; ao contrário, aquele desabafo tinha-lhe feito bem. A sua tristeza é que o sentia inútil. Mr. Lane queria que ela fosse a esposa de Boston e ela, mais do que ninguém, conhecia a tenacidade do pai. Quando ele dizia – há de fazer-se – fosse o que fosse, havia de ser feito!...

Eduardo não vinha... não aparecia... ficava de longe, na sua felicidade, embebido no olhar doce da sua Tilde amada, gozando a melhor e mais pura de todas as aventuras da terra – o amor!

Um ciúme feroz transbordava do coração de Miss Lane, a inveja cravava-lhe a garra adunca no peito e ela já não lhe podia suportar o peso. Como seria a sua vida dali por diante, naquele lugar tão cheio de recordações e onde, a cada passo, estavam arriscados a encontrar-se? Ah! Se ela pudesse fugir!

Com os olhos quentes de lágrimas, Mary, procurando ar livre, abriu a janela do seu quarto e aí, mal pousara as mãos no peitoril, esbarrou com um grande ramo de flores; ergueu-as e viu que eram só cravos rubros. Quem os teria posto ali? Teve um movimento de repulsão, supondo que viessem das mãos de Boston, cuja assiduidade a fatigava e assustava; mas aquele receio dissipou-se sem ela saber por quê! Aspirando longamente o aroma das flores, Mary orvalhou-as de lágrimas.

Era o ramo de Luís Ulka, a doce lembrança de um coração resignado...

148 Traduzido do inglês: Boa noite, paizinho!

Capítulo XXVI
UM PEDIDO

Guilherme Boston vinha próximo à realização dos seus sonhos. Percebia a verdade: o patrão aceitá-lo-ia sem relutância, com agrado mesmo, para genro!

E Mary?

Mary seria vencida pela sua astúcia, estava certo disso. Mortificava-o a ideia de um provável encontro entre ela e o Dr. Abrantes, no qual houvesse explicações que lhe clareassem a intriga. Era isso que ele, antes de tudo, devia evitar. Acelerar os acontecimentos, tornar inevitável o seu casamento, eis a magna preocupação que lhe atormentava o espírito. Para abrir caminho e tornar fáceis as passadas de Mr. Lane, Guilherme Boston lembrou-se de um ardiloso alvitre que pôs logo em prática.

Retomando o seu ar de pobretão, vestindo o fato havia meses abandonado, deixando de perfumar o seu lenço, Guilherme Boston contemplou-se em frente ao espelho e sorriu; estava perfeito para agradar a um sério e antigo negociante português, que se deixa sempre comover pelas exterioridades e aprecia o empregado mais pelo desleixo do traje do que pelo apuro e a elegância. O que servira para captar a simpatia de Mr. Lane, serviria para desgostar o seu ex-patrão da rua de S. Pedro, homem apressado e pouco admirador dos colarinhos bem engomados e dos ternos finos.

Descendo o degrau para a rua, Guilherme Boston reparou que ainda trazia nos pés os luzidios sapatos de verniz que deixavam ver as meias de seda preta. Voltou pacientemente para trás e destacou do fundo de um armário um par de botinas de bezerro, abandonadas havia muito; escovou-as ligeiramente e mergulhou nelas os pés, batendo no assoalho com modo decidido e triunfante. Um sorriso mesclado de ironia e de esperança lhe entreabria os lábios...

***

— Ora, seja muito bem aparecido...

O imenso senhor Domingos, com a papeira orlada de barbas ralas caídas sobre o largo peito, disse esta frase irônica, curvando-se diante do seu antigo e infiel empregado; e antes que Guilherme Boston tivesse tempo de o cumprimentar, concluiu entre risonho e incrédulo:

— Já sei que nos vem trazer algum cobre por conta...

Boston, já desabituado daqueles modos, corou, titubeante:

— Ainda não venho trazer-lhe dinheiro, mas venho trazer-lhe boas esperanças de saldar em breve a minha conta.

O bom e ventrudo negociante pareceu comover-se. Depois da falcatrua, nunca mais tornara a ver o guarda-livros. Do desfalque não contava receber nem um mísero vintém. Por isso, vendo Guilherme entrar inesperadamente no seu armazém, com ar resoluto, como quem vai cumprir um dever, recebeu-o com a possível bonomia, sem poder, contudo, reprimir aquela frase brusca que procurou, aliás, dourar com um risinho de bom acolhimento. Agora, adivinhando, com o seu faro de homem experiente, que Boston lhe vinha fazer alguma proposta, fez-se muito sério, como se tratasse com um freguês em atraso, e replicou:

— Está bem; já se não perde tudo; de esperanças vive muita gente. Ora vamos lá a saber o que deseja o meu amigo.

Guilherme perdera completamente o aprumo com que entrara. Seu Domingos, em mangas de camisa, falava-lhe à entrada do armazém ao pé dos empregados, encostado a uma pilha de caixas de vinho do Porto, com letreiros postos a fogo. No ar pesado havia um fartum[149] violento a borras de vinho, a poeira suja e ao odor peculiar do cedro do vasilhame, raspado para a divisão das pipas em cascos de quinto e de décimo. Boston, depois de lançar em redor de si um olhar rápido, respondeu:

— O que eu desejo só lhe posso dizer em particular.

— Lá por isso não seja a dúvida. Vamos aqui para dentro.

E, seguido de Boston, dirigiu-se para o fundo lôbrego[150] do armazém, que esbarrava em uma área pequena e úmida, cimentada em côncavo, com um ralo ao centro em que eram feitos todos os despejos. Dum lado e outro, pipas deitadas, sobrepostas, formavam dois muros de círculos, e sobre elas, em todo o correr das paredes, duas longas prateleiras, em que venerandas garrafas poentas, com o auxílio dos anos, tornavam finíssimo e legítimo do Porto um escandaloso vinho composto na casa pela química maravilhosa do Rodrigues. Foi nesse estreito corredor em penumbra, ao pé da área, que seu Domingos, de pé, se dispôs a ouvir

149 Odor desagradável, cheiro rançoso.
150 Escuro, sombrio.

o seu antigo guarda-livros. Guilherme Boston suava. Junto da porta da área havia, sobre um banco de pau, a relíquia da casa; uma grande e velha talha de barro, sobre cuja tampa, emborcado, dormia um coco da Bahia com cabo torneado.

— Dá-me licença que eu beba um pouco de água?

— À vontade — respondeu seu Domingos.

Guilherme levou a mão ao cabo do coco; mas lembrando-se de que toda a gente daquela casa e ainda os carregadores e carroceiros que a serviam bebiam naquele coco quase negro, roído nas bordas e grosso de babugem, e daquela mesma água em que a ignóbil vasilha mergulhava continuamente, deixou o coco onde estava, desculpando-se.

— É melhor não beber; estou muito suado.

— Pois perde a ocasião de beber da melhor água do Rio de Janeiro. Bem sabe que vem muita gente aqui a casa de propósito para beber água da nossa talha. Quem sabe se quer uma pinga de vinho? Ó seu João! Seu João!

— Não se incomode. Eu não bebo vinho.

— Bem; então vamos ao nosso negócio. O senhor não é de cerimônias: quando quiser beber, diga.

— Muito obrigado... Pois, senhor Domingos, como já lhe disse, tenho esperanças de poder pagar à casa a minha dívida...

— Que é uma dívida sagrada...

— Sagrada. Mas, para lhe poder pagar, preciso do seu auxílio. Eu lhe explico. Não é de auxílio de dinheiro, nem de crédito, que eu necessito. É de auxílio moral.

— Desembuche, homem; o que eu puder fazer pra receber o dinheiro...

— Fará, bem sei; e por isso é que o vim incomodar.

— Negócios a mim nunca me incomodam. Conte lá.

— Estou há bastante tempo empregado na grande fábrica de tecidos de Niterói. É uma casa de primeira e conto ter ali o meu futuro garantido, se o senhor quiser...

— Ora essa! Se eu quiser!

— Sim senhor. Sabe que eu não saí bem de sua casa...

— Lá isso, pra que digamos...

— Mas arrependi-me do que fiz, que foi uma criançada, sofri muito e emendei-me. É a única falta da minha vida e será a última, juro-lhe.

— Não precisa jurar.

— Mas juro-lhe. Agora, a minha carreira está lançada e dentro de pouco tempo poderei pagar-lhe não só o prejuízo que dei à sua casa, mas ainda os juros do dinheiro.

— Muito bem, sim senhor, estou gostando de o ouvir falar.

— Mas preciso que me faça um favor, um grande favor, que nada lhe custará.

— Diga, diga.

— É que... deixe-me dizer-lhe tudo: eu estou de casamento quase tratado com a filha única do dono da fábrica, homem de grande fortuna. E a moça mesma já herdou da mãe boa maquia[151]. Ora, o pai é inglês e por isso muito franco.

— Esse canalha tem franqueza, tem.

— E já me disse que, apesar de me considerar muito, sempre queria ter informações dos meus antigos patrões. Eu respondi-lhe que podia vir pedi-las ao senhor, que me conhecia melhor do que ninguém...

— Homem, isso é verdade.

— E, portanto, o homem há de vir pedi-las. Se o senhor disser o que sabe, se contar a desgraça que me aconteceu de o prejudicar, ele não me dá a filha, eu fico perdido... e mato-me.

— Oh!

— Mato-me e o senhor perde o capital e os juros. Ao passo que, se me der a mão, se encobrir a minha falta, se quiser ser generoso e bom para mim, que estou arrependido e regenerado, praticará uma boa ação e ressalvará os seus interesses.

— Não há dúvida. Mas você está deveras emendado? Eu sou um homem honesto e não quero contribuir para a infelicidade de uma moça, inda que não a conheça...

— Oh, senhor! Já lhe jurei! Dei, é verdade, um mal passo, devido às más companhias...

— As más companhias é que perdem os rapazes: olhe o João Lima...

— Bem sei. Por isso deixei companhias, todas, para não virem as más de cambulhada[152] com as boas. Agora – olhe para a minha roupa –, não tenho luxos, fui morar lá mesmo na Praia Grande, não vou a teatros nem a sociedades...

— Isso, isso!

— Sou um homem pacato e morigerado[153], e depois de pagar a sua dívida...

— Sagrada!

— Sagrada, diz muito bem. Depois de saldar essa dívida sagrada, posso dizer-lhe, seu Domingos, que sou um homem honrado como os que mais o sejam.

151 Porção.

152 O mesmo que cambada, grande quantidade de pessoas.

153 Que leva vida irrepreensível.

— Bem, bem: não duvido.

— Então, está combinado: se o inglês aqui vier, o senhor dá-lhe boas informações.

— Darei, darei as melhores, fique descansado.

— Lembre-se que se trata também do seu interesse!

— Vá sossegado. Você sabe muito bem que, apesar de tudo, nunca lhe fiz mal, nunca pus embaraços à sua vida.

— Obrigado, seu Domingos. Creia que a minha gratidão será eterna!

Guilherme Boston voltou radiante. A barca ia largar, ele mal teve tempo de comprar o bilhete e correr para obter lugar. Sentava-se ao acaso em um banco da ré, quando uma sombrinha de seda branca pousada no assento foi retirada apressadamente pela mão enluvada da dona. Ao agradecer com um cumprimento a delicadeza desse movimento, Boston deparou surpreendido com a filha do patrão, que olhava para ele com certa estranheza, através do seu veuzinho de tule branco.

Guilherme corou, vexado e aborrecido por ser surpreendido por Mary naquela roupa de caixeiro viajante, com o colarinho desfiado, o paletó com sombras duvidosas, denotadoras de grandes soalheiras[154] e algumas chuvaradas. Encolheu os pés para baixo do banco, para que ela não lhe visse os sapatos de bezerro achatados pelo uso e ainda empoeirados pela terra erguida dos carroções.

Houve um momento de torturante hesitação no seu espírito: Deveria afastar-se? Deveria ficar?

Arrojado, em demasia atrevido, Guilherme achou de melhor tática conservar-se ali. A má impressão estava produzida, cumpria agora desvanecê-la com bonitas palavras. Que as ideias suprissem o que lhe faltava de apuro e de asseio no traje.

Guilherme nada sabia de literatura; de leitura contentava-se com os jornais, e desses mesmo escolhia os pontos curtos dos noticiários.

Ocupava-se de si, exclusivamente; e a sua inteligência fértil em intriguinhas e maldosos embustes não se purificara, como seria de prever, pelo hábito dos exercícios ginásticos a que o pai o acostumara desde criança, na roça.

A verdade é que o velho William Boston, o maquinista alcoólico do Estado do Rio, fora acrobata na sua mocidade, em circos ambulantes da Inglaterra.

Inutilizado por uma queda de um trapézio, abandonou a sua arte e serviu-se da sua habilidade natural para apreensão de outra.

154 Marcas de sol.

Veio para o Brasil, casara em Porto das Caixas com uma viuvinha apatacada e dela tivera duas filhas e o Guilherme, esbanjando-lhe os cobres e dando-lhe pancada ainda por cima. De tal pai, tal filho.

Guilherme não bebia, mas jogava, e tinha a sua nevrose sombria e perversa, que o alcoolismo do pai lhe derramara nas veias.

Mary observara de relance o desalinho do moço e o seu ar de desapontamento. Mme. Girard, que a acompanhava, vinha entretida na leitura do último número dos *Annales Politiques et Litteraires*[155] e mal cumprimentou o guarda-livros de Mr. Lane.

A barca largou e a viração do mar começou logo, atenuando o calor. Gaivotas brancas voejavam, doidejando sobre as águas por entre os cascos velhos e novos das embarcações.

Guilherme rompeu a conversa pelo assunto banal do tempo: estava um dia maravilhoso. Quis fazer-se de inspirado, notando a igualdade do azul do céu e a tranquilidade da baía, onde de vez em quando apareciam enormes dorsos luzidios de botos.

Autorizado por uma resposta fria e frouxa de Mary, ele tomou asas para novas falas.

A pouco e pouco, variando habilidosamente de tema, com uma emoção muito mais fingida que natural, confessou em um murmúrio à moça que não pensava senão nela. Via-a sempre, em tudo, quer acordado, quer dormindo. Ela ocupava os seus sonhos como senhora absoluta da sua imaginação e da sua alma. Compreendia perfeitamente a distância que mediava entre os dois e pedia-lhe que não o esmagasse com o seu desprezo e se condoesse do seu coração.

Mary quis interrompê-lo, mas não tinha para onde fugir e não quis dar a perceber aos outros passageiros a sua indignação. Procurava, com o máximo esforço, aparentar que ouvias as coisas mais simples e naturais do mundo! O se rosto tomara, porém, uma expressão de desgosto e severidade pouco conforme à sua idade e à sua graça natural.

Boston, aproveitando-se da ocasião, continuava:

— A história registra grandes exemplos de fidalgas apaixonadas por plebeus...

Guilherme dizia essas coisas ao acaso, atirando-as com um arrojo singular; previa que essa história de fidalgos e plebeus deveria já ter comovido Mary em várias das suas leituras. Mas a moça sorriu com desdém, respondendo:

— Nem eu sou fidalga nem o senhor é plebeu. Em toda a parte, um negociante, embora rico, é um burguês... Socialmente a diferença que há

155 Traduzido do francês: Anais políticos e literários.

entre o senhor e eu é só esta: eu sou rica, o senhor é pobre; moralmente, porém, há uma muito maior e é que, se o senhor me ama como diz, eu não posso corresponder-lhe com a mesma simpatia...

— A senhora é cruel.

— Sou franca e peço-lhe que não insista.

— Será a última vez que lhe falo, suplico-lhe que não me prive deste desabafo. Adoro-a como nunca adorei ninguém, nem minha mãe! Renunciar para sempre à esperança, embora vaga, de receber um dia um doce olhar seu de comiseração, uma palavra, assinada pela sua mão, um consentimento de se deixar amar de longe, com o respeito e a idolatria com que se adoram as santas dos altares, é coisa tão dolorosa que mais me valia a morte! Há, todavia, no fundo da minha consciência de homem honrado, puro, simples, trabalhador e sincero, uma certeza indefinida, se assim posso dizer, de que ainda um dia a sua mão traçará em um papel o meu nome, chamando-me à *Casa Verde*...

— Para quê? — perguntou Mary, espantada.

— Para dizer-me que a minha paixão, a minha humildade, a minha fé merecem um prêmio.

— O senhor é ousado!

— Tanto quanto a senhora é cruel.

— Aconselho-lhe a que mude de ideia; eu não o chamarei nunca a *Green House*!

— Esperarei.

— Esperará toda a vida!

Mme. Girard parecia não compreender as repetidas cotoveladas que lhe infligia disfarçadamente Mary, procurando que a sua intervenção na conversa obrigasse Guilherme Boston a mudar de assunto ou calar-se.

Como acabasse finalmente de ler uma crônica fantasista de Richepin[156], a preceptora decidiu-se a dobrar o jornal e a atender aos seus companheiros de banco.

Falava-se de Paris quando a barca atracou a Niterói.

Foi ao sair para a ponte que Mary teve a surpresa de ver, entre os passageiros que saíam com ela, o Dr. Eduardo Abrantes.

Os seus olhares trocaram-se: o dele altivo, frio, com uma expressão de ciúme que o seu cumprimento respeitoso não pôde disfarçar; o dela, alegrado, brilhante, cheio da sua mocidade apaixonada. Aquilo foi rápido. Mary percebeu então a inconveniência da atitude de Boston durante toda a travessia e corou, envergonhada e receosa. Se

156 Jean Richepin (1849-1926) foi um dramaturgo, poeta e novelista francês.

Eduardo tivesse percebido pelo movimento dos lábios o que lhe dissera Boston?

Mme. Girard fazia sinal ao Félix para que aproximasse o carro, já à sua espera, e Mary, confusa, seguia com a vista a figura do médico, que se afastava, sem reparar para o ar de motejo[157] de Guilherme, que a observava de perto...

157 Gracejo, zombaria.

Capítulo XXVII
UMA RESOLUÇÃO

Às sete horas de uma bela tarde parava o carrinho do Sr. Matias ao portão de *Green House*.

O criado foi anunciar as visitas à sala de jantar, onde Mr. Lane e família estavam ainda pelas alturas do segundo prato.

Mme. Girard quis levantar-se, o dono da casa fez-lhe um gesto que ficasse.

— Um dos costumes brasileiros que eu aprecio e adotei com prazer, foi esse de receber à minha mesa todo e qualquer hóspede que me procure à hora das refeições. —E voltando-se para o criado, acrescentou: — Conduza esses senhores para aqui.

— Que horas de fazer visitas! — observou ainda Mme. Girard com um muxoxo. — Realmente é preciso não ter hábitos de sociedade...

— É natural... nem todos jantam tarde...

Daí a instantes Tilde e o pai entravam na risonha sala de jantar de Mr. Lane.

Mary tinha sentido grande constrangimento ao ouvir nomear os visitantes. Um pressentimento doloroso lhe fazia suspeitar que o motivo daquela visita fosse a participação do casamento da filha do floricultor com Eduardo. Gelada, sem atinar com uma palavra, ergueu-se, entregou as faces pálidas aos beijos amigáveis de Tilde, e tornou a sentar-se silenciosa, afastando o prato que Mme. Girard lhe pusera em frente.

As despesas da conversação foram feitas pelo Sr. Matias, sempre transbordante de assuntos, exuberante de vida, falando pelo prazer de falar, sem ordenar ideias, em um tumulto de palavras que o faziam passar por brutal.

A cada inconveniência do pai, Tilde corava, desviando o olhar para os quadros e os reposteiros das portas.

Mr. Lane, sem perder a sua linha grave e simples, dizia de vez em quando uma ou outra coisa, que era como um sopro ateando a flamejante retórica do floricultor.

Mary continuava encolhida e muda, esperando a todo instante ouvir pronunciar o nome de Eduardo Abrantes!

De repente, em desabrimento rude, sem explicação, o Sr. Matias perguntou:

— Então, D. Mary, é verdade o que dizem por aí?

— Talvez... não sei — murmurou Mary, um pouco espantada.

— Que é que dizem? — indagou Mr. Lane.

— Toda a gente de Niterói fala no casamento de Miss Lane com o Sr. Guilherme Boston. Teve bom gosto... ele é um rapaz sacudido!

Mary voltou-se indignada e os lábios tremeram-lhe para repelir aquele boato, mas dando com os olhos em Tilde, estremeceu e calou-se. Preferia tudo a que a noiva feliz de Eduardo suspeitasse sequer as tormentas que lhe infligia. Um ódio surdo fazia-a olhar mal para a pobre moça, que se encolhia modesta, envergonhada, adivinhando haver ali qualquer coisa de agressivo contra si.

Mr. Lane respondeu secamente:

— Não há nada decidido — e voltando-se, fez sinal ao criado que oferecesse vinho às visitas.

Mme. Girard riu-se e afirmou:

— Qual! Aquele não é marido que convém a Mary!

— Não sei por quê! — replicou Mr. Lane em ar de censura. — Ele é um excelente rapaz.

Entretanto, já o Sr. Matias rompia em louvores à excelência do vinho e o curso da conversa tomou outra direção.

Ao deixarem a mesa, Mary compreendeu que devia intervir e, fazendo violência à sua vontade, procurou ser amável para com Tilde, que parecia interrogá-la com o seu olhar bondoso e tímido. Veio-lhe logo, porém, um desejo maldoso de ridicularizar, de maltratar aquela criatura, donde lhe vinha todo o mal da sua vida. Assim, abrindo o seu excelente piano, Mary disse a Tilde, fingindo ignorar que ela não sabia música:

— Toque um pouco. Ouvi dizer que a senhora toca bem...

— Eu?!

— Pois quem mais?

— Eu não sei tocar!

— Não?! Mas canta, não é verdade?

— Canto...

— Que autores?!

— Não sei...

— Não sabe?! Oh! Não creio...

— Eu canto o que ouço e o que me agrada.

— Só de ouvido?

— Só; nunca estudei música.

Mary sorriu, e depois:

— Quer cantar, para eu a ouvir?

— Se isso lhe agrada... — respondeu com adorável simplicidade.

— Eu acompanharei! — exclamou Mme. Girard. — Dê o tom!

Tilde, submissa e dócil, aproximou-se do piano e ensaiou a meia voz um romance em francês. No fim dos primeiros *couplets*[158], Mme. Girard deu-se por sabedora e recomeçaram.

A voz de Tilde era pequena, mas de tamanha suavidade que penetrava na alma de quem a ouvisse. Mary foi forçada a deixar-se encantar por ela.

Acabado o romance, Mme. Girard exclamou:

— Mas, além da senhora ter uma bonita voz, tem ainda melhor pronúncia de francês. Bravo! Com quem aprendeu?

— Com ninguém, eu...

— A senhora é milagrosa! — disse Mary com ironia. — Sabe as coisas sem ter tido o trabalho de as estudar!

— Não... Tenho muito trabalho, até. Quem me corrige na pronúncia do francês é o Dr. Abrantes — murmurou Tilde, voltando-se para Mary.

— Ah!

Miss Lane levantou-se e foi a uma janela, procurando esconder a sua comoção; olhava para as trevas com fixidez. Atrás dela, Mme. Girard obrigava Tilde a cantar outros romances.

Mr. Lane e o floricultor falavam sobre plantas. O inglês consultava o jardineiro a respeito de uma bela araucária, que parecia ameaçada de morte em um dos cantos mais abrigados do seu jardim.

Acabadas as músicas, Mary sujeitou a pobre Tilde a novo interrogatório:

— Vejo que aprecia a música. E de pintura, gosta?

— Tenho visto tão pouco!

— Mas sabe desenhar?

— Eu? Não...

— Não?! Lê muito?

— Leio pouco.

— Meu Deus! Mas em que passa a vida?!

— Trabalhando. Quase todos os enxovais das noivas da Praia Grande são bordados por mim...

— Hei de lhe mandar o meu! — disse Mary, com voz irônica.

— Com todo o gosto...

Tilde se sentia embaraçada e por vezes arrependida de ter ido à *Casa Verde*. Afinal, via escoar-se o tempo sem achar o jeito de interrogar Mary. Fora, procurando salvar o amor de Eduardo, querendo fazê-lo feliz à

158 Traduzido do francês: par de versos.

força; entretanto, caminhava de decepção em decepção. Mary, que a recebera da outra vez com tanta cordialidade, aparecia agora rebarbativa[159] e pouco acessível, e por maior tristeza ouvia alusões ao seu casamento com Guilherme Boston...

Por sua vez, Mary ardia de desejos de penetrar no coração e no espírito de Tilde, ler claro naqueles olhos límpidos. Sentia-se cruel, queria reprimir por vezes o modo seco e mordaz porque dizia as coisas e fazia as perguntas mais simples, mas o ciúme dominava-a e torcia-lhe até as mais puras intenções!

Com propósito maldoso, fingindo não dar importância à pobre moça, e lhe não ter, portanto, notado a ausência, Mary perguntou-lhe em tom frio e quase indiferente:

— Gosta dos jogos esportivos?

— Gosto...

— Apreciou então a festa do outro dia?

— Que festa?

— A minha!

— Eu não fui...

— Ah! Não foi?... Desculpe-me... mas havia tanta gente! Equivoquei-me... então não quis ir?

— Não tivemos convite...

— Hein?!

— Não tivemos convite — repetiu Tilde.

— É impossível! Mas meu pai afirmou-me que o seu nome estava na lista...

— É natural; nessas ocasiões de lufa-lufa[160], sempre se esquece alguém... Eu não me zanguei e a prova é que estou aqui...

Mary voltara-se para Mr. Lane, querendo pedir-lhe uma explicação do fato, mas o pai falava com desacostumada verbosidade a respeito da doença da sua araucária. Um criado veio de dentro com uma lanterna para acompanhar o patrão e o floricultor até junto da planta moribunda e saíram logo os três para fora, falando alto e em passo apressado.

Uma súbita surpresa invadia agora a alma de Mary. Que quereria dizer aquilo?

Mme. Girard conversava com Tilde, abrindo um dique à sua imaginação travessa. Cada vez o assunto as afastava mais do verdadeiro ponto a que miravam tanto os olhos da filha do Sr. Matias como os de Mary. Esta refletia se não haveria injustiça na maneira de julgar aquela moça...

159 Carrancuda, rude, de mau humor.

160 Agitação, corre-corre.

Quem mentiria? O pai ou ela? Boston ou o pai? Com que interesse?

Não seria esse um mero pretexto inventado agora por Tilde, para se desculpar da sua ausência?

E os minutos passavam céleres, sem que por uma palavra, um gesto, as duas moças traíssem o seu desejo, que era em ambas o mesmo!

Entretanto, cessara a mordacidade de Miss Lane para com a sua visita e ela esperava pacientemente que a preceptora fizesse uma aberta na sua exposição de viajante ilustrada e difusa prosadora, para entrar ela em combate.

Não conseguiu. Mme. Girard falava ainda das suas terras de França, quando o Sr. Matias voltou apressado, ordenando à filha que pusesse o chapéu.

— Vem aí uma carga de água medonha!... Anda, Tilde, despede-te!...

— Já?! — balbuciou Mary.

— Já, e depressa. Não quero que o animal apanhe chuva...

Tilde corou e ergueu-se, temendo que o pai se encolerizasse, coisa que lhe sucedia várias vezes ao dia.

— Isto de senhoras, quando se despedem, não acabam nunca — continuava ele com voz forte.

Enquanto Tilde punha o chapéu, o floricultor dava as últimas instruções a Mr. Lane sobre o tratamento que deveria ministrar à planta.

Mary interrompeu-o:

— Faça uma coisa! Venha qualquer dia destes ver a araucária e traga a sua filha para passar o dia comigo. Promete?

— Prometo. Se a gente do Dr. Abrantes deixar, trago-lhe a Tilde depois de amanhã.

Mary recuou, ouvindo o nome de Eduardo, e tornou-se sombria. Mme. Girard interveio:

— O Dr. Abrantes... aquele médico moço?

— Sim, senhora... A Tilde não sai de lá. Estou vendo que qualquer dia roubam-me a filha... ah! Ah!

O Sr. Matias afagava a ideia, e deixava-a entrever a miúdo, de que a filha casasse com o Dr. Abrantes. Na maneira porque ele dissera aquelas palavras, transparecia isso mesmo. Tilde tornou-se vermelha como uma pitanga madura.

Como poderia ela esclarecer uma situação tão melindrosa, ali, ao pé de tanta gente que a intimidava? Chegando-se para Mary, notou no olhar da moça a mesma sombra de suspeita e de rancor que lhe notara à entrada. Todavia, apoderou-se da sua mão esguia e branca e murmurou-lhe com doçura:

— Se me permite, virei depois de amanhã... desejo que me tenha no rol das suas amigas... Conseguirei isso?

Mary tinha vontade de chorar e não atinava com os termos com que correspondesse à meiguice da outra; depois de uma rápida hesitação, ela, dominando-se, murmurou:

— Venha... e creia que já a tenho na conta de pessoa muito digna da minha amizade...

— Então, Tilde! — berrou o Sr. Matias com olhos fuzilantes de impaciência. — Lembra-te de que o Mefistófeles não se pode molhar!... O pobre animal trabalhou muito hoje...

— Sim, papai... sim...

Fora começava a relampejar. O Sr. Matias e a filha acomodaram-se à pressa no seu carrinho descoberto e partiram a toda a brida[161].

Tilde ouvia em silêncio os desabafos duros e violentos do pai, que só se preocupava com uma doença provável do burro, maldizendo a vinda àquela casa de gente soberba... e acrescentava:

— Depois de amanhã trago-te, porque prometi, mas nunca mais, ouviste?

— Sim, senhor...

— O Lane cuida que entende muito de plantas! Pois sim! Disse uma porção de sandices... teorias, coisas lidas lá nos livros ingleses... é um toleirão[162]. Se ele me tivesse comprado tudo que lá tem, não teria levado tanta espiga! Ih! Já começa a chuva; que diabo de lembrança de vir uma tarde destas, com mil raios!

Tilde, segurando a aba do chapéu que a ventania abalava, já não dava ouvidos aos ralhos e as pragas do pai; tinha o coração muito cheio de amargura para se preocupar com outras coisas. Que impressões trazia da *Casa Verde*? A Mary de hoje era bem diversa da outra, que ela vira da primeira vez, no seu jardim de cravos escarlates! Oh! Quantas dúvidas se chocavam no seu espírito! Era cada vez mais forte o seu amor por Eduardo, e havia momentos em que ela se sentia desfalecer, supondo não ter coragem de levar ao fim o seu propósito! As lágrimas corriam-lhe em fio pelas faces, e Tilde deixava-as correr livremente, certa de que o pai não daria por elas!

De repente, no meio do caminho solitário, desenroscando-se de entre uns cajueiros que bordavam a margem esquerda, apareceu um vulto negro, longo e esguio, de braços erguidos em sacudidelas violentas.

O Sr. Matias era supersticioso, embora se gabasse de grandes valentias. Tilde, trêmula, muito assustada, agarrou-se ao braço do pai.

— Um fantasma!

161 A toda a pressa.
162 Tolo, pateta.

O vulto parecia realmente tomar proporções extraordinárias; nada de humano tinha o seu corpo, comprido, rígido e sinistro. Com os seus acenos e saltos, ele conseguiu assustar o pobre Mefistófoles, que afitava as orelhas, procurando recuar.

O Sr. Matias benzeu-se e chicoteou o burro com toda a força do seu pulso hercúleo. Ouviu-se então um grasnar e um riso estrídulo, que feriu diabolicamente o espaço em trevas. O burro resolveu-se a obedecer à intimação do dono e partiu a galope. Nesse instante, o vulto negro gritou com voz roufenha e desigual:

— *Ammazzatti i padroni!*

O carrinho do floricultor voava na estrada e nem ele nem a filha puderam perceber o sentido daquelas palavras.

A impressão de pavor desvaneceu momentaneamente a dor moral de Tilde. O pai continuava em imprecações:

— Que inferno! Tudo se junta! Que os diabos levem o tal herege do inglês e da filha! Bem diz o povo que a *Casa Verde* é mal-assombrada! Cruzes! *Abrenuntio*[163]*!* É preciso estar idiota para vir a semelhante lugar sem ser por interesse... Anda, Mefistófoles... upa!

A chuva caía já em torrentes grossas e pesadas. Tilde sentia uma sensação de fadiga tamanha, que já nem tentava reagir.

Quando chegou à casa, a moça ficou surpreendida, encontrando Eduardo Abrantes à sua espera.

Ao vê-lo, um sorriso de satisfação iluminou as faces rubicundas[164] do floricultor.

— Olá, que milagre! O senhor por aqui!

— É verdade... como sua filha não apareceu por lá, minha mãe pediu-me que viesse saber se haveria alguma novidade...

— Há. É que caímos na asneira de ir à *Casa Verde*. Uma estopada[165]!

Eduardo relanceou a vista para Tilde, cujo olhar lhe pareceu duro e impenetrável. Ao contrário do pai, Tilde não sentira alegria encontrando Eduardo em sua casa. Sabia o motivo daquela vinda, calculava a ansiedade em que estaria aquela alma de saber se Mary falara nele ou se aludira ao *outro*. E, entretanto, que lhe poderia ela contar?

—Vai mudar de roupa, Tilde, você está que nem um pinto! Mas olhe, primeiro arranje-me aí um cálice de genebra[166]...

163 Palavra de origem latina com o sentido de renego-te ou renuncio.

164 Vermelha, corada, afogueada.

165 Aborrecimento, amolação.

166 Bebida típica da Holanda, feita da destilação de álcool om bagas de zimbro.

O cálice esgotado, o Sr. Matias, encharcadíssimo e tranquilo, narrou o fato do fantasma; descompôs todas as plantas de Green House, excetuando as vendidas pelo seu estabelecimento, e gabou o figurão da Tilde, cantando lá entre estranhos, como um rouxinol entre cardos[167].

À hora da saída, Eduardo achou jeito de perguntar rapidamente a Tilde:

— Falaram em mim?

— Não...

— É verdade que ela está para casar?

— Talvez... Não me disseram nada...

— Então a sua visita...

— Foi quase inútil... Hei de voltar... prometi ir depois de amanhã...

— Para quê?! Não vá.

— Irei. Boa noite, doutor.

— Boa noite, Tilde...

O diálogo fora cortado bruscamente pela chegada do Sr. Matias ao patamar da sua pequena escada. Um sorriso malicioso bailava-lhe através dos fartos bigodes grisalhos.

Para ele, era ponto de fé, o Dr. Abrantes andava-lhe arrastando a asa à filha...

Depois de o moço ter saído, ele, contente, adoçando a voz, quase sempre forte e rude, disse:

— Bem, você é uma mocinha de juízo... Estou contente com a sua escolha!

Tilde, compreendendo a intenção do pai, corou até as orelhas e murmurou:

— Papai está enganado... eu...

— Faça-se de sonsa!...

— Eu...

— Bom, bom, falaremos nisso depois, contanto que não se demore muito esse negócio. Não quero namoros!

O Sr. Matias voltou as costas antes que a filha tivesse tempo de arrancar do fundo da sua timidez uma palavra, ao menos, que o elucidasse. Chegado à porta do quarto, o floricultor voltou-se e repetiu:

— Veja lá, eu não quero namoros! — e sumiu-se.

Tilde sorriu com tristeza. O seu primeiro amor aí estava, era aquele, profundo, inigualável, grande até ao sacrifício! E como era paga essa dedicação? Com a indiferença. Em vez de se sentir ferida no seu amor-próprio, de achar ódio e fel no pensamento e no coração, ela trabalhava para fazer a ventura de quem a repelia, a enorme felicidade da sua rival!

167 Planta espinhosa.

Daí a nada o Sr. Matias admoestava a mulher no quarto, em altas vozes ofensivas. A esposa, calada e submissa, mal respondia às admoestações. Tilde, cobrindo os ouvidos com as mãos trêmulas, fugiu para o seu quarto, onde rezou de joelhos com todo o fervor da sua alma de crente, pedindo a Deus a felicidade da mãe e o amor de Mary para Eduardo!

Não parecia de alma humana aquela prece!

***

No seu escritório, entre as encadernações escuras dos seus livros de medicina, o Dr. Eduardo Abrantes ia de estante a estante, sem conseguir ler, desta ou daquela obra, uma página sequer que lhe desviasse o espírito para um curso benéfico.

Ele trouxera da casa do floricultor um veneno que o prostrava lentamente: nem esperança nem desilusão se chamava ele, e sim: dúvida!

De repente uma porta abriu-se e D. Mariana apareceu.

— Já que não vais ter comigo à sala de jantar, venho eu ao teu escritório. Estás doente, meu filho?

— Não, minha mãe... eu estudava.

— Se eu te acreditasse, retirar-me-ia.

— Por quê?

— Porque deveria perturbar as tuas ideias.

— E por que não me acredita?

— Porque os olhos das mães leem claro no coração dos filhos.

— Que lê no meu?

— Que estás apaixonado; e venho propor-te um remédio: casa-te.

— Ora, minha mãe!

— Não te sorrias assim, com cara de quem vê que estou em erro. Vou provar-te que não estou. Confesso-te que não me sorriu nunca à ideia de uma nora; presumo que serei das tais sogras de que falam as gazetas. Amo-te muito para não ter ciúmes; mas, não é disso que se trata agora.

— Então, o que é?

— Do teu salvamento. Estás distraído, pálido, irritadiço, nervoso e desamorável. Não encontro nos teus beijos nem a mesma expansão, nem a mesma ternura...

— Oh, minha mãe!

— Chamavas-me sempre – *mamãe* –, esta gravidade da – *minha mãe* veio-te com...

— A idade.

— Não, com o amor à outra. Tens medo de parecer infantil.

— Não é tal...

— Deixa-me falar! Tenho pensado muito e resolvi que, afinal, o remédio mais pronto e mais eficaz para ti é o casamento. A família traz exigências que distraem os homens mais preocupados. Se a mulher a quem tu amas ama outro e se casa com outro, por que não te hás de casar com outra que te adora e que vale indubitavelmente muito mais do que a tal filha do inglês?

— Onde a senhora descobriu essa perfeição que me adora?!

— A bem poucos passos daqui.

— Quem é?

— Estás fingindo; sabes perfeitamente de quem se trata.

— Palavra de honra: não sei.

— Então digo-te que és cego, surdo e... ainda por cima, ingrato!

— Mas quem é?

— Tilde.

— Tilde?!

— Sim.

— É impossível!

— É impossível por quê?

Eduardo recuara, estupefato. De relance percebeu toda a abnegação de Tilde, toda a bondade da sua alma, e, coligindo fatos, impressões sutis e rápidas a que não dera importância em outras ocasiões, viu que a mãe não dizia uma inverdade. Sentiu remorsos de ter escolhido aquela pobre moça exatamente para as suas confidências de atordoado, e veio-lhe um enorme desejo de lhe pedir perdão de joelhos, com toda a humildade.

— Pobre Tilde! — murmurou ele, escondendo o rosto entre as mãos.

— Pobre por quê? Se a podes fazer feliz?

— Como?!

— Já te disse: casando-te com ela. Não é a noiva que te convém, concordo, mas sempre é mais simpática do que a Mary!

— Pelo amor de Deus, não compare as duas!

— Estás indignado? Ora essa! A Tilde será modesta, a outra brilhante, mas eu prefiro para esposa do meu filho a mulher acostumada aos labores da agulha e ao traquejo da casa. Mary torceria o nariz se tivesse de pregar um botão nas tuas ceroulas, enquanto que, casado com a Tilde, nem terás ocasião de achar falta de pontos na tua roupa branca. Mary toca, pinta, governa carros, fala línguas, canta e é formosa. Isso tudo é perigosíssimo, mas ainda tem para mim um defeito mais grave...

— Qual?

— É de outra religião...

— Ora...

— Ora! Eu bem sei que, depois que te enfronhaste em ciência, te tornaste ateu... Mas se em um homem isso pode ser permitido, repara que em uma mulher é odioso! Por isso, mesmo que ela te amasse, te amasse com todas as veras da sua alma, tu não te casarias com ela, ou... separar-te-ias, para sempre, de mim!

Nos olhos de D. Mariana relampejava o ódio. Para ela, o ser protestante era carregar pecados de irremediáveis castigos...

— Não discutamos isso... é inútil! Quanto a casar com outra, seria enganá-la. Prezo muito a Tilde para fazer isso!

— Preferes fazê-la infeliz?

— Ela consolar-se-á.

— Não.

— Casará com outro... mais tarde.

— Não lhe conheces o caráter. É um anjo!

— Sei que é um anjo!

— Então? No casamento há sempre um que ama e outro que se deixa amar...

— Se fosse realmente assim...

— Casavas-te?

— Talvez... Sim... Talvez que os filhos... a casa...

— Falarei amanhã com o Matias — disse D. Mariana, interrompendo as reflexões do filho.

Ele protestou logo:

— Não!

D. Mariana levantou-se sorrindo e murmurou:

— Quer queiras, quer não queiras, hei de fazer com que tornes a ser o que eras!

Ela saiu e Eduardo, olhando para a chuva através das janelas fechadas, pensou em Mary e em Tilde, com infinita amargura. Se amar sem ser amado é triste, não será por certo menos doloroso deixar de corresponder ao amor de uma pessoa que se preze muito e muito? E Eduardo sentia pela filha do floricultor uma verdadeira veneração! Com o rosto colado aos vidros, ele olhava para as trevas da noite... e uma esperança despontava na sua alma, com a ideia de que talvez a mãe se tivesse enganado.

D. Mariana, entretanto, resolvia o seu plano: na manhã seguinte iria falar com o Sr. Matias e apressaria o casamento do filho. Mas que sogro, que abominável sogro para o seu Eduardo!

Capítulo XXVIII
O PEDIDO DE CASAMENTO

No arraial dos ciganos, o pai Ulka passeava satisfeito de um lado para outro. Os caldeireiros malhavam no metal com sonidos tintilantes e alegres. O sol faiscava.

Sentadas ao lado das barracas, ciganas moças, de pele cor de jambo maduro e olhos de azeviche, penteavam as longas cabeleiras ondeadas e negras; as mães, agachadas ao pé do fogo feito entre três pedras, mexiam as panelas com longas colheres de pau. Crianças rolavam seminuas na areia quente. Em pé, junto da sua barraca de lona, Inês prendia nos cabelos soltos um ramo de flores de romã; a seus pés, Luís Ulka dormia estendido, aproveitando uma réstia de sombra projetada pela barraca.

— Acorda o teu *kambulin*[168], Inês, que *bato*[169] Ulka está só olhando para cá! — disse à ciganinha um garoto travesso, de olhos fuzilantes de esperteza e de graça.

— Deixa-o dormir... coitado; passou toda a noite andando por aí...

— Sabe, Inês, a *juvacanin*[170] fugiu!

— Coitada da velha... foi por causa dela que Luís errou pelo mato.

— Por quê?!

— Com medo que ela caísse em algum despenhadeiro ou morresse em algum valado...

— Chi!... Não valia a pena... eu tinha medo dela!

— Eu não!

O garotinho, aproximando-se da cigana, continuou com ar misterioso:

— Ialim está preparando o remédio fatal...

—Você viu?

—Vi. Fui ontem ao mato com ele... apanhou daquelas ervas brancas e das raízes que fizeram dormir Ianá o dia todo... lembras-te?

— Se me lembro!...

168 Do vocabulário cigano: amor, amoroso, querido.
169 Do vocabulário cigano: pai.
170 Do vocabulário cigano: feiticeira.

— Ialim quis fazer experiência em mim, e disse: — Babi, mastiga esta ervazinha para ver como é gostosa...

— E você o que fez?

— Fugi. Sabe para quem é o remédio de Ialim?

— Não.

— Eu sei!

— Para quem é?

— Para a Princesa da *Casa Verde*!

— Fala baixo! — ordenou Inês; e curvando-se toda: — Quem foi que disse?

— Eu ouvi *bato* Ulka dizer a ele no outro dia: — Ialim, prepara o teu narcótico de modo que não falhe... — É para homem ou mulher? — perguntou ele, e *bato* respondeu: — É para a Princesa da *Casa Verde*. — Eles não me viram.

— Guarda o teu segredo.

— Só se você me der umas conchas bonitas, daquelas que Luís te deu...

— Toma...

Metendo a mão em uma sacola que trazia pendurada na cintura, Inês entregou ao rapazinho uma quantidade de conchinhas de cores variadas e tornou a recomendar-lhe:

— Agora, Babi, guarda segredo!

— Serei como o tio Goé.

Goé era um velho mudo do arraial.

Inês ficou perplexa e triste. Que deveria fazer? Avisar Luís? Era o seu dever, mas não era talvez o que lhe pedia o coração. Luís Ulka amava a Princesa, ela bem sabia, e por isso não lhe queria bem. O melhor seria deixá-la narcotizar pelo feiticeiro Ialim, e que fosse entregue ao outro, o tal moço que a amava!... Pelo salvamento e alegria da Princesa, Luís arriscaria a própria pele e seria capaz de irritar o chefe do bando... Melhor seria que ignorasse tudo!

Uma cigana, com uma criança no peito, aproximando-se de Inês, perguntou:

— E a velha italiana?

— Fugiu ontem à noite, com aquela chuvarada!

— Pobre!

— Agora anda rolando no mato ou vai ser presa na cidade...

Nesse instante, o pai Ulka, voltando para as duas mulheres o rosto irado, exclamou:

— Que fazem aí?! Vadias! — A grandes passadas ele chegou-se para o grupo e, batendo com a ponta do pé no corpo de Luís Ulka, chamou: — Luís! Luís!

O moço acordou estremunhado:

— Han?!

— Levanta-te e vem à minha barraca, preciso falar-te.

Inês sorriu para o noivo e disse à outra:

— Repara, Nana, como ele é bonito. É branco como o leite, e nós tão escuras, Nana!

Luís ergueu-se e acompanhou o seu chefe.

A barraca do pai Ulka era a maior e a mais bonita de todo o arraial. Dentro, sentada com as pernas em cruz em cima de uma esteira, a mãe Ulka contava moedinhas de prata em um cofre de charão[171], de origem suspeitosa. O chefe mandou-a embora. Ela obedeceu. Então, voltando-se para Luís, o cigano perguntou:

— Conheces bem a *Casa Verde* em todos os seus recantos?

— Conheço... mas...

— Hesitas?! Bem digo que já não prestas! Sai! Ordenarei o assalto a outro. O melhor braço agora aqui é o Tibúrcio.

— É o meu. Ordene, pai, eu obedecerei.

— Isso é que é linguagem! As tuas armas estão boas?

— Excelentes.

— Escuta, o plano é este: sábado, às duas horas da madrugada, entrarás no jardim da *Casa Verde* pelo muro do pomar; irão contigo Tibúrcio e Ialim. Mostrarás a Tibúrcio a janela ou a porta do quarto da Princesa e, enquanto o Tibúrcio a arrombar, Ialim e tu vigiarão... Feito o arrombamento, que entre só Ialim; ele é sutil como a brisa, não faz barulho... Entendes?

— Entendo.

— Depois, quando a moça estiver adormecida, vocês deitem-na nesta rede (e o pai Ulka apontou para uma rede que estava enrodilhada a um canto) e tragam-na para aqui. O peso é leve para dois rapazes como Tibúrcio e tu. Ialim que os acompanhe...

— Posso ir só com Ialim. Empregue Tibúrcio em outras diligências...

— Não.

— Prefiro ter sozinho a glória desta empresa.

— Não. Tibúrcio é sanguinário, é lesto[172] e tem olhar bom para ver no escuro. Se encontrar obstáculo no seu caminho, ele não hesitará em cortá-lo. A empresa é arriscada. O inglês é previdente.

— Se houver resistência?

Pai Ulka levantou os ombros e depois, olhando com desprezo para a faca de ponta que Luís tinha na cinta, disse:

171 Verniz negro ou vermelho.
172 Ágil, ligeiro.

— Para que serve isso?

— Eu não mato ninguém!

— Não pareces meu filho! Covarde! Covarde! — gritou-lhe o chefe.

Luís Ulka sorria com amargura e, relembrando a visão da cabana de Ana Brites à margem do rio Negro, perguntou:

— Seu filho?!

— Meu filho! Sim! És meu, posso e hei de fazer de ti o que eu quiser. Cachorro! Duvidar da minha palavra! Se tornas a faltar-me ao respeito ponho-te a corrente nos pés.

Luís Ulka, contrafeito, receoso de que a ameaça se realizasse e que, portanto, não fosse ele o incumbido de ir à *Casa Verde*, submetendo-se com humildade, murmurou:

— Eu não duvido; tenho-o na conta de meu pai e de meu senhor; a sua palavra será sempre a melhor e a de mais crédito! Cortarei braços e pernas, de preferência, a negar-lhe apoio. Pai, pai, perdoe!

— Isso é outro cantar. Ialim tem tudo pronto, Tibúrcio espera as minhas ordens. Passem as noites em folguedos, que a de sábado será de trabalhos. Sobre tudo o que dissemos: silêncio.

— O mais profundo.

—Vai-te.

Luís deixou a barraca do pai Ulka com o coração em sobressalto. Inês chamou-o e disse-lhe tudo o que ouvira do garoto Babi.

— Não é novidade — respondeu-lhe Luís —; o chefe acaba de me dizer isso mesmo.

— E então?

— Hei de salvá-la.

— Como? A Princesa deve ser conduzida para aqui!

— Sim... para ser entregue ao outro...

Nos olhos de Luís relampejou o ciúme. Inês compreendeu-o e, contemplando-o de rosto, replicou:

— Ela não te ama e eu adoro-te! Deus no céu e tu na terra!

Momentos depois, Luís Ulka caminhava apressado para a cidade; a sua resolução estava tomada, seria um traidor. Aquela ação doía-lhe, mas era inevitável para a salvação de Mary!

Havia muito tempo que a polícia dava investidas ameaçadoras, tentando dispersar o bando dos ciganos da Ponta da Areia. Atribuíam-lhe às vezes crimes nefandos[173] praticados por gente estranha; outras então afirmavam que aquele bando era de ciganos, nômades sim, mas trabalhadores, sossegados e de bons costumes!

173 Abomináveis, odiosos.

Luís amedrontava-se com a ideia do Tibúrcio envolvido no assalto de *Green House*. Conhecia-lhe a força e a perversidade. Era uma besta brava; capaz de tudo.

Ao chegar às ruas da cidade, Luís caminhou para os lados da fábrica e aí, resolutamente, perguntou logo por Mr. Lane.

Um operário moço conduziu-o até o gabinete do inglês. Mr. Lane estava só; escrevia e não levantou a cabeça para observar o recém-chegado. Assim, concluiu pachorrentamente a sua carta, fechou-a, lacrou-a, imprimiu-lhe o sinete e foi só depois de tudo feito que ergueu a vista para Luís Ukla.

Teve então um sobressalto.

— Que! E não me engano...

— Não se engana, não, Mr. Lane. Eu sou Luís Ulka.

— Oh! É extraordinário! Então você fugiu da minha casa e agora vem se apresentar aqui?!

— Julgue como quiser a minha ação. Eu não vim pedir desculpas; venho para coisa mais grave.

— Que é?

— Uma denúncia.

— Oh! Oh!

Mr. Lane contemplava o rapaz com verdadeira curiosidade.

— De que se trata? — indagou ele.

— De um rapto.

— Um rapto!... Está louco.

— Não estou.

— Mas por quem... onde... quando?!

— Por quem... não direi já. Onde? Em *Green House*. Quando? Sábado às duas horas da madrugada.

— Minha filha... — balbuciou o inglês, pálido de espanto.

— Sua filha, Miss Lane.

— É impossível! Isso é um embuste, é uma armadilha! Raptar Mary... ora, ora! É estúpido acreditar em semelhante coisa!

Mr. Lane levantara-se e passeava agitadamente pelo escritório.

Em uma das voltas, fechou a porta por dentro e guardou a chave na algibeira; depois, avançando para Luís, agarrou-o pelos ombros e sacudiu-o com força.

— Diga-me que mentiu!

— Não menti!

— Que interesse tem em fazer-me essa denúncia?

— O de salvar sua filha.

— Que se importa você com minha filha! A razão deve ser outra e quero-a já, senão... senão, mato-o!

— Pode matar-me, eu vim desarmado. Aqui me tem.

Havia tal franqueza na atitude de Luís Ulka, que Mr. Lane recuou. Houve um instante de silêncio; depois Luís contou tudo sem encobrir o nome de Boston, que foi várias vezes pronunciado.

— A verdade é esta — concluiu o moço. — O senhor previna-se; a minha dívida de gratidão está paga. Denunciei a gente do meu bando, o meu chefe, mas saberei, entretanto, obedecer-lhe e morrer no meu posto!

Atônito e acabrunhado, Mr. Lane abriu a porta e fez sinal a Luís Ulka que saísse.

Deixando a fábrica, Mr. Lane apressou-se em seguir para casa. O ar da tarde acalmou-o; veio-lhe a reflexão. Era ponto de fé para ele que o cigano urdia qualquer intriga, procurando meio de lhe extorquir dinheiro! Em vão procurava desembaraçar o fio da meada... Convicto disso, Mr. Lane chegava a ter pena de Guilherme Boston, vítima, a seu ver, da malignidade dos outros. Apesar disso, tomava vulto no seu espírito a ideia de informar-se por fora sobre a história e o caráter do seu guarda-livros.

Aquele enredo parecia-lhe coisa falsíssima, de romance complicado. A sua vida era muito simples para que ele pudesse admitir daqueles embates. Este século é prático, escolhem-se sempre, para tudo, os melhores caminhos. Que necessidade teria Guilherme Boston de raptar uma mulher que lhe seria concedida sem o risco das grandes aventuras?

Era nisso que pensava Mr. Lane, a caminho do seu *home*[174], a sua casa coberta de trepadeiras e aberta aos quatro ventos.

Vacilava sobre se deveria ou não narrar tudo a Mary...

Depois de alguns instantes de reflexão, deliberou guardar silêncio; a filha assustar-se-ia inutilmente.

O seu plano estava determinado: iria à polícia e preveni-la-ia sobre as ameaças dos ciganos.

— Aquilo é uma *chantage*[175], pensou consigo Mr. Lane, e eu nem serei tão tolo que vá cair agora em uma armadilha, nem tão imbecil que não tome as minhas providências...

Consultou o relógio, eram quase seis horas. Metódico e sistemático, o inglês não entrava nunca para o jantar depois das seis e meia; apressou-se por isso em seguir para *Green House*, adiando para a manhã imediata a sua entrevista com o chefe da polícia.

174 Traduzido do inglês: lar.
175 Traduzido do francês: chantagem.

O homem vai me achar grotesco... é capaz de julgar-me vítima de um acesso de loucura... Não faz mal: o que é preciso é acabar com aquela ciganagem maldita!

Aquele rapto denunciado com sete dias de antecedência parecia-lhe coisa realmente cômica...

No dia seguinte, ao entrar no seu escritório, nova surpresa aguardava o grande industrial.

Guilherme Boston, empertigado e solene, pediu-lhe duas palavras em particular. Fazendo sinal de assentimento, Mr. Lane indicou-lhe uma cadeira ao lado da sua secretária. E depois:

— Estamos sós, pode falar à vontade.

— Antes de tudo, peço-lhe perdão pela ousadia, e creia que só um sentimento muito forte me obrigaria a dar um passo tão arriscado...

— Poupe as palavras; vamos ao fato.

— Tenho a honra de lhe pedir, para mim, a mão da Exma. Sra. sua filha.

Mr. Lane, sem demonstrar surpresa nem indignação, replicou:

— Está o senhor bem certo de que a ama?

— Adoro-a!

— A sua idade?

— Vinte e nove anos.

— Sua saúde?

— Perfeita.

— Nunca esteve doente?!

— Tenho tido coisinhas sem importância, ligeiras constipações, mais nada.

— Mas em todas as famílias há quase sempre uma doença predominante... na sua deve se dar o mesmo caso.

— Não, senhor.

— Seus pais vivem?

— Só tenho mãe.

— De que morreu seu pai?

— De brio[176].

— Isso também mata?

— Às vezes. Meu pai era um homem honrado e muito zeloso do seu bom nome. Atribuíram-lhe uma ação que ele não cometera, mas de que não se podia justificar, e então atirou-se na frente de um trem expresso. É a doença da família.

— Pois é grave... O senhor é previdente?

176 Honra, valor, amor-próprio.

Boston, sacando da algibeira uma proposta de seguro de vida, mostrou-a ao Sr. Lane.

— Está bem. O nome do beneficiário está ainda em branco.

— A beneficiária será a minha esposa. O capital é de cinquenta contos.

— Deve dobrá-lo. Segure-se em duas companhias. Os seus hábitos?

— São simples. Peço-lhe o obséquio de informar-se a meu respeito. Meus antigos patrões, Castro Ferreira & C., da rua de S. Pedro nº 21, poder-lhe-ão dar alguns esclarecimentos...

— Nunca teve outros patrões?

— Aqui, não.

— Tomo em consideração o seu pedido. Conheço o seu gênio e apraz-me a sua assiduidade ao trabalho. Falarei à minha filha.

Guilherme Boston, visivelmente perturbado, com uma expressão luminosa irradiando-lhe dos olhos, agradeceu com vivacidade ao inglês a sua aquiescência.

Ele dispensara a formalidade de ir a *Green House* fazer o pedido em regra, com a etiqueta que o caso exigia, por ter medo da intervenção de Mary e ser repelido mesmo antes de ouvido.

Nessa mesma noite o fabricante adormeceu tranquilamente; achara um genro como desejava, forte, correto, limpo, trabalhador e honrado. Mary seria feliz. A polícia estava avisada e acertara um plano de espera aos ciganos, se acaso eles se atrevessem a fazer o que Luís Ulka afirmava. A satisfação de quem vê as coisas da vida arranjadas e bem supridas era o que Mr. Lane sentia. Ordem e pressa – aí estava a divisa daquele espírito ambicioso e ao mesmo tempo calmo. E era com ordem e sem embates que as comoções da sua existência iam passando. Casada Mary, ele poderia fazer a sua viagem à Austrália...

Capítulo XXIX
UMA ESPERANÇA

Na grande enfermaria da Santa Casa da Misericórdia destinada às mulheres, o médico ia, de leito em leito, examinando ora uma doente, ora consolando outra, com modo paternal.

Aqui, uma pobre tísica escarrava os pulmões em arrancos de tosse cavernosa, com duas rosetas roxas nas faces amarelas e os olhos úmidos fuzilando febre. Ali, consumia-se outra, ao calor surdo do impaludismo[177], depauperada e mole; acolá, uma anêmica mostrava entre os lábios sem sangue uma fileira de dentes amarelos. Faces congestionadas ou da cor do marfim, corpos secos como velhos galhos de árvores queimadas pelo sol e despidas pelo vento, ou corpo entumecidos pela hidropisia[178] ou pela inchação, patenteavam naquela sala enorme todas as misérias a que está sujeita a humanidade.

Dois internos acompanhavam a visita médica.

Em uma cama, uma velhinha mirrada parecia dormir e sonhar com os anjos. Era pequena e franzina como uma passa.

— Então? Como vai isso? — perguntou-lhe o médico em voz branda, para a não acordar em sobressalto.

A velhinha não respondeu.

Do leito vizinho, uma doente de quinze anos, com rosto vermelho de febre e olhos luminosos, interveio, dizendo com voz entrecortada:

— Podem chamá-la... podem chamá-la... há um tempão que ela está assim... Nem que fossem os filhos que a chamassem... quanto mais!...

Um interno curvou-se e, ao reerguer-se, disse laconicamente:

— Morreu.

A rapariguinha resmungou:

— Nunca imaginei que custasse tão pouco morrer!

O cadáver parecia sorrir, como se ainda sonhasse. O médico examinou-a por sua vez e, cobrindo-lhe o rosto com a ponta do lençol, deu ordem para que o removessem.

177 Malária.
178 Edema, acúmulo de água.

Vendo que chegara a sua vez, a moça da cama vizinha sentou-se e estendeu o pulso, dizendo com excitação:

— Dê-me outro remédio... aquele amarga e não faz nada! Esta morrinha da febre incomoda-me... eu quero morrer velhinha como aquela que está ali embaixo do lençol... só os velhos morrem sem dor...

O médico sorriu com tristeza, encostando a cabeça calva ao peito chato da moça.

— Estou melhor? — perguntou-lhe ela depois.

— Sim... tenha paciência... há de ficar boa... espere.

Os internos leram na fisionomia impassível do doutor qual o desfecho daquela febre sem remissão. A rapariga escorregou entre os lençóis e só os seus grandes olhos brilhantes fulguravam entre as roupas puxadas até o nariz.

Chegara a vez do leito 21.

Sentada na beira da cama, já vestida, estava uma mulher magríssima, pálida, de grandes olheiras roxas sombreando-lhe as faces morenas. Um sorriso de resignação dolorosa dava-lhe ao rosto uma impressão de bondade divina. Os seus olhos castanhos e rasgados tinham a doçura que as grandes tristezas sufocadas derramam das almas boas.

Era Laurinda.

No meio daquela agonia, em uma sala enorme e em que tantas dores diferentes se manifestavam e se chocavam, ela tinha como que encontrado um certo alívio para as suas penas. É bem certo que nada conforta um desgraçado como o saber que não é só no mundo!

Do seu canto, quantos dramas o espírito lúcido de Laurinda via desenrolar-se! Aquela cena da morte da velha pacificara-a um pouco. A pobre septuagenária ia para o túmulo leve como um passarinho: nem lágrimas, nem saudades, nem hipocrisias, nem grinaldas, nem nada! Não ter família seria um bem? E a pobre rapariguinha dos olhos brilhantes não a comovia ainda tanto? Era essa faladora, imaginosa, amava a vida, queria casar-se e era em vão que todas as quintas e todos os domingos, esperava o noivo, que a não ia ver!

À noitinha, passada a hora da visita, era sabido: recrudescia a febre e era então que na voz do delírio rompiam, no silêncio da enfermaria, as queixas do ciúme!

Laurinda levantou-se, vendo aproximar-se o médico.

— Está melhor?

— Já estou boa... queria que o senhor...

— Lhe desse alta, não é assim?

— É, sim senhor.

— Para quê? Você está ainda muito fraca...

— Eu preciso...

— De saúde.

— Já estou boa. Dormi toda a noite...

O médico examinou-a. E depois:

— Tem quem a trate lá fora? — Laurinda corou. — Quero dizer: pode estar lá fora sem trabalhar aí por uns quinze dias?

— Posso...

Laurinda mentia, na ansiedade de sair e de correr até ouvir notícias do pai. Quem poderia mantê-la?

— Nesse caso, dou-lhe alta hoje.

E o médico fez-lhe várias recomendações. E nesse mesmo dia, às onze horas, a filha do Major Figueiredo descia trêmula e vagarosamente a escadaria da Santa Casa da Misericórdia.

Chegando à rua, parou comovida; os joelhos vergavam-se-lhe e as lágrimas subiam-lhe abundantes aos olhos pisados. Aquele belo sol cor de ouro, aquele mar azul e tranquilo, as ramas densas das árvores, o povo que passava, tudo lhe falava da vida. Voltando a cabeça para trás, Laurinda lamentou que não lhe tivesse acontecido o mesmo que à velhinha dessa manhã!

A reação veio depressa e Laurinda encaminhou-se para o sobradinho da D. Delminda. Disfarçando a debilidade dos seus passos de convalescente, ela parava de vez em quando em frente a uma vitrine, como se tivesse a tenção fútil de ver os raros artigos expostos naquelas casas de comércio manhoso.

De repente a moça parou em frente a um sujeito, sem mesmo saber por quê; com a ideia de que aquela cara lhe era conhecida. Não se enganava. A surpresa dele foi maior; contemplou-a, procurando nos vestígios a lembrança de uma pessoa quase esquecida. Como se o mesmo relâmpago os iluminasse, exclamaram a um tempo:

— Seu Oliveira!

— D. Laurinda!

— O senhor está muito mudado... engordou... ainda bem que o encontro... Meu pai?!

O Oliveira olhava atônito para a filha do Major, via-lhe a miséria das roupas, as saias enxovalhadas, as botinas rotas, a cor da pele embaciada, e não atinava com a causa de semelhante mudança.

— Seu pai?

— Sim... ele estava à morte quando eu entrei para o hospital... disseram-me que era doença de rins ou de coração...

— Qual! Ele está bom... isto é... ainda pode viver muitos anos... Mas a senhora esteve no... no hospital?! Que hospital?

— Na Misericórdia...

— Em que quarto?

— Em uma enfermaria...

— Que me diz! Mas...

— Mas o quê?

— Que diabo! Sejamos francos: que faz o Guilherme?

— Não sei... ele... ele está trabalhando em uma fábrica... em Niterói... parece-me que vai bem... Eu... eu é que estou assim.

Recuando um pouco, Laurinda mostrou ao Oliveira a sua figura esquálida e mal tratada.

— É inacreditável! Eu supunha que vivessem bem. Encontrei um dia destes o Guilherme bem arranjado, com um ar de alegria e de conforto... É extraordinário! Separaram-se?

— Meu Deus... sim...

— E agora?

— Estou na miséria e no abandono. Eu não queria dizer isto... é a primeira vez que o digo... que vergonha!

—Venha cá.

Oliveira conduziu Laurinda para um botequim da primeira esquina, casa onde à noite a marinhagem ia beber os goles e puxar palavreado.

— Desculpe-me fazê-la entrar nesta bodega... mas a senhora está fraca e deve sentar-se...Tome uma xícara de café; mesmo ruim, conforta...

A casa estava vazia. Passeavam as moscas por sobre os açucareiros sem tampa. Havia na atmosfera um cheiro de fumo e de álcool.

— Aceito o café, para justificar a nossa estada aqui... mas antes de falar de mim, peço-lhe por caridade que me diga alguma coisa dos meus. Tenho tantas saudades!

— Estive há dias, por acaso, com a sua família, no Campo de Sant'Ana. D. Miloca está avelhantada[179], mas sempre com o seu modo bondoso... menos alegre, contudo...

— Minha pobre mãe!

— Seu pai está abatido, mas contente com o casamento da filha.

— Quê? Loló vai casar?

— Não sabia?

— Não. Com quem?

— Com um oficial da Marinha; rapaz de excelente família, o Francisco Mendes. Escolheu bem.

Laurinda repetiu, com ironia:

— Escolheu bem... Quando é o casamento?

179 Envelhecida.

— Por estes dias... Espere, eu devo ter o convite no bolso. Encontrei-o hoje no escritório...

De fato, Oliveira tirou de entre a papelada da carteira um sobrescrito cor de rosa com douraduras e florinhas.

— Está aqui. Leia.

Laurinda leu:

"O Major Olímpio Cândido de Figueiredo e D. Luísa Graça de Figueiredo têm a honra de convidar V. Exa. para assistir ao casamento de sua filha Laura com o Sr. Francisco Mendes, no dia 20 do corrente, às 5 horas da tarde, na igreja de S. Francisco Xavier, capela de Lourdes."

Laurinda ficou pensativa. Em um voo rápido perpassou-lhe pela memória a lembrança dos seus sonhos de solteira e das palestras com a irmã. Ambas suspiravam para que o seu casamento se efetuasse na capela de Lourdes, onde deixariam, como as noivas ricas, o seu *bouquet*[180] de cravos brancos cercados de rendas finas. As igrejas da Cidade Nova, onde moravam, não lhes pareciam bem... Aí estava a Loló realizando o seu sonho!

O Oliveira, como se percebesse isso, acudiu:

— O noivo é lá do Engenho Velho.

— Deus os faça felizes! — suspirou Laurinda, e depois: — Mamãe falou-lhe em... mim?

— Não tivemos ocasião... bem sabe que... ficaram muito abaladas com a sua retirada e...

— Para a minha família eu morri. Não é verdade?

— Não... D. Miloca é uma santa e as mães não esquecem as filhas... E tanto que estou tentado a ir falar-lhe a seu respeito.

— Nunca!

— Acalme-se... e agora veja se posso fazer alguma coisa em seu benefício...

— Nada.

— Quem sabe? Imagine que eu sou seu irmão e diga: por que não se casou com o Guilherme?

— Porque ele não quis. Cansou-se... procurou outra vida!

— E deixou-a só, sem recursos?!

— Só!

Oliveira, indignado, ouviu toda a negregada[182] história dos amores de Laurinda; a moça falava já em uma espécie de embriaguez de sofrimento, abrindo uma válvula à dor contida por tantos meses em silêncio no

180 Traduzido do francês: buquê, de flores.

181 Odiosa, repulsiva.

fundo do seu coração. Ao pronunciar o nome de Guilherme, a sua voz tremia e havia relâmpagos de ódio ou de ciúme nos seus olhos ao aludir ao provável casamento do amante com a filha do patrão.

Oliveira, habitualmente risonho, tinha então o rosto enevoado e sombrio.

— Aceita um conselho meu? — perguntou ele à filha do Major Figueiredo.

— Aceito...

— Vá hoje mesmo falar com o tal inglês.

— E... se Guilherme já estiver casado?

— Diabo! Em todo o caso, eu iria falar com o homem.

— Irei... mas sem esperança!

— Vá. Eu vou também conversar com os antigos patrões de Boston, que podem, comigo, testemunhar o fato. O Guilherme deve-lhe uma reparação e há de dá-la.

— Crê?

— Asseguro-lhe.

— Mas se já estiver casado?

— Ora, não estará... e se estiver, tanto pior para eles todos. Talvez vá a tempo de evitar que se realize o casamento; que isto de ingleses, também, casam-se e descasam-se com igual facilidade. Não tenha medo. Esse papel de mártir já não assenta bem nas mulheres deste século... É o que lhe digo. Mas, como lhe afirmei, eu estou representando de seu irmão, e como tal exijo muita franqueza. Tem dinheiro?

Laurinda sorriu, corou e disse acanhada:

— Nenhum...

— Está rica, não há dúvida! Pois, minha cara irmã, aqui tem uma nota de cinquenta mil réis, que por hoje talvez lhe baste. Amanhã procurá-la-ei. Onde mora?

Laurinda deu o endereço do sobrado da D. Delminda, murmurando confusamente um agradecimento.

— Eu sou cúmplice involuntário nesta desgraça toda... lembra-se? Fui eu que lhe apresentei o Guilherme... Quem me diria? Enfim, acabou-se! Vai então já a Niterói?

— Estou tão fraca...

— Tem razão; deve descansar primeiro. Entretanto, eu irei falar com os homens...

— Obrigada...

— Quer que eu a acompanhe?

— Estou perto... prefiro que me vejam entrar em casa sozinha.

— Visto isso.... adeus.

— Até amanhã?

— Até amanhã.

Laurinda saiu para a rua mais tranquila, embora ainda assustada. O encontro com o Oliveira fizera-lhe bem ao espírito. O pai estava salvo!...

Uma tênue esperança desabrochava na sua torturada imaginação. Quem sabe? Talvez que ainda um dia ela subisse, reabilitada, os degraus da casa paterna para lançar-se, comovida e feliz, nos braços da sua pobre mãe!

O casamento de Loló, conquanto a alegrasse, fazia-lhe certa inveja... Como poderia ela pagar aquele inolvidável beijo da irmã, única doçura da sua vida de miséria? Subindo os degraus ensebados da escada de D. Delminda, a moça ia pensando em mil coisas complexas...

Em cima, tomou o lôbrego corredor em direção ao seu quarto, mas, encontrando-o aberto, parou estupefata.

Dentro, uma mulher enorme, de camisolão de chita coleando-lhe nas coxas roliças, cozinhava em um fogareiro de espírito, bem em frente à porta.

Ao lado da cama da Laurinda, coberta com lençóis alheios, havia uns trastes desconjuntados que ela não conhecia.

Que quereria dizer aquilo?

Voltando sobre os calcanhares, Laurinda foi até ao fundo, ao quartinho da senhoria, cubículo mal iluminado por uma janela sobre uma área infecta. Bateu.

— Quem é?

— Sou eu, D. Delminda... posso entrar?

A porta abriu-se e as explicações foram breves.

— O meu quarto está ocupado?!

— Agora... aluguei-o um dia destes... a senhora compreende que eu não podia estar toda a vida à sua espera...

— Mas a minha cama está lá!

— Sua cama? Oh! Filha, pois já se esqueceu de quanto me ficou devendo?!

— Ah... então...

— Chamei um avaliador, homem sério, e fiquei com os seus trastes para o pagamento da dívida... ainda assim, não chegou tudo a perfazer a soma necessária... mas contentei-me e perdoei o resto.

— A minha máquina...

— Está ali... essa fica comigo. O resto vendi. Eram uns cacos.

Laurinda olhava esgazeadamente, ora para a senhoria, ora para a máquina, o seu único auxílio e ganha-pão.

— Eu não lhe devia tanto dinheiro assim...

— Como não?! Se eu estou dizendo que ainda lhe fiz concessões que não são da praxe!

— Isso não se faz!... A senhora sabia que eu havia de voltar...

— Bom! Para recriminações não estou em casa. Vá se queixar à polícia e verá o lucro que tem. A gente, por bem fazer, mal haver! É bem certo. Olhe, a sua roupa está dentro daquele baú...

D. Delminda apontou, com o dedo amarelo e magro, para uma caixa de folha verde que estava a um canto.

— Quando quiser, pode mandar buscar...

— Mas eu nem tenho para onde ir!

— Nesse caso, para que saiu do hospital?

— Não podia ficar lá toda a vida; e depois, contava vir encontrar o meu quarto...

— Essa é boa! A senhora sabe que eu sou pobre, vivo de alugar estes quartos e entendia que só por caridade eu devia prescindir de um dos melhores da casa?! Essa é boa!

— Por caridade, não, eu pago... aqui está o dinheiro, olhe!

Laurinda tremia de indignação, mal contendo a sua raiva; a outra disfarçava, adoçando o seu modo de mulher avara. A nota de cinquenta mil réis produziu efeito seguro. D. Delminda, sem se dar por achada, com gesto tranquilo, continuou:

— Guarde o seu dinheiro, bem sabe que nunca lhe exigi isso... Tenho aqui uma alcova da sala de jantar que está vazia; é barata, porque agora toda a gente exige janela... talvez lhe sirva... venha ver... De mais a mais, tem cama...

A alcova era lôbrega, úmida e com forte cheiro de bafio[182]. Laurinda entrou sem espanto e sentou-se extenuada na beira da caminha de ferro, que vergou ao seu fraquíssimo peso. D. Delminda continuava:

— Fique aqui, que não fica mal... Este quarto é fresco e barato... dou-lhe por quinze mil réis... é de graça... pode correr toda a cidade, que não encontra outra coisa nas mesmas condições... A senhora quer uma xícara de leite! Deve querer, está tão pálida! Vou buscar o seu bauzinho... Descanse... O leite vai lhe dar ânimo...

D. Delminda voltou pressurosa para dentro, ajeitando no pescoço delgado o seu xalinho de malha cor de heliotropo[183]. Era o seu luxo e o único objeto em que despendia sem mágoa... Assim, tinha uma meia dúzia de ficus de várias cores, que ela afagava sobre o peito chato.

Laurinda cedera por indolência e cansaço. Engoliu o leite, espantada da generosidade da velha, mas notando que ele não tinha açúcar...

— Quer que eu a ajude em alguma coisa?

182 Bolor, mofo.
183 Cor vermelho sangue.

— Não...

— Então descanse...

D. Delminda saiu. Na penumbra da alcova bolorenta, com o olhar perdido pelas paredes nuas e o teto sujo, Laurinda, escutando o rumor da sua máquina de Singer movida pela senhoria, pensava que até mesmo os pobres podem ter surpresas e grandes prejuízos... Que iria ela fazer? A ida a Niterói assustava-a... a dor, a miséria e a doença davam-lhe um certo relaxamento moral que não sabia vencer...

Lá fora, na parede da sala de jantar, um cansado relógio ia marcando o tempo, com voz rouquenha e surda.

***

O Sr. Matias assistia à transplantação de uma palmeira de qualidade no seu jardim, onde os arbustos se acumulavam, quando viu D. Mariana empurrar o portão da chácara. O homem gritou-lhe de longe, sem coragem de abandonar a palmeira nas mãos mercenárias dos empregados:

— Levante o trinco, D. Mariana! — e ao mesmo tempo, furioso com os jardineiros: — Do lado esquerdo, diabos! Afunda o ancinho, João! Vá! Upa!

Desagregada, a bela planta saiu por fim do fundo úmido da terra, expondo ao ar as suas longas raízes brancas.

Só então o Sr. Matias se decidiu a ir ao encontro da vizinha.

— Isso é novidade... a senhora por aqui! Desculpe-me não lhe dar a mão, está suja de terra...

— Tilde?

— Saiu... foi ao Asilo. Parece que a irmã Pompília fez umas encomendas de umas toalhas de altar e não sei mais o quê...

— Tanto melhor. Estimo que ela não esteja.

— Sim?!

— Ofereça-me um banco, uma cadeira, qualquer coisa, eu não sei falar de pé.

— Venha para o caramanchão... A minha madama está na cozinha, mas eu vou chamá-la.

— Não é preciso, deixe-a em paz. Conversarei com o senhor, é quanto basta.

O Sr. Matias achou jeito de gritar para os ajudantes:

— O João que apronte as encomendas do Conselheiro! Olha a cabra do diabo, saltando a cerca para o jardim! Atira uma pedra nesse diabo, Manuel!

— Muito fala o senhor no Inimigo!

— Isso não ofende ninguém.

D. Mariana sorriu e sentou-se em um dos bancos do caramanchão. O floricultor, um tanto apressado, indagou:

— De que se trata?

— Da felicidade dos nossos filhos.

— Como?

—Vai ouvir: venho pedir para o Eduardo a mão de sua filha. Entendeu?

— Entendi!... Eu já esperava isso, mas confesso que tão cedo não!

D. Mariana tratava o floricultor com ar severo, entristecida com a ideia de que fosse aquele homem rude, sem nome nem educação, o destinado a ser o sogro do seu filho.

— Já esperava isso... por quê?

— Porque, graças ao Altíssimo, não sou cego nem surdo. Minha filha gosta do seu filho, o seu filho anda há muito tempo enrabichado pela minha filha, e a conclusão lógica desses namoros de solteiros é essa mesma – o casamento! A Tilde vai ficar contente... é um anjo. Eduquei-a a primor... e tem o seu dote, não me descuidei!

— Então, por que a deixa trabalhar para fora?

— Porque entendo que as lições da experiência são sempre as melhores. Seu filho leva mulher que sabe tudo: ela arranja uma casa a primor! Ele faz um casamento de mão cheia!

— E ele? — perguntou D. Mariana, com uns laivos de ironia que escaparam ao floricultor.

— Ele também é bom moço... não digo que não! Aprovo o casamento... Ó Manuel! Olha o diabo da cabra na cerca! Estes bichos!... Atira-lhe com uma pedra! Ah!... Burro!... — E depois de uma pequeníssima pausa: — Então está combinado, os moços casam-se... estou satisfeito; são dignos um do outro. Vou mandar vir uma cerveja para bebermos à saúde dos noivos!

— Espere lá... mas o senhor ainda não consultou nem sua senhora nem sua filha!

— Minha mulher não tem opinião: quer o que eu quero, e quanto à filha, essa bebe os ares pelo Dr. Abrantes! Olhe... no dia 20 do mês que vem ela faz anos... pode-se juntar tudo e fazer-se o casório nessa data...

— É muito breve... Eduardo tem muito trabalho, não pode pensar em outras coisas... anda às voltas com os livros...

— Sim, ele anda amarelo e preocupado... isso mesmo passa com o casamento...

O floricultor não podia esconder o seu contentamento. Ter um genro médico, com reputação feita, filho de uma família considerada como uma das mais distintas do lugar, ele, filho de gente da roça, criado entre os animais de uma fazenda, rústico e sem educação, era coisa que lhe enchia as medidas e o fazia ímpar de orgulho. Ao mesmo tempo, uma melancolia invadia o semblante de D. Mariana. Não era essa a família a que ela desejava entregar o filho, educado com tamanho sacrifício e tantas esperanças!

— Peço-lhe uma coisa...

— Qual?

— Que não fale nisso a ninguém.

— Por quê?

— Porque meu filho é muito severo e nada espetaculoso. Que isto fique entre nós, até marcar-se definitivamente a data do casamento...

— Hum...

— O negócio pode ser demorado e eu prefiro discrição. Nem uma palavra!

— Seja. É esquisito, mas... seja! Ó Manuel! Vai buscar lá dentro cerveja e copos!

— Eu não bebo cerveja...

— Há de beber.

D. Mariana sorriu àquela afirmativa reveladora da educação do Sr. Matias e engoliu a cerveja para se ver livre dele.

Uma hora depois de ela ter saído, entrava Tilde. O pai esperava-a com impaciência e, assim que a viu, sem reparar para a palidez das suas faces nem para o brilho dos seus olhos ainda úmidos, correu para ela e, abraçando-a, disse:

— Parabéns, Tilde! Acabas de ser pedida em casamento para o Dr. Eduardo Abrantes!

Com uma vertigem, Tilde deixou-se cair sobre o peito do pai. Seria um sonho aquela felicidade?

Capítulo XXX
CONFISSÃO E SACRIFÍCIO

O dia estava de um azul suave. Mary acabara de fazer a sua *toilette* e abrira a janela, olhando para fora. Sobre os canteiros floridos voejavam borboletas. As magnólias amarelas despendiam um aroma intenso que embalsamava o ar da manhã. "Como isto é bonito!", pensou a moça; "vou desenhar enquanto espero o almoço..."

Saindo para o jardim, Mary dirigiu-se para os lados da figueira brava, em cujo tronco Mr. Lane tinha colocado parasitas e orquídeas raras.

A velha árvore sombria mostrava-se agora garrida, com as rugas da casca aqui e acolá encobertas pelos chuveiros de ouro ou as pétalas lácteas dos oncídios, róseas ou sanguíneas das cataleias e das laelias.

A velha árvore, toda reverdecida, desenhava no espaço a curva enorme da sua copa. Nos ninhos, entre os seus galhos folhudos, as camaxilras piavam alto.

Mary abriu o álbum, sentou-se em frente à árvore e começou a esboçá-la; tinha apenas os primeiros traços quando viu o pai dirigir-se para ela e sentar-se no mesmo banco ao seu lado.

— Então a figueira já não te assusta? — perguntou Mr. Lane sorrindo.

— Estou bem certa de que a alma das criaturas se transmite à das coisas com que convive... Aí está um exemplo! Esta figueira era tenebrosa, selvagem, eriçada como um bicho em fúria, parecia ameaçar toda a gente de lhe cair em cima...

— E agora?

— Agora está sorridente, florida, alegre, cheia de música e de perfumes. Parece-se com o senhor!

— Muito bonito e muito obrigado. Agora dize-me: pensaste no que eu te disse?

— No casamento com Guilherme Boston?

— Sim.

— Pensei.

— E então?

— Resolvi ir com o senhor para a Nova Zelândia.

— És teimosa, já te disse que isso é impossível.

— Por quê?

— Porque não quero.

— É a razão mais forte...

— Ou tu casas ou...

— Vou para um convento?

— Ou eu não faço a viagem e perco interesses enormes... enormíssimos!

— Isso para um inglês é um sacrifício horroroso...

— É.

— Casar sem amor ainda é maior.

— Qual!

— É.

— Amor! Amor! Ora, basta que o homem ame. A mulher nasceu para ídolo e não para a idolatria. Em todo caso, não teimo e quero que me digas com sinceridade uma coisa: tornaste a ver aquele cigano Ulka?

— Nunca mais...

— Nem te escreveu?

— Nem me escreveu...

— Nem direta, nem indiretamente recebeste algum aviso ou um pedido qualquer da sua tribo?

— Nunca. Por quê?

— É o que eu digo: trata-se de uma armadilha... — murmurou Mr. Lane, levantando-se e sacudindo sobre os sapatos brancos as calças de flanela.

— Que é?

— Nada... nada... desenha a tua árvore.

— Hoje tenciono remar um pouco...

— Fazes bem. O dia está lindo. Vais com Mme. Girard ou com a Rita?

— Vou com a Tilde...

— Já mandaste aviso ao caboclo, para que te espere?

— Já.

Mr. Lane começou a passear de um lado para o outro. Que interesse podia ter Ulka em fazer aquele aviso, senão o de lhe extorquir dinheiro? Ah! Mas bem caro lhe havia de custar a brincadeira! O malvado!...

Nessa manhã a família de *Green House* pouco falou à mesa. Mme. Girard atirava biscoitos à galga, desanimada de entreter conversa com os donos da casa.

Às duas horas Mary saiu com a preceptora para a praia de Icaraí. Aí chegadas, aboletou a francesa à porta do seu barracão em uma cadeira de praia, pôs-lhe nas mãos um livro de Daudet[184] e sentou-se na areia, a seus pés. Tilde não tinha chegado e à pequena distância um caboclo baixo, de peito largo e braços musculosos, feitos à remadora, limpava o pequenino escaler[185] de Miss Lane. A moça ansiava por se ver só com a Tilde, e a testemunha muda do caboclo não parecia encantá-la; por isso, depois de uma pequena hesitação, exclamou:

— Seu Nito!

— Senhora?

— Vossemecê apronte o bote também... Eu não quero ajudante hoje... o mar está sossegado, remarei sozinha!

— Olhe, sá dona, o dia tá traiçoeiro... tá muito azul, mas olhe lá no fundo uma nuvenzinha preta...

— Aquilo não é nada. Vossemecê irá no bote à pequena distância, e isso mesmo nem seria preciso...

O Nito ainda retorquiu:

— Tão certo como eu me chamá Benedito que ainda hoje vem aí ventania grossa... mas a senhora é quem manda... acabou-se.

Nesse momento surgiu na curva branca da praia a figura graciosa de Tilde. O pai deixara-a ali e fizera voltar o carrinho à disparada para o serviço de um freguês.

Nos primeiros minutos só se ouvia o rumor igual dos remos na água e a respiração ofegante de Mary. Nito seguia-as com o bote.

— Não podemos ir longe — disse Mary —, este exercício é violento... Não teve medo, Tilde, de embarcar sozinha comigo?

— Não.

— É corajosa...

— Sou.

As duas moças olharam-se de face. Miss Lane cruzou os remos, deixando o barco flutuar à vontade. A calmaria era completa. Mary continuou:

— Eu não tenho medo do mar, desde criança me habituei à natação. Sabe nadar?

— Não sei.

— Ah...

Tilde olhou. A água tinha uma cor fechada de safira escura. Nas cabeças dos morros, ao longe, nuvenzinhas brancas esgarçavam-se levadas por uma corrente forte de ar. No horizonte, o céu tinha a encobrir-lhe a pureza, como que uma polvilhação de cinza, que o sol atravessava com uma luz de ouro tênue e macia.

184 Alphonse Daudet (1860-97) foi um romancista e dramaturgo francês.
185 Pequena embarcação movida a remo.

— Isto é lindo!

Mary contemplou um tanto admirada a filha do floricultor. Onde teria aquela pequena buscado poesia para as suas contemplações? Achou-lhe no rosto uma expressão de superioridade, o clarão de uma inteligência viva e de uma alma tranquila. O Dr. Eduardo Abrantes tinha razão, aquela mulher deveria ser uma esposa santa, uma ternísssima e doce companheira... e achava-se mais bonita, agora, mais simples, menos esquerda nos seus modos, segura de si.

E a cada ponto da sua observação, Mary sentia recrudescer-lhe no peito o ciúme, um ciúme bravo, indomável, torturante! Ali estava, entregue em suas mãos poderosas, a mulher amada pelo homem que ela adorava, o seu primeiro amor, a sua paixão, a sua vida!

Um sopro mais forte do vento bastaria para voltar aquele fragílimo barco... e só disso talvez dependesse a felicidade do seu coração sequioso... Mary fechou os olhos e apertou os cabos dos remos, com força. Tilde ia dizendo:

— A vida é bem caluniada, não lhe parece? Eu por mim gosto de viver...

— Porque é feliz...

— Se o não fosse, eu encontraria no próprio sofrimento alguma coisa que me demostrasse que não nascemos para coisa nenhuma... e depois, os próprios infelizes têm esperança...

— Nem sempre.

— Sempre.

— A seu ver, em que consiste a verdadeira felicidade para a mulher?

— Em encontrar um marido que a ame e a quem ela adore!

— Oh, a senhora não é nada moderna... — e Mary franziu as sobrancelhas e sorriu com amargura.

Tilde continuou:

— Eu tenho, como já lhe disse, uma educação muito imperfeita, não atino com a maneira de esclarecer com as palavras o meu pensamento, mas o que tenho na consciência é isto. E a senhora, como entende a felicidade?

— Assim mesmo... um marido amado, inteligente, sério, que ame também a esposa acima de todas as coisas, perdoando-lhe os seus erros, louvando-lhe as suas virtudes... Ser amada! Ser amada! Essa é a única ventura da terra! Não a conhece, Tilde?

A filha do floricultor corou e os seus lábios tremeram como se apalpassem uma palavra difícil de dizer. Impaciente, nervosa, Mary insistiu, dizendo:

— Afirmaram-me que a senhora é noiva! É?

— Sou.

Mary sentiu um relâmpago faiscar-lhe diante dos olhos. Era verdade então, era tudo verdade! O coração pesou-lhe no peito como se toda aquela água amarga do oceano o tivesse enchido... Em um desvario de ciúme, a moça pensou em levantar nas mãos um dos remos. Matar era tão fácil, naquela solidão...

Diante dela, Tilde tinha sempre a mesma expressão doce e calma.

Indo à mercê da corrente, o bote afastara-se um pouco. A nuvenzinha negra, apontada pelo caboclo Nito, desenrolara subitamente pelo céu azul um véu lutuoso. As gaivotas voavam para a terra, espantadas e pressurosas, e a água escura, até aí compacta e sossegada, borbulhava agora, encrespando-se, muito sombria e ameaçadora. O vento da barra soprava com força, como se houvera arrombado alguma porta imensa, de repente!

O caboclo gritava, indicando a Mary que voltasse para terra, depressa, e, à grandes remaduras, vibradas com valentia, procurava aproximar o seu bote do bote das duas moças. Um trovão forte reboou no espaço, cortado por um lampejo de raio, e nesse instante uma vaga mais túmida ergueu no dorso o barco de Miss Lane.

A moça, porém, mal prestava atenção àquela borrasca[186] súbita. Toda a sua vida se concentrava agora no coração. O ciúme invadia-a toda, com um sentimento de rebelião e de ódio. Com os olhos chamejantes, a mão crispada no remo pesado, ela, olhando de face para Tilde, murmurou ainda, com os dentes cerrados e o rosto pálido como a cera de um altar:

— Disse que é noiva? Noiva?!

— Disse.

— De quem?!

Fazendo esta pergunta, Mary erguia instintivamente o remo. Aquele ato não obedecia a uma vontade fria, era imposto pelo seu zelo cruel, pela sua decepção atrocíssima! O nome de Eduardo, a confirmação do seu amor pela outra torná-la-ia louca... capaz de todos os crimes. O mar aí estava negro, sepultura digna daqueles dois corpos brancos, de virgens amorosas... O desfecho daquela cena Mary já o traçara, em um segundo de alucinação: mataria Tilde e matar-se-ia em seguida. A vida era o amor; sem o amor melhor seria a morte.

Tilde mostrava uma confiança assustadora, impassível no banquinho da ré; com as mãos amparadas nas bordas do bote, ela fixava com tristeza o semblante perturbado de Mary; esta, com voz desigual, perguntou ainda uma vez, quase em um gemido:

— Noiva de quem?!

— Do Senhor! — respondeu Tilde com lágrimas nos olhos, apontando para o céu tempestuoso.

186 Ventania impetuosa e repentina.

Mary encolheu-se, com um calafrio, como se sentira de repente a remissão de uma febre violenta. No meio da tempestade, a voz argentina de Tilde vinha até à sua alma aflita como um clarão de estrela!

A filha do floricultor continuou:

— Quero ser irmã de caridade... é a minha vocação!

— Meu Deus!

— Que tem, Mary?

— Perdoe-me... perdoe-me!...

Miss Lane chorava comovida.

Nesse instante o caboclo Benedito, ou Nito, como todos o chamavam, aproximou-se do bote e lançou-lhe uma corda à proa, pedindo que a amarrassem ao argolão de ferro.

Mary acordou em sobressalto. A tempestade desencadeava-se com força, brutalmente!

— Olha o leme, senhoras! — gritou Nito.

Mary remava com vigor para a terra, ansiosa de pôr Tilde em lugar seguro. As ondas sucediam-se agora, dificultando-lhe o trabalho; entretanto, ela não esmorecia, atônita de ver a serenidade da sua companheira!

Nito conseguira fazer passar a corda no bote das moças, ajudado por Tilde, que mal se equilibrava aos balanços do barco. A distância era curta e foi transposta sem acidentes. Na praia, Mme. Girard erguia as mãos ao céu, em súplicas e imprecações.

— Que imprudência... Mary, *que tu est folle!*[187]

Chegadas à terra, Miss Lane arrastou Tilde para dentro do barracão, onde se realizara a sua festa de *sport*. Aí, a um canto, sentou-a em uma cadeira de vime e, ameigando-lhe os cabelos, disse:

—Tilde, consente que eu a trate por tu?

— Sim... eu queria pedir-lhe isso mesmo...

As duas abraçaram-se, chorando. O mesmo sentimento era a nascente daquele pranto. Mary chorava, envergonhada da sua ideia terrível, fazendo-se pequenina, querendo ser perdoada, feliz por saber que Eduardo era livre, que a outra não o amava...

Tilde chorava, porque compreendia tudo e acabara de renunciar para sempre à única felicidade com que sonhava na terra.

Sem coragem, no pudor original das suas almas, nem uma nem outra falou do médico, embora tivessem ambas ímpetos de lhe balbuciarem e repetirem o nome...

187 Traduzido do francês: que você é louca!

Tilde, mais serena, contou ter ido ao Asilo na véspera, pedir à irmã Pompília que se interessasse por ela. Estava tudo combinado: entraria como irmã para o Asilo antes do fim do mês... Indagou se Mary não era noiva de Boston.

— Que não — respondeu-lhe a outra.

As suas confidências foram interrompidas nesse ponto pelo vozeirão do Sr. Matias que, mal cumprimentando Mme. Girard, com o pretexto de a não interromper na leitura, gritava para dentro:

— Tilde? Não te demores! O Mefistófeles está fatigadíssimo... avia-te!

No carrinho, a caminho da cidade, ele disse à filha:

— Bem, agora precisas ver se estas relações com a filha do inglês agradam ao teu noivo...

Tilde sorriu com infinita tristeza.

— É preciso também tratar de fazer o enxoval... ouviste? A D. Mariana não sabe tratar de negócios... pôs-se lá com demoras e tolices. Eu vou logo à noite falar com o próprio Eduardo...

— Não vá!

— Deixa-te de asneiras!

— Falarei eu mesma.

— Então apressa-o. — Tilde sorriu. — Ouviste?

— Ouvi.

— Pois é abreviar... Convence-o disso, porque senão falo eu, e vai tudo raso!

A resolução de Tilde estava tomada. Na véspera, ao receber do pai a notícia inesperada do pedido de Eduardo, a alegria e perturbação foram tamanhas que a fizeram passar por uma vertigem. Mais tarde, a comoção acalmada, Tilde refletira e compreendera tudo. D. Mariana, no seu despeito por Mary, dera-lhe a perceber por várias vezes isso mesmo. Aquele casamento importaria para Eduardo em um sacrifício que ela não saberia pagar, com todo o seu amor!

O caminho a seguir era só um, o da abnegação. No fim haveria de encontrar paz para o seu coração atribulado. Viver é amar! — dissera Mary; para ela a frase podia ser com mais justiça: viver é sofrer!

Assim Tilde quis levar ao fim o seu programa. Tinha prometido voltar à *Casa Verde*, propusera-se surpreender o segredo de Mary, obrigá-la a ser feliz, e não quis faltar a esse compromisso.

Foi, e leu no rosto alterado de Miss Lane a verdade das suas suspeitas; sentira-lhe o ciúme, o ódio, todas as alternativas e graduações por que passara a alma apaixonada da moça; e, quando voltou, trazia no coração uma esperança de menos e uma resolução a mais.

Capítulo XXXI
UMA BOA NOVA

Recostado na melhor cadeira do escritório de Eduardo, Carlos Ramos falava-lhe de si, gabando-se de ter vencido a rebeldia da viúva Torres.

O médico ouvia-o com ar distraído, perturbado por outras ideias.

— Obriguei-a a amar-me — dizia Carlos com orgulho —; ela diz que não, mas vejo-lhe nos olhos que bebe agora os ares por mim! Começa a interessar-se pelos meus gostos e procura adivinhar-me os pensamentos... As mulheres são sempre assim, não resistem a uma vontade forte.

O médico sorriu com ironia e ia responder quando viu abrir-se a porta do interior e aparecer D. Mariana, com ar inquieto, conquanto satisfeito.

— Preciso falar-te, meu filho.

Carlos levantou-se e procurou o chapéu.

— Fique. Você auxiliar-me-á, Carlos. Eu não sou boa advogada quando se trata dos meus interesses.

Eduardo abraçou D. Mariana, murmurando:

— Não seja injusta. Os seus desejos são sempre os meus.

— Veremos.

— De que se trata?

— Do teu testamento.

Eduardo mordeu o bigode, contrafeito. Carlos exclamou, rindo:

— Olá!

D. Mariana sentou-se.

— Antes de tudo, Eduardo, ouve-me com toda a calma. Tu és um agitado, um nervoso, e nem a gente sabe às vezes como há de falar contigo.

— Pelo amor de Deus, minha mãe!

Carlos, percebendo que o assunto era melindroso, mal disfarçava o seu constrangimento, e encolhia-se calado a um canto.

D. Mariana continuou:

— Vendo, meu filho, que a tua paixão pela filha do inglês é mal correspondida, que ela tem a estupidez de preferir a ti um simples caixeiro de fábrica, e que a tua saúde se ressente das decepções desse amor, em má hora nascido, pensei que o único meio de salvação para ti, como eu já te disse, era casares-te com a Tilde, que te ama com excesso, e é uma excelente criatura, modesta, leal e simples. Falando contigo, não encontrei relutância para esta ideia e, antes que mudasses, tratei de pôr a minha teoria em prática, fui à casa do Matias (perdoa-me dar-te um sogro tão grosseiro) e pedir-lhe, para ti, a mão da sua filha...

Eduardo, muito pálido, murmurou a custo, com os lábios trêmulos:

— Oh! Mas isso é impossível...

— Não é tal. É o único caminho para a felicidade. A amizade sólida da Tilde e o seu carinho vencerão o teu amor por Mary...

— Nunca! Nunca e nunca!

— Mau... já começas a alterar-te!

— Mas eu não sou nenhuma criança... A senhora cometeu um erro grave, uma leviandade imprópria do seu espírito! Eu não acedi à sua proposta, calei-me... precisava refletir. Tilde é um anjo, reconheço, mas não a amo e não a poderei fazer feliz...

— Eduardo...

— Não posso.

— Meu filho!

— Eu não quero casar-me. Já disse.

— Mas... Imagina o alvoroço que vai a estas horas lá pela casa da pobre moça... Ela não estava em casa... depois saiu com o pai, disse-me a Carolina; julgo que foram à *Casa Verde*... Talvez que até já tivessem participado à outra o teu pedido... Pobre anjo, tem pena dela, Eduardo.

— Não, não... Peça-me tudo quanto quiser, minha mãe, mas isso não!

— Ela adora-te!

— Não basta.

— Considerar-se-á a pessoa mais feliz do mundo se te casares com ela...

— Não basta.

— Tilde é paciente, resignada, discreta, trará ao teu lar a prosperidade, o sossego de que o teu espírito precisa para os estudos a que te entregas...

— Não basta.

— Se não bastam tantas qualidades, não sei que mais queres!

— Quero amar aquela a quem der o meu nome. Que lhe responderam?

— O Matias não soube disfarçar o seu orgulho e contentamento. Agora, quanto à filha, não estava em casa, mas é fácil de prever a sua resposta... Ama-te tanto!

— Que tortura!

— Meu Eduardo, sempre te considerei como um grande coração, um belo caráter e um talento superior, mas também como a um filho a quem em muitos casos eu preciso conduzir pela mão, como fazia quando eras pequenino; assumo a responsabilidade do meu ato e exijo que me obedeças.

Eduardo começou a passear nervosamente pela sala. Carlos folheava uma revista qualquer, vendo as letras embaralharem-se diante dos olhos.

Estavam em silêncio quando ouviram estalidos de passos miúdos na areia do jardim.

— Quem será?

A Carolina, demonstrando que ouvira tudo, enfiou a cabeça pela porta e sussurrou à pressa:

— É dona Tilde.

— Ah!

Um arrepio percorreu por todos.

Daí a nada, Tilde entrava no escritório do médico, desembaraçava-se da sua capa e dava a todos as boas noites com o ar mais sereno que imaginar se possa.

No seu rosto havia uma expressão de tristeza, sem pieguice, tristeza digna de uma alma bem formada.

A moça, percebendo, pela atitude das três pessoas, de que assunto se tratava e que ela caíra a propósito, chegou-se a D. Mariana, beijou-lhe a mão e disse com sincera comoção:

— Obrigada... obrigada!

— Oh! Minha filha...

— Não me chame assim...

Eduardo, abaladíssimo, voltou o rosto para a janela e estava olhando para o escuro, quando sentiu a mãozinha de Tilde tocar-lhe o ombro. Voltou-se; a moça, com a voz ligeiramente trêmula, as faces acesas de pudor, disse:

— Dr. Eduardo... o seu pedido surpreendeu-me... mas...

D. Mariana, impaciente, aproximou-se de Tilde e interrompeu-a:

— Mas há de procurar fazê-lo muito feliz, não é verdade, Tilde?

— Não... perdoe-me, minha amiga, mas eu não quero casar-me.

D. Mariana recuou, boquiaberta. Eduardo e Carlos não tiveram menor espanto e conservaram-se silenciosos, na expectativa. Tilde continuou:

— Dr. Eduardo, a sua confidente foi hoje à *Green House* e traz-lhe uma boa nova: Mary ama-o.

Eduardo sentiu uma perturbação enorme e D. Mariana exclamou com raiva:

— Ama-o! Mentira, é uma impostora e eu detesto-a!... É a você que eu quero, Tilde; é você que há de ser a minha filha, que há de fechar estes meus olhos, já tão cansados de chorar...

— Não posso... Não chore, D. Mariana. Eduardo será mais feliz com Mary...

— Mas por que é que não há de ser com você?!

— Porque eu fiz um voto... Vou ser irmã de caridade...

— Meu Deus!

— Que tem? É uma vida calma, como me convém. Não é verdade, Dr. Eduardo, que eu nasci para ser irmã de caridade?

Eduardo lembrou-se subitamente do que dissera um dia à filha do floricultor e, tomando-lhe a mão, beijou-a, soluçando alto.

A cena foi rápida. Tilde desembaraçou-se e fugiu.

D. Mariana, erguendo-se, murmurou com ironia, para o filho:

— Está o senhor livre dos seus compromissos! Pois creia que o não felicito. — E voltando-se para Carlos: — Tinha eu razão ou não para elogiar Tilde?

— Depende do modo de ver as coisas...

— Como assim?! Pois não compreendeu o seu ato de abnegação, de... caridade, digamos assim?

— Compreendi.

— Então?!

— Resta saber se a abnegação é coisa que se deva elogiar. Por que fez aquilo? Porque quis. Logo, satisfez uma vontade ainda mais forte do que o seu amor. Os sacrifícios dessa ordem, cá na minha opinião de homem prático, podem ser rotulados com um dístico que os confunda com a tolice. Se eu procuro socorrer o meu vizinho, que se afoga na mesma água em que eu vou ao fundo, eu lhe sirvo de tábua de salvação, ficando depois sozinho a boiar à tona, sem um sopro que me impila para boa praia, faço ação louvável? Não. Obedeci ao meu sentimento, coisa herdada da natureza, como o outro, que não me socorresse, obedeceria ao seu instinto. Creio que foi em Alphonse Karr[188] que li umas belas páginas nesse sentido. Recomendo-as, D. Mariana! O que está feito, está feito. Mary ama Eduardo? Se Eduardo ama a Mary, tanto melhor. Parabéns a ambos. Saio contente.

— Eduardo nunca se casará com ela...

— Por quê?

— Porque eu não quero! — gritou D. Mariana, com violência.

Os dois rapazes acharam de maior prudência o calarem-se; D. Mariana retirou-se magoada e fechou-se por dentro no seu quarto.

— Também me foi dado, a mim, conhecer um mau quarto de hora! Tem o Rabelais[189] mais um companheiro — disse Carlos, rindo. — Con-

188 Jean Baptiste Alphonse Karr (1808-90) foi um jornalista e romancista francês.
189 François Rabelais (1494-1553) foi um escritor francês.

fesso-te, Eduardo, que a situação de ouvinte nem sempre é agradável! Enfim, deixo-te com o coração em festa. Como diabo poderia a Tilde descobrir o amor da Miss Lane por ti?

— Não sei...

— Naturalmente interrogou-a... Tu falas inglês?

— Não.

— Nem eu.

— Por quê?

— Para as palestras com o sogro...

— Não te rias... eu não creio ainda que Mary me ame... Tilde entendeu mal... talvez...

— Pede-lhe explicações antes que ela entre para freira... porque depois, é proibido falar de amor, principalmente dos outros...

Instantes depois, Eduardo, sozinho no seu escritório, abalado pelas grandes sensações da tarde, estremecia com a ideia de que, talvez nesse mesmo momento, o coração de Mary palpitasse por ele.

A dúvida vinha logo sufocar essa esperança. Ser amado por Mary! Que sonho delicioso!

***

A essa mesma hora, Guilherme Boston, na solidão do seu quarto, deitando para o ar o fumo de um magnífico *havana*[190], combinava o seu plano.

Toda a sua vida e fortuna se decidiriam em poucos dias... Se Mary cedessem enfim à vontade do pai, e lhe enviasse o sim tão desejado, ele entraria sem trabalhos nem perigos em uma existência farta e ostentosa; mas se a moça lhe mandasse um não, o cigano Ialim trá-la-ia narcotizada para os seus braços amorosos...

A sua divisa agora era esta: *Por bem ou por mal.*

Não o assustava a ideia de um escândalo. Ele bem sabia que a sociedade tem olhos brandos e compassivos para os crimes de amor... Mr. Lane dera-lhe oito dias para uma resposta; o prazo chegava ao seu termo...

Em tudo aquilo, tanto o seduzia a posse de Mary, a quem amava com loucura, com a ambição do dinheiro e de uma posição estável e vistosa... Via-se dono de bons cavalos e de carros magníficos, coisas de aparato, que sempre lhe haviam causado inveja.

O tempo parecia-lhe vagaroso na sua marcha, e era com sofreguidão que esperava os acontecimentos, certíssimo do seu triunfo!

190 Charuto cubano.

Capítulo XXXII
A ENTREVISTA

D. Delminda acabava de fazer os seus assentos em um caderninho encardido, quando sentiu baterem no corredor, repetidamente. Correu a ver quem era, supondo ser o novo inquilino para o quarto da sala, agora com escritos. Era o Oliveira. O moço batera com a ponta da bengala no assoalho e olhava para as paredes sujas, com ar desconfiado e melancólico. D. Delminda interrogou-o logo:

— Deseja ver o quarto, não é assim? É excelente, o melhor da casa... Faça o favor de entrar, é por aqui...

— Mas, minha senhora, eu...

—Verá que não exagero... é um quarto magnífico, próprio para pessoa de tratamento...

Ela ia na frente, muito lépida, admirada de lhe cair em casa um indivíduo tão bem trajado. Aquilo era o seu sonho, ter só desses inquilinos de gravata limpa. Oliveira seguia-a maquinalmente.

— É aqui; faça o favor de olhar!

D. Delminda escancarou a porta de um quarto nu e mal lavado, fazendo, no impulso, estremecer a parede de tabique. Oliveira sorriu e iniciou novo protesto:

— Mas, minha senhora, eu...

— Não pode encontrar coisa melhor no centro da cidade. Isto aqui é muito fresco.

— Eu imagino!

— É muito saudável. Afirmo-lhe que ainda não morreu ninguém neste quarto!

— Nem desejo ser eu o primeiro.

— Não será, não, descanse. Avista-se toda a rua... Ora, faça o favor de chegar à janela... A vizinhança não incomoda... Francamente, este aposento é o que há de bom e de bonito!

Oliveira sorriu, chegou-se à janela, viu um trecho de rua estreita e suja e, voltando-se para a feroz locatária, rompeu a falar depressa, com medo de que ela o interrompesse:

— Eu não vim contratar cômodos, vim visitar uma inquilina sua, a D. Laurinda Figueiredo, e peço-lhe que me anuncie ou me leve à sua presença, porque estou com pressa.

— Ah!... O senhor deveria ter dito isso logo!

— Não tive ocasião...

— Bem! A D. Laurinda, coitada, não tem passado bem... É uma mártir. Eu tenho feito o que posso para amenizar os seus tormentos... É melhor irmos para a sala de jantar...

Oliveira acompanhou-a, submisso.

Daí a instantes Laurinda aparecia e D. Delminda reabria na mesa o seu caderno de notas, abrindo os ouvidos curiosos para o que a filha do Major e Oliveira dissessem.

Depois de alguns cumprimentos banais, houve este diálogo entre ambos:

— Foi falar com os patrões de Guilherme?

— Fui, mas não encontrei o dono da casa no negócio...

— Ah!... Então?

—Voltarei lá hoje, agora mesmo.

—Vim preveni-la de que a Loló se casa hoje...

— Já?! — Laurinda abaixou o rosto, chorando baixo. E depois: — Estou fraquíssima... As comoções que experimentei no dia em que saí do hospital abalaram-me tanto que tenho estado de cama... Foi por isso que ainda não fui a Niterói...

— É pena. Hoje seria um belo dia para uma reconciliação... Não lhe parece?

— Pobre de mim...

— Coragem!

— Tenho-a. O senhor fez bem em vir. Eu preciso de estímulo e de proteção. Loló casa-se hoje!... É indispensável, portanto, que hoje mesmo eu fale a Guilherme...

— A Guilherme, para quê? Ao patrão, ao pai da tal rapariga, isso sim!

—Vai ao casamento de minha irmã?

— À noite, com a senhora.

— Comigo?!

— Sim.

— É impossível!... É uma loucura!... Nem lá me receberiam...

— Engana-se.

— Por que diz isso? Não vê que ardo em febre? Tenha piedade de mim!

— Escute: é bom estar prevenida. Falei a seu respeito à sua mãe.

Laurinda ergueu-se, muito pálida.

— Quê?

— Falei a seu respeito, repito; disse-lhe tudo, tudo e tudo!

— E ela?

— Chorou.

— Mas não me quer ver, porque se quisesse...

— Não poderia vir ao seu encontro, porque de propósito eu fingi ignorar a sua morada!

— Então!

— Combinamos o seguinte: eu procurá-la, descobrir o seu esconderijo e levá-la esta noite ao lar paterno. A Loló casa-se e parte à tarde com o noivinho para as Paineiras. Entretanto, D. Miloca prepara o ânimo do marido, aproveitando-lhe a comoção para o choque da sua chegada. Sai uma filha de casa, entra a outra, nada mais natural. Amanhã já a senhora dormirá no seu quarto, e fará as torradas para o chazinho dos seus pais... O plano não é mau, somente para ser melhor é preciso esclarecer o fabricante, contar-lhe tudo e ver se assim o Guilherme cumpre o seu dever. Será ouro sobre azul. Não lhe parece?

— Como o senhor é bom!

— É preciso não perder tempo. São onze horas. Seja qual for a resposta do inglês, venha resolvida a ir comigo, às oito horas, para a casa... para a sua casa!

— Não me atrevo... Tenho vergonha...

— Sua mão adora-a! Se a visse!...

— Pobre mamãe!

— Não chore... até logo.

— Onde nos encontraremos?

— Aqui... Virei buscá-la.

Oliveira saiu e Laurinda, febril e ansiosa, mal atinava com o que fizesse. O coração batia-lhe, vinha-lhe o riso aos lábios e as lágrimas aos olhos a um só tempo. À felicidade juntava-se o medo e a vergonha. D. Delminda observava-a de esguelha, fingindo-se toda entregue às suas contas de multiplicar.

— Enfim! — murmurou Laurinda, sacudindo o xale, companheiro dos seus arrepios de febre. Um ar novo transparecia no seu rosto simpático. Fosse como fosse, reabilitada ou não, acabara-se a penúria daqueles dias de abandono, de lágrimas, de isolamento, de frio, de fome, de agonia muda e insuportável. Nessa mesma noite, os seus lábios já há tão longos meses sem o doce contato de um beijo, roçariam nas mãos honestas e generosas dos seus velhinhos amados! Como seria tenro, longo, doce o seu primeiro abraço...

Laurinda entrava e saía do quarto, preparava-se para a visita a Mr. Lane; vestiu a melhor saia, enfiou o casaco, apertou mais as tranças e, desajeitada, com os ombros atirados para a frente, o peito fundo e os olhos vermelhos de tantas lágrimas, despediu-se de D. Delminda com um simples "até logo" e desceu os degraus com ligeireza.

O dia estava quente. Laurinda caminhava ao sol, sem nem ao menos perceber-lhe o calor. Só sentia o que lhe ia na alma, de alvoroço, de esperança, de assustada e indefinida alegria.

As ideias tumultuavam-lhe confusamente o cérebro; queria reter algumas, coordená-las, mas não sabia como prendê-las, sentia-as passar, irem e virem em voos rapidíssimos e fugazes. De que palavras se serviria ela para descrever ao velho fabricante a sua terrível situação? Atendê-la-ia ele? E se o casamento de Guilherme já se tivesse realizado?

Laurinda mal sabia onde punha os pés, as pessoas e coisas bailavam-lhe adiante da vista, como se todas fossem unicamente filhas da fantasmagoria.

Ia direita ao seu fito, sem saber de que meios se havia de servir para realizar a única aspiração da sua alma.

***

Entretanto, Oliveira dirigia-se para o armazém da rua de S. Pedro, onde Boston fora empregado. Aí chegando, viu logo reluzir, no fundo taciturno da casa, a grossa corrente de ouro do seu Domingos, cujo ventre enorme, coberto pelo branco das calças e do colete, desenhava uma curva de lua cheia perto do balcão.

Um cheiro de madeira embebida em vinho desprendia-se com força dos tonéis. O Oliveira, habituado a entrar ali com familiaridade, embarafustou com desassombro por entre as pipas de Porto, de Viagem, de Colares e de outras marcas de vinhos portugueses. Ao mesmo tempo que ele, entrava outra pessoa no armazém. Ouvindo perguntar ao caixeiro pelo seu Domingos, com sotaque inglesado, o Oliveira voltou-se, parou e lhe deu passagem.

Seu Domingos avançou, com uma interrogação nos olhos.

— Adeus, Oliveira.

— Adeus, Domingos, preciso falar-te, mas esperarei — concluiu o moço, fazendo um gesto para que atendesse primeiramente o inglês.

— Que deseja?

— Falar-lhe.

— Alguma compra de vinhos, não é assim? Ainda ontem recebemos uma bela partida...

— Não se trata disso. Venho pedir-lhe uma informação... Eu sou o fabricante Henrique Lane, da Praia Grande.

— Perfeitamente... perfeitamente! — interrompeu seu Domingos, lembrando-se do pedido de Guilherme Boston.

O Oliveira, ouvindo tais palavras, prestou o ouvido e, muito calado, coseu-se ao balcão.

— Quer subir ao escritório? — indagou seu Domingos.

— Não é preciso, não se trata de segredos; o motivo da minha visita é simples, limita-se a isto: o senhor teve aqui um empregado de escritório chamado Guilherme Boston?

— Sim, senhor.

— Esteve muito tempo na casa?

— Cerca de três anos.

— Em que conta o tinha?

— Na melhor possível.

Oliveira estremeceu e fixou os olhos curiosos no rosto afanado e brilhante de seu Domingos.

Mr. Lane continuou:

— Ele foi sempre assíduo no trabalho?

— Sempre.

— Foi também correto nas sua contas?

— Sempre correto.

— Calado e atencioso?

— Sim, senhor, isso mesmo.

— Não jogava nem tinha outro qualquer vício que o desabonasse?

— Nunca lhe conheci vício algum. O Boston era o modelo da morigeração.

— Bom... bom. E... desculpe-me se lhe pareço miúdo e importuno, mas assim é preciso: por que saiu ele de sua casa?

Seu Domingos não estava bem preparado para esta pergunta, e revirando para o teto sujo os olhinhos castanhos, coçou o queixo com as unhas rentes.

— Homem... ele... andava a modo que adoentado... e depois meteram-lhe na cabeça que devia sair da cidade... se quisesse viver...

— Ah! Ele não tinha saúde?!

— Muita. Uma saúde de ferro até. Mas... teve uma constipação, e como é muito cuidadoso, julgou melhor passar-se para o outro lado. Além do quê, ele exigia um ordenado que nesse tempo nós não estávamos habituados a pagar...

— Em resumo: foi um bom empregado?

— Excelente empregado. O Guilherme Boston é o que nós chamamos, na nossa gíria comercial, uma boa praça. Aquele há de ir longe...

O Oliveira, sabedor da triste e desairosa maneira porque Guilherme tinha saído daquela casa, passava imbecilmente o olhar nas faces oleosas de seu Domingos.

"Que quererá dizer tudo isto?", perguntava ele de si para si.

Mr. Lane, sempre grave, muito sóbrio em gestos e em palavras, continuou:

— Da sua família pode dizer-me alguma coisa?

— Pouca... melhor dizendo, nada. A mãe é uma viúva, creio que abastada... o pai era inglês... ouvi dizer que de uma família muito distinta!...

— A viúva ficou rica?

— Creio que sim... eles não são do Rio, são lá da roça...

— Sei. É tudo quanto me tem a dizer?

— É tudo.

— Muito obrigado. Estou satisfeito.

Entretanto, Oliveira mordia o bigode e, visivelmente nervoso, dava sinais de viva impaciência. Vendo que Mr. Lane se dispunha a sair, Oliveira rompeu com o acanhamento que o embaraçava e disse:

— Peço-lhe desculpas, Sr. Lane. O acaso fez-me ser testemunha de uma cena que me obriga a intervir com lealdade onde não fui chamado, mas a pessoa de quem se fala é muito minha conhecida e julgo poder dar a V. Exa. informações exatas e esclarecedoras.

— Ah...

— O meu nome é este.

Oliveira entregou a Mr. Lane um cartão de visita.

Mr. Lane revirou o cartão entre os dedos, com ar seco e desconfiado. Seu Domingos esbugalhava os olhos, fazendo trejeitos para o amigo.

— As suas informações confirmam as do Sr. Domingos, não é verdade?

— Não, senhor.

— Ah...

— As minhas são absolutamente opostas. Guilherme Boston é um ambicioso, que tudo sacrifica ao seu interesse. A minha palavra pode não ter autoridade, visto que V. Exa. não me conhece, mas tenho provas irrecusáveis.

— Aceito e desejo vê-las. Onde estão?

— Em um velho sobrado da rua da Misericórdia. A história é curta; não desejo ser eu a contá-la. Se quiser acompanhar-me, dentro de uma hora terá ensejo para fazer um grande ato de justiça e de reparação.

— Não entendo...

— É cedo demais para isso. Peço-lhe que acredite que não denuncio Boston à toa; faço-o para que isso reverta em benefício de alguém que ele prejudicou.

— Hum... hum...

Nos olhos de Mr. Lane lia-se a dúvida. Seu Domingos achou jeito de escapulir-se, graças a um freguês que providencialmente o reclamou. Oliveira contou, então, em voz baixa, vários episódios da vida de Guilherme;

como ele abandonara a mãe, viúva de um inglês maquinista, morto pelo trem em um dia de bebedeira... citou por alto a parte referente à sua pouca honestidade comercial e desvendou mesmo um pouco da sua traição à desgraçada filha do Major Figueiredo...

Mr. Lane, sempre desconfiado, negou-se a acompanhar o outro à rua da Misericórdia. Ele falaria com Boston, saberia toda a verdade nesse mesmo dia... julgava isso mais leal e mais correto.

Oliveira não insistiu. Para quê? A verdade, diz o povo, aparece sempre, e a sua consciência, pacificada pelo desabafo, já o não condenava por não valer à Laurinda!

Mr. Lane consultou o relógio; tinha ainda de ir às Laranjeiras conferenciar com o seu velho amigo Bryning. Estava escrito que só voltaria à noitinha para *Green House.*

***

Na barca, olhando para o mar onde as rodas revolviam flores de espuma alvinitentes[191], Laurinda, extenuada, tinha o modo imbecil, a fixidez de quem pensa em um só objetivo, sem desvio de espécie alguma.

Morrer... deve ser bom, quando se tenha o coração macerado por tamanhas agonias. Fechar os olhos, dormir um sono pesado, sem sonhos, sem suspiro, sem movimento, não será a mais doce recompensa para os agitados pelo sofrimento? Outra vida é uma ameaça para os tristes, que na morte só querem o nada e o repouso eterno.

Para a miséria, a única coisa que sorri na morte é o esquecimento. Viver é lembrar e é esperar.

Laurinda, a cada decepção, via surgir no fundo ressequido do seu espírito uma esperança tênue, a que ela se apegava com ambas as mãos. Durava pouco o engano; a esperança acabava e nem as lágrimas salgadas lhe mirravam a seiva para novos, mas frágeis rebentões...

Eram quatro horas da tarde quando, trôpega de fraqueza e de cansaço, Laurinda puxou pela campainha do portão de *Green House*. O jardineiro acudiu depressa e a moça entrou, pedindo com modo humilhado e meigo que a deixasse descansar um bocado em um dos bancos à sombra.

Estava morta de cansaço.

O jardineiro respondeu que estivesse à vontade e agachou-se, tesourando o gramado de um canteiro.

191 De cor branca e brilhante.

Laurinda sentou-se e contemplou o que a rodeava. As roseiras em flor espalhavam no ar um aroma suave. No lago, dois cisnes brancos nadavam indiferentes e satisfeitos, cônscios de que a natureza reservara para eles a melhor sorte da terra. A sua beleza preserva-os das grandes desventuras a que outros animais estão sujeitos.

Vida de cisne, aí está um título que bem pode sugerir um livro.

Laurinda admirava a profusão de plantas ornamentais e de flores, plantadas em bosquetes dentro de relvados extensos e bem tratados. Ao lado da casa, quase na esquina da frente, atraiu-lhe a atenção a enorme figueira brava, toda vestida agora de parasitas vistosas.

"Como isto é bonito e confortável!", pensava a moça, seguindo com o olhar as hastes de hera que, unidas às paredes da casa, a vestiam de verde intenso e de uma frescura campestre deliciosa. Compreendia a razão do título – *Casa Verde* – e vinha-lhe uma certa inveja de não ter realizado nunca a sua casa como a sonhara em solteira, com rosas nas janelas e violetas nos canteiros...

Já mais repousada, Laurinda perguntou ao jardineiro:

— Poderei falar ao dono da casa?

— Saiu.

— E à dona?

O diabo do homem, persuadido de que tratava com alguém que viesse pedir esmola ou solicitar trabalho, não se cansava com o responder depressa. Fez-se esperado e depois disse:

— Poderá...

— E o dono da casa, quando voltará?

— O patrão?

— Sim.

— Foi para a fábrica. Só volta para o jantar.

— Precisava... queria falar-lhe...

— Hum!... Olhe, aí vem D. Mary!...

Laurinda olhou na direção apontada pelo jardineiro e viu a mesma moça do escaler, que se entretinha agora fazendo um ramo de flores.

Mary não tinha dado por ela e continuava na sua tarefa, colhendo aqui um hibisco, ali uma dália ou uma açucena para o seu ramo já bem avultado.

A filha do Major Figueiredo sentiu que um suor gelado lhe inundava o rosto, e foi com as pernas trêmulas, sacudida pela angústia de estar em frente à esposa de Guilherme Boston, que se aproximou de Mary, murmurando:

— Minha senhora! Desculpe-me a ousadia, mas peço-lhe que me conceda duas palavras em particular...

Mary voltou-se, sobressaltada, e reparando para a pobreza dos trajes de Laurinda, acreditou que ela fosse uma pobre, vexada por pedir dinheiro à vista de toda a gente, e então acenou-lhe que a acompanhasse e subiram os três degraus do terraço da sala.

— Aqui poderá falar a seu gosto. Estamos sós — disse Mary, indicando um banco à moça.

Laurinda titubeava, e era tal a sua perturbação, que Mary procurou animá-la, mostrando-se muito simples e meiga, julgando, como o jardineiro, que ela tivesse vergonha de lhe pedir uma esmola.

— Fale... fale... não tenha receio... parece-me que eu não sou tão feia que deva meter medo... diga... Quer que eu adivinhe?

— Oh! A senhora não pode adivinhar!

— Então, imagine que eu sou uma velha amiga e seja franca. Vejo-lhe nos olhos vestígios de lágrimas, basta isso para que eu desde já a estime... o seu ar de sofrimento cativa-me...

— Obrigada... consente que lhe faça uma pergunta?

— Até quantas quiser!

— A senhora casou-se com...

Como a moça suspendesse a última palavra, Mary animou-a, já interessada:

— Sou solteira. Com quem julgava que eu me tivesse casado?

Laurinda mudara repentinamente. Um raio de alegria e de esperança iluminava-lhe o rosto.

— Diga — insistiu Mary —, com quem julgava que eu me tivesse casado?

— Com ele!...

— Isso é vago. Ele quem?

— Guilherme... Guilherme Boston!... Foi o que ouvi dizer... perdoe-me... Ainda bem! Ele está livre! Livre! Posso ter esperança...

— Certamente. Ele está livre. Mas explique-se. Vejo que, realmente, eu não podia adivinhar. De que se trata?

Laurinda, já mais à vontade, abriu a válvula às queixas do seu coração, e entre lágrimas ardentes, contou à Miss Lane toda a sua história.

Ninguém mais a ouvia. No jardim as aves cantavam ao sol, ao fresco arvoredo e às flores perfumadas, os seus segredos e os seus amores. Com as sobrancelhas contraídas, as faces pálidas e um ar de magoada surpresa, Mary ouvia em silêncio a narração da outra.

Laurinda já não encontrava tropeços na sua linguagem; a sua história inteira passava pelos ouvidos e olhos de Mary, com as suas promessas, os seus sonhos, as suas decepções, o seu abandono, a sua miséria, em termos claros, às vezes brutais, rudes, amargos, tais como os fatos os obrigavam a ser, sem atenuantes que os adoçassem.

Quando Laurinda acabou de falar, de descrever tudo, sem omitir absolutamente nada, Mary levantou-se e conduziu-a para a sua saleta de trabalho. Tinha o seu plano e quis executá-lo sem demora.

— Deite-se um pouco na rede e descanse, enquanto eu escrevo uma carta. A senhora precisa de muita calma... Espere que ainda há de ser feliz. Vou trabalhar para isso.

— Oh! Se o conseguir!

— Por que não?

— Tem confiança nessa empresa?

— Absoluta...

Mary sentou-se à sua secretária e escreveu, na sua caligrafia rasgada e firme:

"Sr. Guilherme Boston.

Eu, Mary Lane, convido-o a vir esta tarde a *Green House* para tratar de assunto que o deve interessar."

Rita incumbiu-se de fazer chegar, depressa, a carta às mãos do guarda-livros da fábrica.

***

Terminada a leitura da carta, Guilherme Boston acabou o serviço à pressa, e como se criara asas nos pés, voou para a sua casinha, toda enfeitada e fresca, e iluminando tudo, esmerou-se na sua *toilette*, dando-lhe, contudo, uma certa solenidade. Vestiu-se de preto, enfiou o *smoking*, pôs na lapela uma formosa gardênia cercada de avencas e, bem barbeado e bem perfumado, reluzente de asseio, dispôs-se a sair. Nesse instante, bateram-lhe à porta e logo depois a figura do pai Ulka desenhou-se entre os umbrais, com a vasta cabeleira negra lambendo-lhe os ombros quadrados.

Guilherme teve um movimento de impaciência. O pai Ulka disse:

—Venho lembrar-lhe que amanhã é sábado... os meus homens estão a postos e Ialim preparou bem a droga...

—Já?!

— Então? Não foi o que se combinou? O que eu preciso é que o senhor me dê parte do dinheiro adiantado. Os homens exigem isso e é razoável. Ninguém arrisca a pele sem saber de antemão se pode contar com a fortuna...

— Não pode ser... nem eu mesmo precisarei dos seus trabalhos... a moça acaba de chamar-me, é com certeza para dar-me o sim... Leia. Viu?

— Nesse caso o senhor terá de recompensar-nos das pesquisas e trabalhos a que nos obrigou!

— E em quanto monta isso tudo?

— Um conto.

Boston, contemplando-o com ar de assombro, exclamou:

— Diabo!

— Acha muito?

— Acho.

O cigano riu-se e mirou Guilherme Boston desde a cabeça até aos pés.

— Quero levar o dinheiro agora.

— Mas um conto, sem ter feito nada!

— A culpa não é nossa... Temos tudo preparado para o assalto e o rapto... Essas coisas só custam resolver, e esta está resolvida!

— Amanhã falaremos...

— Não. Já.

— Amanhã.

— Agora.

— Mau!...

— Ou o senhor dá para aqui o conto, ou eu vou ao inglês e ponho tudo em pratos limpos!

Guilherme voltou-se com vivacidade:

— Cale-se!

— O pai Ulka não recebe ordens; dá-as.

O cigano tapava a porta da saída com o seu alto corpo musculoso. Guilherme viu que seria inútil lutar. O outro estrangulá-lo-ia em um minuto, com as suas grossas mãos afeitas a rudes e delituosos trabalhos.

— E é andar — continuou o pai Ulka. — A polícia já anda desconfiada com a gente e eu sei que me vigiam. Os secretas pensam que os não conheço...

— Que tenho eu com isso?!

— Tem muito. Vai ver!

Pai Ulka tirou uma faquinha da cinta e, mostrando em um riso sarcástico os grandes dentes amarelados, disse:

— Muito animal tenho eu sangrado com isto!

— Não tenho medo... pode guardar a sua faca. Vá-se embora, está me fazendo perder tempo. Saia ou chamo a polícia.

— Fará bem. Amanhã, em Niterói, toda a gente saberá por que veio o cigano à casa do guarda-livros de Mr. Lane... Chame.

Guilherme, doido por se achar no caminho da *Casa Verde*, sonhando com a ventura de ouvir o *sim* de Mary, decidiu-se a abreviar a situação, dando o conto de réis ao cigano. Aquele dinheiro representava as suas economias de vários meses. Acumulara-o pensando no enxoval. Era toda a sua magríssima fortuna. Entretanto, não lhe custou arrancá-lo do fundo de uma gaveta e entregá-lo ao chefe dos ciganos da Ponta da Areia.

— Tome. Vá-se embora.

— Até outra vez. Sempre às ordens. Se não for para dar o *sim* que a princesinha lhe escreveu... bastará uma palavra sua para que o rapto se realize...

Guilherme Boston sentiu um arrepio. Para que havia de ser? Mary não o chamaria para lhe dar um *não*. A certeza de estar prestes a agarrar a felicidade fazia-o benevolente, mas febril e ansioso par ir ao encontro daquela que já considerava sua noiva!

Antes de seguir para *Green House*, Boston entrou na pensão de D. Leonarda e encomendou que lhe arranjasse um tílburi[192] enquanto ele comesse qualquer coisa.

Zaíra veio servi-lo, pressurosa, fitando os seus grandes olhos negros na branca gardênia da lapela do moço.

— Vai a alguma festa? — perguntou ela com atrevimento, roçando-lhe pelo ombro as mangas do vestido de cassa[193], bem engomado.

— Não...

— Parece um noivo!

— E se fosse?

— Eu matava-o.

Foi com tamanho rancor que a Zaíra disse estas palavras, que Boston, atônito, voltou-se na cadeira e contemplou a moça.

Uma expressão de ódio e de ciúme revelaram-lhe uma verdade até então desconhecida para ele! Zaíra, a crioula silenciosa que o servia diariamente, amava-o com violência, com paixão. Os seus olhares cruzaram-se em cintilações de relâmpagos.

A filha de D. Leonarda, mestiça, tinha na pele o calor das raças cruzadas, e nos olhos, infernalmente belos, o reflexo de uma alma profunda, violenta, tenaz e voluptuosa. Até então, passara quase despercebida para o moço, contentando-se com ver sem procurar ser vista. Um pressentimento fê-la suspeitar nesse dia que a alegria de Guilherme, o seu modo expansivo, a sua *toilette* luxuosa, queriam dizer que se preparava para uma entrevista de amor. O olhar de Guilherme tinha reflexos de triunfal alegria.

Impelida pelo ciúme, Zaíra revelara-se em uma frase curta, fuzilante, dita com firmeza e acento de sinceridade.

192 Carruagem leve de duas rodas e dois assentos, puxada por um cavalo.
193 Tecido fino e transparente, de linho ou algodão.

Guilherme fez-se de desentendido e, deixando a sopa no prato, ergueu-se e foi à janela.

— Lá vem o tílburi! — exclamou com alegria.

— Ao menos acabe de tomar a sopa...

— Não tenho fome e tenho pressa.

— Eu ainda não pus o veneno — respondeu Zaíra, muito séria, sem pestanejar.

— Ora... deixe disso... quando os seus olhos não me mataram, já não me arreceio de nada.

— Faz mal.

— Boa tarde, flor!

Ele saiu. Zaíra correu à janela e, abaixando-se, viu e ouviu Guilherme indicar ao cocheiro:

— Para a *Casa Verde*.

Casa Verde. Era então para o pé de Mary que ele ia assim, apurado, radiante, cheiroso, correto, bonito? Era para ela que ele tinha posto na botoeira aquela puríssima gardênia cercada de avencas finas? Era pelo amor dela que os seus olhos brilhavam mais do que nunca, que o seu sorriso era mais franco, a sua fronte mais iluminada?

Um ódio indescritível fermentava no coração de Zaíra, sonhos maus de vingança...

A *Casa Verde*, reabilitada da sua feia fama de mal-assombrada pelo povo que a via agora sempre risonha, florida e fresca, tomava aos olhos da moça proporções assustadoras. Veio-lhe o desejo de ir atrás daquele tílburi, correndo como uma louca.

***

Eram quase sete horas quando Guilherme atravessou o belo jardim de *Green House* em direção ao terraço. Através das cortinas via-se a sala bem iluminada, com lampejos nas molduras dos quadros que cobriam as paredes.

Mme. Girard balançava-se no terraço, murmurando versos:

— *Je pense aux chouses qui sont mortes...*[194]

O moço entrou comovido e pálido.

Vendo entrar Boston, ergueu-se e conduziu-o ao salão.

194 Traduzido do francês: Eu penso nas coisas que estão mortas.

Toda de branco, como uma noiva, Mary estava de pé, junto de um contador. Em frente, em um recanto do salão, encoberta por um formoso grupo de plantas ornamentais, Laurinda afundava em uma baixa cadeira de estofo o seu pobre corpo fatigado e doente. O coração estalava-lhe de impaciência, medo e esperança. Que iria acontecer?

Guilherme Boston fora direto a Miss Lane e curvou-se respeitosamente.

Houve um instante de silêncio embaraçoso.

Se ele se voltasse, perceberia, através dos rendilhados das palmeiras, a cintilação ardente de dois olhos que se fixavam nele com avidez... mas Guilherme Boston só via Mary na formosa sala de *Green House*, onde o perfume predileto da moça se expandia, envolvendo tudo.

Miss Lane sentia-se igualmente embaraçada, sem saber por onde começar. Marcara a entrevista para essa tarde contando com o auxílio do pai, e exatamente esse faltava agora! Toda a responsabilidade do seu ato apressado pesava-lhe sobre os ombros como uma cruz tremenda.

Acoimava-se[195] agora de imprudente. Mas era tarde.

Guilherme interpretou o silêncio por uma espécie de melindroso pudor, que o satisfez intimamente. A seus olhos aquele embaraço era uma prova de amor. Audacioso, seguro de si, ele murmurou com voz clara, quente, afagada pelo desejo de parecer ainda mais apaixonado do que estava:

— Deponho a seus pés a minha gratidão e meu respeito. Ouso esperar que os acolha bem. A sua carta encheu-me de alegria inenarrável, e creia que em dia nenhum da minha vida me senti abalado por tão profunda comoção. O seu silêncio, a sua perturbação, provam-me à evidência que não me enganei na interpretação das suas palavras, Mary! Chegou enfim o dia de ouvir dos seus lábios a resposta favorável ao meu imenso amor?

Mary estendeu a mão para interrompê-lo e Guilherme, apoderando-se dessa mão, cobriu-a de beijos, em um gesto apaixonado e rápido.

Laurinda cobriu o rosto e começou a chorar baixinho.

Puxando a mão com violência, Miss Lane disse indignada, em um arranco:

— Oh!

— Perdão! Eu bem sei que a sua educação rigorosa, embora livre, e a sua índole casta, recusam estas manifestações dos temperamentos fortes, como o meu... perdão, Mary, adoro-a, adoro-a como só se pode amar uma vez na vida e...

— Basta! — interrompeu a moça com altivez, retomando a sua calma habitual.

Guilherme parou, perplexo, fixando-a interrogativamente.

195 Punia-se.

— Não o mandei chamar para dar-lhe a resposta que solicitava...

— Ah!... Não compreendo então...

— Vai compreender-me.

Mary, passando por diante de Guilherme, foi direita ao grupo de plantas e, afastando-as com desespero, puxou Laurinda pela mão e apresentou-a, sem uma palavra, ao guarda-livros do pai.

Guilherme tornou-se lívido de espanto e recuou um passo; Laurinda ergueu para ele um olhar suplicante, molhado de lágrimas.

Depois de um instante de angustioso silêncio, Boston, com uma naturalidade espantosa e maldoso sangue-frio, repetiu:

— Continuo na mesma; não compreendo nada.

— Oh! Pois não reconhece esta senhora?! — perguntou Mary, atônita.

— Nunca tive o prazer de lhe ser apresentado...

Mary voltou-se para Laurinda com ar aflitivo:

— Então o que a senhora me disse era...

Uma outra expressão espalhava-se pelo rosto da amante de Boston. As lágrimas secaram repentinamente, como sopradas por uma ventania de inferno. Um riso amargo perpassava-lhe pelos lábios, afeitos ao sorriso paciente e à queixa rara e quase muda; as faces, ordinariamente pálidas, vestiram-se de uma cor rubra de pejo[196] e de indignação, e a própria voz, sempre débil, doce e macia, rugiu como uma fera, a quem o caçador atrevido rouba os filhos tenros:

— Infame!

Boston sorriu e, sem mudar de tom, voltando-se para Mary, disse:

— Quer V. Exa. que eu vá chamar o Dr. Abrantes? A intervenção de um médico inteligente e estudioso, como o nosso amigo, pode-se fazer necessária neste caso. — E ele apontou com um movimento de cabeça para a sua ex-amante.

Mary não respondeu, e Laurinda, avançando com ímpeto, exclamou:

— Eu não sou nem estou louca, tu bem sabes, Guilherme, que quem fala a verdade aqui sou eu! Louca?! Estive, quando levada pelas tuas promessas sedutoras, pelos teus ditos pérfidos e enganosos, pelos teus abraços ardentes e falsos, eu saí da casa modesta e honrada de meus pais e abandonei minha irmã, meus sonhos de virgem pura, todo o meu passado digno e feliz. Nega, se és capaz, que me seduziste, a mim, filha do Major Figueiredo, velho considerado por todos como homem sem mancha no seu nome, nem na sua vida? Nega, se podes, que viveste comigo dois anos, prometendo sempre reabilitar-me e fazer-me entrar em casa de meus pais perdoada e feliz? Nega

196 Vergonha, acanhamento.

que me fizeste passar as maiores misérias e agruras, deixando-me em casa sem roupa, sem pão, sem fogo, sem nada, e indo tu banquetear-se nas casas de comércio mais ricas e bem servidas? Nega, se podes, que fizeste de mim tua criada, ainda mais do que tua amante e que chegaste a todas as vilanias, até a de bater-me?! Nega, se podes, que me atiraste para uma sórdida casa de pensão da rua da Misericórdia, prometendo ir ver-me e que lá me deixaste sem recursos, sozinha, doente, sem responder às minhas cartas, sem enviar-me um vintém que me valesse em uma aflição!? Nega, se podes, tudo isto, nega, nega sempre, quero ver se a tua coragem chega a tanto!

No quadro de uma das janelas abertas para o jardim o rosto lívido de Mr. Lane aparecia desde o começo da entrevista, sem ter sido visto.

Boston, escudado na sua forte hipocrisia, não se mostrou indignado e, com todo o cinismo, voltando-se para Mary, disse:

— É o que eu lhe disse: trata-se de uma pessoa afetada nas faculdades mentais. Repito: não conheço esta senhora...

Laurinda, desesperada, erguendo as mãos para o céu, exclamou, com lágrimas:

— Senhor! Pois a tua justiça onde está, que não fere com um raio uma boca de tamanhas mentiras, uma alma de tanta perversidade?!

Boston esboçou um sorriso piedoso. Mary estava interdita, arrependida de provocar aquela cena. A filha do Major Figueiredo continuou, já com voz queixosa e baixa:

— Minha irmã casa-se hoje... há uma justa alegria em casa de meus pais... eu, pobre de mim... não posso nem ao menos beijar-lhe a orla do seu vestido de noiva... os meus beiços miseráveis haviam de macular-lhe a pureza... Só eu não pude dar a meus pais esta alegria... hei de morrer infamada, coberta de vergonha, de opróbio[197], de lama... Oh! Meu Deus, quem acreditará nas minhas palavras? Quem compreenderá que a verdade está comigo, comigo só, quem?!

— Eu! — disse uma voz forte, com energia.

Voltaram-se todos com um arrepio, como se a própria voz de Deus tivesse ressoado com a cólera da justiça. Ao depararem com Mr. Lane, Mary teve um gesto de graças e Boston mordeu o bigode, pálido de raiva.

— Ainda bem que seu pai chega a tempo — disse Guilherme, logo depois a Miss Lane, redobrando de hipocrisia —; ele compreenderá o motivo de uma cena tão desarrazoada! Esta mulher é uma impostora. Não a conheço, foi paga por alguém que me inveja, para vir fazer este escarcéu aqui. É o que eu presumo.

197 Desonra, infâmia.

Laurinda riu com amargura, olhando para o amante de face. Ele não se mostrou abalado; continuava imperturbável.

Mr. Lane ouviu, ao entrar na sala, as últimas palavras do seu guarda-livros e, com a sua secura habitual, interrogou:

— A quem pode o senhor emprestar tais intenções? Isso que acabou de dizer é grave e exige uma explicação.

— Eu não empresto nem dou intenções a ninguém, presumo apenas que alguém, que uma antipatia singular justifica, as tenha e as pratique.

— E quem é esse alguém, que penetra em minha casa malignamente para a prejudicar? Bem vê que isso pode interessar do mesmo modo a mim como ao senhor!

— Alguém que se julgue prejudicado pelo boato que há dias corre em Niterói de que eu sou noivo de Miss Lane. Alguém, cuja cortesia não tem correspondido ao cavalheirismo do grande industrial que todos respeitam e estimam, alguém que, desapontado por não ser acolhido por uma formosa herdeira, joga as armas da traição que encontra ao seu alcance para desmanchar-lhe o casamento. Esta mulher, já o disse duas vezes, é o instrumento vil de uma combinação torpíssima. —Voltando-se para Laurinda, Guilherme teve ainda o arrojo inaudito de perguntar: — Quanto lhe pagaram por isso?

Laurinda, pálida, voltando para fora o bolso vazio, respondeu com amargura e desprezo:

— Isto.

Houve uma pausa. Mary sentiu que as lágrimas lhe subiam aos olhos, Mr. Lane fixou em Boston um olhar agudo.

— Sei tudo. Venho da cidade onde ouvir falar a seu respeito. A sua insinuação é infeliz; ninguém aqui pagaria a uma desgraçada a ponto de a fazer chorar com tanto sentimento e amargura. Tudo se vende, menos o sentimento e a verdade. Desde hoje, ao meio-dia, que eu, na casa dos seus antigos patrões, fui informado por um amigo seu de que o senhor deve uma reparação à filha de um oficial do Exército Brasileiro. Vim disposto a chamá-lo e oferecer-lhe os meios necessários para o casamento. Aumentar-lhe-ei o ordenado, proporcionarei o que estiver ao meu alcance para que o seu lar seja tranquilo e próspero. O senhor é um bom empregado, há, portanto, ainda um pouco de egoísmo no oferecimento que lhe faço. Seja um homem de bem; como tal o julguei quando lhe deixei entrever a possibilidade de vir a ser meu genro. Hoje está tudo acabado. O senhor não se casará com Mary, mas sim com a moça a quem prometeu casamento... Quanto à sua insinuação de há pouco, deixo-a cair; foi um recurso covarde e que esquecerei. Aludia ao Dr. Abrantes, que não julgo capaz de semelhante infâmia...

À proporção que Mr. Lane falava, Boston via claramente que estava absolutamente perdido! Que fazer? Como um relâmpago de maior loucura, perpassou-lhe um pensamento sinistro pelo cérebro: fingir-se resignado, sair com Laurinda e no dia seguinte fazer com que o pai Ulka executasse a sua arte de cigano terrível e lhe pusesse nos braços amorosos a altiva Mary!

Veria então com quem o obrigaria o inglês a casar...

***

Daí a uma hora Guilherme Boston e Laurinda entravam no carro particular de Mr. Lane. Na boleia, o Félix recebia ordem do patrão de os conduzir à barca.

A combinação fora que Laurinda iria com o amante à casa paterna, participar do seu casamento, pedindo perdão das passadas culpas...

Laurinda ria e chorava, e quis beijar a mão do velho inglês, que, não lhe permitindo isso, abraçou-a dizendo-lhe:

— Seja feliz... que bem o merece!

Ouvindo lá longe o barulho do carro pela estrada fora, Mary, abraçando o pai, murmurou:

— Eu não lhe dizia, meu pai, que é mais fácil conhecer as estrelas lá do alto, que o coração dos homens que nos cercam?

Capítulo XXXIII
NO CARRO

Mal o cupê[198] de Mr. Lane partiu, Boston voltou para Laurinda o rosto lívido, onde uma grande expressão de ódio se derramava.

Recostada nas almofadas, abatida pelo cansaço físico e as imensas comoções por que tinha passado, a moça, na sombra em que se achava envolvida, não percebeu o rancoroso olhar com que o seu ex-amante a cobria, e foi com voz doce e chorosa que murmurou:

— Guilherme! Eu sei que vim quebrar a tua melhor aspiração e assoprar os teus sonhos, mesmo no momento em que eles se iam realizar... perdoa-me, mas a tua dívida para comigo era sagrada... Esquece o teu novo amor... lembra-te das tuas promessas, tão bem acolhidas por mim...

— Não sejas tola.

— Ah!... Lembra-te de que, se alguém tem razão de queixa entre nós dois, sou eu...

— Estúpida!

— Guilherme!

— Ora bolas!

— Guilherme!

— Não tem vergonha! Uma mulher que eu detesto, que eu repilo e que teima em agarrar-se-me, o que merece? O desprezo, o ódio, mais nada. Reabilitação! Ora pílulas! A senhora não era menor, saiu da casa de seus pais porque quis... lá se arranje!

— Oh!

— Deixe-se de exclamações, que perde o tempo e o feitio. Eu detesto-a, ouviu bem?

E Guilherme, talvez para se fazer melhor compreendido, sacudiu Laurinda com raiva, depois, com voz abafada, para que o Félix não o ouvisse, continuou, cuspindo injúrias, rente ao rosto da moça:

198 Carruagem do século XIX de quatro rodas, puxada por cavalos.

— Como tu, há milhares de mulheres por aí que não se queixam nunca, nem atormentam os outros. Tinhas fome? Não achaste ouro idiota como eu que se prestasse aos teus manejos? Que culpa tenho eu disso! Eu não quero casar-me; estás velha, gasta, pobre e metes-me... nojo! Vejo, porém, um meio de salvar-te: daqui a pouco, em minha casa, escreverás uma carta a Mr. Lane, confessando-me inocente e a ti cúmplice de um crime...

— Nunca.

— Sim; hás de escrever. Se eu me casar com a filha do inglês, dar-te-ei uma grande mesada... uma fortuna!

— Infame!

— És tu.

— Miserável!

— Serás tu, se não me obedeceres.

— Obedecer-te?! Em quê? Por quê? A minha docilidade acabou. Não vês, desgraçado, que eu não procuro o teu amor e sim a minha reabilitação? Quero casar-me contigo para poder entrar na casa de meus pais, lavada de culpa, purificada. É só por isso.

— Fresca reabilitação! Se tivesses dignidade, não me quererias ver!

O carro seguia sempre na mesma marcha. Na estrada escura luziam de vez em quando pirilampos. Havia na atmosfera um sopro de tempestade que se aproximava.

No alto da boleia, empertigado na sua sobrecasaca cor de pinhão, de grandes botões reluzentes, o Félix pensava na estranha aventura que o fazia conduzir o guarda-livros do patrão, moço sempre tão correto e chique, com aquela mulher quase andrajosa e taciturna... Que seria aquilo?

As nuvens, leves a princípio, acumulavam-se agora negras e enoveladas. Dentro do carro continuavam as frases grosseiras de Guilherme a apedrejarem a pobre alma de Laurinda. A moça, pálida de espanto, media a profundidade da sua queda, agora melhor do que nunca. Tinha lhe fugido o último raio de esperança e uma surda agonia, avolumando-se-lhe no coração, obrigava-a a responder com azedume aos doestos[199] do amante.

Guilherme insistia:

— Se tu escreveres a carta que eu ditar e repetires amanhã, de viva voz, ao inglês as suas afirmações, prometo dar-te o que quiseres e pedires.

— Eu só quero casar-me.

— Deixa-te de tolices.

— Hoje casa-se minha irmã...

— Que lhe faça bom proveito!

199 Afrontas, insultos, injúrias.

— Hoje casa-se minha irmã e eu quero entrar em casa de meus pais contigo.

Guilherme deu uma gargalhada.

— És teimosa!

— Sou honesta!

— Muito!

— Pões isso em dúvida?!

— Ora!

O carro passava perto de um lampião de gás e os dois amantes trocaram um olhar em que relampejava o asco mais profundo.

Houve um instante de silêncio em que aquelas duas almas se encolheram desgostosas; a de Laurinda cansada de luta, ferida pelos insultos e contínuas desilusões; a de Guilherme preparando novo assalto sobre a sua presa.

Ouvia-se apenas o rodar do carro na areia da estrada silenciosa. Boston aproximou os lábios dos ouvidos da moça e murmurou:

— Faze-me o que te peço, que eu juro tornar a viver contigo; arranjar um ninho onde recebas contente as minhas provas de amor...

— Metes-me nojo! Arreda-te!

— Só se fizeres o que eu já disse.

— Não.

— Laurinda! Não me conheces, eu sou capaz de tudo.

— Não me importa.

Desesperado, Guilherme Boston lançou as mãos ao pescoço da filha do Major Figueiredo. A moça estendeu os braços, querendo impedi-lo, mas Guilherme tinha os pulsos fortes, e na cegueira da raiva comprimiu mais e mais a garganta de Laurinda, cujos olhos esbugalhados luziam na sombra. Houve um rumor de um corpo que se debatia, de uns dentes que rangiam com ódio, de uma respiração arfante... Mas tudo isso foi abafado pela bulha do carro, entrando agora nas ruas da cidade, deslizando sobre as pedras das calçadas.

O ato foi rápido. Quando Guilherme retirou as mãos, Laurinda estava morta. O guarda-livros olhou espantado para as suas mãos, como a procurar ver nos dedos o sangue denunciador dos assassinos.

Cuspiu nelas como se não tivessem obedecido a sua vontade dirigente. Um arrepio perpassou-lhe o corpo. E agora? Imprudentemente tinha fechado uma pesada porta ao seu destino... Compreendeu que já nada podia esperar no Brasil, a não ser a prisão, a ignomínia[200] e o degredo...

200 Degradação, grande desonra.

Fugir, sim! Mas para onde? Com que dinheiro? O cadáver de Laurinda, reclinado para o fundo do carro, obedecendo a um balanço mais forte, caiu-lhe sobre um ombro.

Boston afastou-se com raiva e com medo. Os olhos de Laurinda punham na treva uma claridade vítrea, esbranquiçada, de lanterna fosca.

Boston abriu a portinhola de mansinho, receoso de que o Félix o sentisse; encostou Laurinda no canto do cupê, verificou qual a rua por que passavam no momento, e saltou lépido para fora.

Lá em cima rebentava um trovão e uma rajada de vento fechou a portinhola aberta. Félix voltou-se, mas já Boston cosido a uma esquina confundia o seu vulto com a sombra de uma árvore. O cocheiro atribuiu a bulha ao estampido da trovoada que roncava ainda ao longe em últimos soluços, e apressou a marcha para voltar sem chuva para a *Casa Verde*.

Guilherme soubera em que ponto tinha saltado.

Daí à sua casa mediariam uns cem metros, que a largas passadas venceu depressa.

Logo que entrou em casa o moço foi à sua cômoda, tirou o pouco dinheiro que ainda lá havia, arrecadou as joias, enfiou o sobretudo, escolheu um chapéu de abas largas; cortou o bigode à tesoura, puxou o cabelo para a testa e depois, febril e nervoso, caminhou de um lado para o outro, olhando, como se ainda procurasse alguma coisa. Saiu.

A rua estava escura. E agora?

Um grande susto apertava o coração do rapaz, que em um estado febril não atinava com o meio de salvamento. Estava escrito que aquela maldita amante lhe taparia todos os caminhos, mesmo depois de morta!

O que ele devia era fugir; mas como? Por mais depressa que andasse, chegaria à ponte das barcas depois da morta, e a polícia, avisada naturalmente pelo Félix, prendê-lo-ia...

No dia seguinte deveria partir o *Freedland* para os Estados Unidos... A ideia desse vapor caiu como um raio nas trevas de seu espírito. Se ele conseguisse partir, estaria salvo! Mas o dinheiro?!

Na febre do seu desespero, Boston caminhava ao acaso, querendo fugir da polícia e atirando-se exatamente para o coração da cidade, onde as patrulhas eram menos raras.

Tendo percorrido grande parte da rua, sentiu de repente no rosto a aragem fria do mar. Desembocara na praia, a curta distância da fábrica.

Guilherme Boston estacou e, por um movimento quase instintivo, apalpou uma chave da porta desse enorme casarão, chave que ele trazia sempre no bolso.

Mr. Lane confiara-a ao seu guarda-livros desde aquela noite do incêndio. Um riso diabólico franziu as faces de Boston. A providência guiara-o bem! A chave da fábrica ia servir pela primeira vez em suas mãos, não lhe oferecia entrada para que salvasse das chamas os papéis preciosos e valores de peso, mas dava-lhe passagem para novo crime e maior degradação.

Boston coseu-se ao muro, abriu a porta com mão cautelosa e macia e esgueirou-se para o corredor tenebroso, como uma enguia.

Lá fora o mar roncava, rebentando as águas na muralha da fábrica. Aquela voz solene angustiava-o, como se lhe prometesse grandes castigos. Boston fechou a porta atrás de si e deu algumas passadas, tateando no escuro. Um suor frio escorria-lhe da testa, onde o chapéu pesava como se fora de ferro; parecia-lhe ver ao fundo, no meio da parede, dois pontos esbranquiçados, como a luz débil de umas lanternas foscas...

Reagindo, Guilherme acendeu um fósforo e apressou o passo para os lados do escritório; antes, porém, de aí chegar, tinha de percorrer uma área e dois salões de máquinas e teares.

As suas finas botinas de verniz permitiam-lhe caminhar em ponta de pés, sem rumor. Os fósforos sucediam-se, a treva aterrorizava-o. Na área, como o vento fosse forte, a luz não resistia. Boston olhou de esguelha para o telheiro do depósito e os grandes fardos de algodão, alinhados junto da parede, fizeram-no estremecer, como se visse fantasmas...

Só ele poderia percorrer assim aquela casa enorme, cujos segredos conhecia, sem que o mínimo barulho acordasse o caboclo Nito, homem de confiança, e que dormia no pavilhão da esquerda, entre a terceira sala de teares e o salão do despolpador...

No fim de alguns minutos de cautelosa marcha, Boston penetrou no edifício particular de Mr. Lane. Riscando o penúltimo fósforo da caixa, verificou se as janelas estariam bem fechadas, para que a claridade do gás, que acendeu logo, não denunciasse que havia ali alguém...

Estava tudo conforme...

Começou então o trabalho delicado, em que o filho do maquinista revelou tendências para o ofício do seu finado pai! Com a ponta do canivete e um prego encontrado por acaso perto da secretária, o moço conseguiu abrir a segunda porta do cofre, onde o patrão guardava os documentos e o dinheiro.

Nada lhe parecia difícil, conhecia também os segredos do cofre.

A porta aberta mostrou logo, à claridade viva do gás, maços e maços de papéis rotulados pelo inglês. O olhar de Boston dirigiu-se logo para um escaninho à esquerda, no alto, e fechado por uma lâmina de aço reluzente; com mão firme, calcou uma roseta de metal amarelo, girando-a suavemente para a direita, e a lâmina de aço desprendeu-se de cima, descaindo sobre os outros escaninhos já abertos do cofre. Foi então que naquele fundo negro do armário cintilaram faíscas de ouro! Montes de libras esterlinas, compradas nesta manhã pelo inglês, mostraram-se aos olhos cobiçosos de Boston como um fogo infernal.

Em movimentos rápidos, medrosos, o guarda-livros ia arrecadando o rolo das moedas, que tiniam nos seus bolsos, como um riso escarninho... Assim, suando frio, com o coração aos pulos, Guilherme foi retirando um... dois... três... quatro... seis... oito... dez... quinze... vinte rolos de libras, quando lhe pareceu sentir passos na área próxima e... julgando-se espiado, fechou o gás de um pulo e postou-se junto à porta com o canivete aberto na mão direita e as costas unidas à parede...

Uma onda mais volumosa rugiu com força, despedaçando-se nas pedras do pátio, depois tudo se acalmou; ouvia-se o refluxo da água e o sopro do vento, que fez bater duas portas, sucessivamente.

Guilherme permaneceu muito tempo à escuta; depois, redobrando de precauções, aproximou-se tateando do cofre e, mesmo às escuras, apalpou o escaninho das libras e encontrando-o ainda aberto, tirou dinheiro ao acaso, enchendo os bolsos com sofreguidão.

Um silvo da máquina do vapor fê-lo recuar com enorme susto. Dir-se-ia que aquele formidável grito partira do peito humano!

Àquela hora deveria estar descoberto o seu crime... Pensando assim, Guilherme recuou ainda mais, como se no fundo do cofre lhe aparecessem de novo aqueles dois focos esbranquiçados, como luzes de lanternas foscas...

Retomou depressa o seu inigualável sangue frio e saiu do escritório. Atravessou a área, sem olhar para os lados do depósito, abriu a primeira porta do salão dos teares e foi só então que riscou um fósforo, percorrendo o recinto com a vista, inquirindo sombras e deslizando sem rumor. Ninguém! Respirou com alívio e apressou os passos: ao fundo do salão, porém, estacou, com o olhar espantado e o coração apertadíssimo; a porta que ele deixara aberta, minutos antes, estava agora fechada por fora!

Teria sido descoberto? Aterrorizado, Guilherme pensou, todavia, em salvar-se. Havia um meio, voltar para o pátio e atirar-se ao mar... Ele era bom nadador, esperava salvar-se. Contudo, aquele meio extremo enchia-o de horroroso pressentimento. A água fria, o negrume da noite tempestuosa, amedrontavam-no quase tanto como a prisão...

Houve um instante de perplexidade; depois, Guilherme voltou-se, caminhando de novo, às escuras, para o lado do escritório.

Que teria passado? Ele nada podia imaginar no meio da sua confusão e de um anseio terrível! A treva apavorava-o cada vez mais e ele encolhia-se de vez em quando, temendo esbarrar nos teares e fazer barulho.

Subitamente uma esperança iluminou o entendimento perturbado de Guilherme Boston: lembrou-se que do telheiro do depósito poderia saltar para o outro pátio, também interior, da fábrica, e daí escalar o muro para a rua. Precisava andar depressa!

Minutos depois, ele caminhava resolutamente para os grandes fardos de algodão, alvejando na treva como fantasmas ameaçadores...

Para alguma coisa lhe havia de servir a sua antiga aprendizagem de ginástica; em um relance, Guilherme galgava o telheiro do depósito, deixando-se escorregar pelos varais de ferro para o segundo pátio, onde as peças de pano coravam, cobrindo o solo de uma superfície de neve...

O moço suava por todos os poros, cerrando os dentes como se fora acometido por instantâneo acesso de tétano... Em todo o caso, sem se deixar vencer pelo desânimo nem o medo, atravessou todo o extenso pátio até a um portão de ferro que comunicava com o corredor da rua. Compreendia bem, jogava naquela cartada toda a sua sorte!

O vento zunia e as ondas vinham com fragor rolando na treva. Boston aproximou-se do portão, segurou os varais de ferro com as mãos escorregadias e geladas, olhou para dentro, não viu nada, mas veio-lhe o terror de que algum homem o esperasse ali agachado, com mãos prontas para o agarrar na passagem... entretanto, trepou lentamente e galgou o portão com cautela e susto... O corredor era longo e quebrava-se ao fundo em um ângulo agudo, partindo daí para a rua. Retendo a respiração, em bicos de pés, Guilherme caminhou para ali com o coração aos saltos. Que estaria ali, a liberdade ou a prisão?

Instantes depois o moço apalpava o trinco da porta. Foi com mãos nervosas que ele tateou a ferragem e abriu os batentes.

Finalmente, estava livre! O vento bateu-lhe em cheio nas faces, como se quisesse ser o primeiro a puni-lo, esbofeteando-o.

"E agora", tornou a pensar Guilherme, "que hei de fazer, para onde fugir?!"

Todo o seu sentido era esperar a madrugada e ir para bordo do *Freedland*. Permanecer em Niterói era um perigo imenso!

Boston caminhou apressado, muito unido às paredes, em direção à ponte das barcas; mas a uns cem metros desse ponto estacou, percebendo ainda o carro de Mr. Lane parado no cais e cercado por meia dúzia de pessoas... a polícia, talvez. Uma lanterna aparecia e desaparecia, ora dentro ora fora do carro.

Guilherme voltou espavorido para trás, com passos apertados, como se um elo lhe cingisse as duas pernas. Andou assim por algum tempo, cauteloso e trêmulo; dobrada a primeira esquina, sentiu-se mais à vontade, os músculos já se não retesavam em uma tenção aflitiva e ele pode caminhar apressadamente. Ia sem rumo, como um louco, procurando instintivamente escapulir-se dali. Por fortuna, ao dobrar um ângulo de rua, viu um tílburi, que ele chamou logo, indagando se o poderia transportar à Sant'Ana. O cocheiro, um tanto sonolento, observou que o animal estava cansado. Fizera uma viagem demorada, viera de levar um médico à casa de um diabo, lá para a beira do mato!

— Pago bem e tenho pressa.

— Vamos lá, freguês, afinal o *Manhoso* é um cavalo rijo e o melhor da praça...

Dentro do carro Guilherme respirou e incitava o cocheiro a tocar o animal, repisando que lhe daria uma gorjeta boa. A viagem correu sem embaraços. Entretanto, a tempestade acalmara-se um pouco. O vento varrera as nuvens e o céu negro tremeluzia um ou outro ponto de ouro. O último trovão rebombara seco e longínquo e nos beirais das estradas répteis e insetos saíam de entre as folhas bravas e os capinzais, à espreita da bonança em céu escuro.

Chegado à Sant'Ana, Guilherme pagou generosamente ao cocheiro e seguiu a pé em direção à casa velha do caboclo Cosme, o melhor remo conhecido naquelas redondezas. Queria transportar-se em canoa para a Capital.

A relutância a vencer aí foi maior. Cosme ergueu-se quente do leito, onde a sua cabocla Marta dormia de papo para o ar. O sono sabia-lhe bem e a noite não o convidava a empresas pelo mar; melhor lhe parecia deixar-se quietinho na sua cama.

Guilherme, que já o conhecia de uma grande pescaria organizada por alguns amigos e dirigida pelo Cosme, tratou de o enternecer, afirmando que lhe daria o que ele pedisse: cem, duzentos... trezentos mil réis...

Cosme olhava um pouco espantado e Boston explicou:

— Acabo de receber um telegrama em que me chamam para assistir à agonia de minha mãe... a pobre não pode morrer sem me deitar a bênção. Cosme, basta dizer quanto quer que eu lhe dê!

— Que diabo! O senhor não deixa de ter razão... eu sei o que isso é... minha velha esperou por mim para morrer, quando eu andava uma noite no mar...

— Por alma dela, Cosme!

— Pois vou! Espere um pouco. Seria temeridade irmos sozinhos. Meu cunhado é bom remo e precisa ganhar a vida... vou chamar ele. Espere um pouco!

Guilherme esperou. Então, no meio do escuro, ao delicioso ar de uma noite em que a natureza parecia arfar de cansada, cismou nos olhos de

Laurinda, no seu primeiro beijo e na sua última praga; reviu as cenas da *Casa Verde*, o perfil formoso de Mary; estremeceu com a ideia da paixão de Zaíra, a mestiça fogosa da casa de pensão... Um calafrio percorreu-lhe a espinha, lembrando-se também daquela porta da fábrica que ele deixara aberta e que encontrara fechada, sem lhe ocorrer à memória o estrondo que ouvira do vento, cerrando os batentes com violência...

Entretanto, com uma fixidez assombrosa, Boston reproduzia em mente a figura das três mulheres; uma, a quem tinha amado e que matara; outra, a quem amava e que não alcançaria nunca; outra, que o amava a ele e a quem não dera nunca bem um olhar, nem uma flor...

Qual dessas três mulheres lhe deixaria, para o resto da vida, uma saudade que ficasse? Todas tinham representado o seu papel, mas de uma só sabia o desfecho. As outras... E daí, quem sabe? Talvez Laurinda não estivesse morta. Parecia-lhe agora que a sua agonia fora por demais rápida. Morrer seria assim tão fácil?

— Patrão. Estamos às ordens.

— Obrigado, Cosme.

Instantes depois, Guilherme e os dois homens entravam na canoa e partiam no meio das trevas em direção ao Rio de Janeiro.

Capítulo XXXIV
NO HOSPITAL

O crime de Guilherme Boston transtornara todos os planos de Mr. Lane. A sua viagem à Nova Zelândia, para estudos para a criação de carneiros, a montagem de um estabelecimento modelo e enorme em terras suas, não podia ser levado a efeito sem o auxílio de um homem inteligente e de absoluta confiança, que lhe ficasse administrando a fábrica durante a sua ausência.

No primeiro domingo, lia ele uns versículos da Bíblia, quando Mary lhe entrou no escritório e o convidou para um passeio:

— Onde queres ir?

— Por aí; à toa.

— De carro?

— E a pé. A propósito, venda o *cupê*, sim?

— Por quê?!

— Porque não posso olhar para ele que não me lembre da infeliz Laurinda...

— Tens maus nervos?

— Tenho-os sensíveis, como todas as brasileiras.

— É verdade que se fosses só inglesa, não virias interromper a minha leitura sagrada... neste dia! Perdoo-te e vou contigo. Queres ir visitar as Bryning?

— Não, quero andar pelo mato. Mme. Girard foi à cidade, assistir a um concerto... estou triste...

— Vamos lá.

A manhã estava fresca. Pai e filha saíram a pé, calcando o pó da estrada com as solas finas dos seus sapatos claros. À falta de cravos, Mary prendera ao peito do seu vestido branco um grande ramo de junquilhos amarelos.

— Tu andas melancólica, filha, muito diferente do que foste sempre... isso preocupa-me... tenho às vezes ímpetos de vender tudo isto e ir viver contigo em Londres. A vida no Brasil não sorri às mulheres de espírito, é o que eu sinto. A minha ideia de comprar uma grande fazenda em Nova Zelândia e montar outra ainda maior aqui obrigar-me-ia a contínuas viagens e grandes trabalhos, mas faria de ti uma princesa, com cuja fortuna só a casa de Gales pudesse rivalizar...

— Eu não aspiro a ser riquíssima...

— Isso é indolência natural do teu país.

— O meu ideal é outro.

— Viver sempre aqui, recusando-se até aos divertimentos da Capital?

— Até.

— Mas isso é estúpido!

— A Bíblia não deve aconselhar outra coisa mais do que simplicidade. Às vezes penso que sou mais religiosa do que o senhor!

Conversando sempre, andaram muito e muito, sem fadiga, habituados às grandes caminhadas.

— Vamos por aqui, por dentro do mato?

— Sabes como chamam a isto?

— Não.

— Caminho das borboletas.

— Quer dizer que precisamos de asas para o atravessar...

— Parece-me que sim.

— Talvez nos bastem as da imaginação... Entremos.

Mary respirou com delícia o ar cheiroso da mata verde, loura aqui de ipês floridos, nevada ali de mimosas brancas, estrelada acolá de manacás, de fitas e palmas, entremeada sempre de um cipoal aromático e abobadada de verdura intensa. Saltando sobre os troncos partidos, esmagando folhas secas, Mary recuperara a sua alegria de criança e ria alto, deitando exclamações a cada beleza nova, colhendo plantas, obrigando Mr. Lane a admirar a vegetação e a alegrar-se com as suas risadas de moça.

De repente, pai e filha ouviram um sussurro de vozes que vinham ao seu encontro.

O trilho era estreito e eles acabavam de parar, instintivamente, quando viram surgir diante de si a filha do Sr. Matias e a irmã Pompília, sobraçando grandes feixes de ervas de aroma agreste e intenso.

Houve uma exclamação de parte a parte.

Em um relance, Mary notou que o rosto de Tilde tomara uma expressão nova, de suavidade, firmeza e certa tristeza doce, consolada, que a avelhentava um pouco, tirando-lhe aquele ar gracioso e ingênuo que tivera sempre.

— Por aqui! Sozinhas! — exclamou Mr. Lane.

Tilde corou, a irmã de caridade respondeu com o modo mais natural do mundo:

— Vimos colher umas plantas que abundam para estes lados e que são precisas hoje mesmo para um doente grave...

Tilde baixou os olhos; novata ainda, tinha receio de confessar os bondosos movimentos da sua alma.

A outra não ligava importância ao que pudessem pensar dela, e falava já com a franqueza que dá o hábito.

— Tudo isso para um doente só?

— Tudo. É para um banho, receitado pelo Dr. Abrantes; sabem para quem? Para aquela velha italiana, aquela dos gestos socialistas, a Teresa Nutti.

— Ah!

— O Dr. Abrantes encontrou-a na estrada, ardendo em febre, em pleno delírio; teve pena e levou-a para o hospital. Creio que pouco durará...

Enquanto a irmã Pompília dizia essas palavras, dirigidas ao inglês, Mary e Tilde fixaram-se nos olhos, longa, indescritivelmente. Ouvindo o nome do médico, os olhos de Tilde disseram aos olhos de Mary: "Ele ama-te, eu sacrifiquei-me por ambos, corre, voa, fá-lo venturoso!" E os olhos de Mary, espantados, enternecidos, respondiam: "Eu espero.... adoro-o... tenho dó de ti... quero-te muito bem!"

A irmã Pompília continuou:

— Exatamente esta noite, a infeliz mulher chamou muito pelo senhor, dizendo querer pedir o seu perdão... e... creia-me, se a visse, perdoava-lhe as más partidas que lhe fez... aquilo já era loucura...

— Em que hospital ela está?

— Na Misericórdia.

— Vão para lá agora?

— Vamos... quer ir conosco?

— Quero.

Voltaram por um atalho para a estrada; esperava-as aí uma vitória de aluguel, às ordens da irmã Pompília; acomodaram-se todos como puderam e o carro gemeu nas suas molas velhas e ferrugentas, partindo para a cidade.

Em caminho, a irmã de caridade recomeçou a elogiar o Dr. Eduardo Abrantes como homem caridoso e médico de talento, estudioso, sério, sóbrio, honesto e laborioso. E, a propósito, perguntou por que lhe tinham ficado querendo mal.

Mr. Lane protestou, alegando a recusa ao seu convite e as palavras atribuídas a ele por Guilherme Boston...

Um raio de luz caiu então sobre aquelas quatro fisionomias, compreendendo todos claramente a intriga do guarda-livros.

Tilde era a mais empenhada em esclarecer Mr. Lane, e repetiu até as queixas de Eduardo Abrantes quanto à sua exclusão na festa de Icaraí.

Um sorriso de imensa felicidade iluminava o rosto de Mary; o inglês torcia o bigode com jeito nervoso e aflito.

Quando chegaram ao hospital, subiram todos à enfermaria.

Em pé, junto ao leito da italiana, o Dr. Abrantes segurava-lhe o pulso, tendo sido chamado para acudir a uma pavorosa crise da doente.

Agora ela serenara absolutamente, a vida escapava-se-lhe nos últimos alentos.

A presença de Mary produziu um abalo enorme no médico; entretanto, dominando-se, assistiu com infinitos cuidados à morte da indigente que, já cega, levou-lhe a mão aos lábios e murmurou com o último suspiro:

— *Grazzie!*[201] — e morreu.

O médico afastou-se então, abaixando a cabeça diante de Mary e de Mr. Lane; este, porém, aproximou-se e estendeu-lhe as mãos, comovido, com os olhos rasos d'água.

— O lugar é impróprio para o que eu tenho a dizer-lhe; permite que eu o procure esta tarde em sua casa?

Enquanto o doutor respondia, aquiescendo ao pedido, Mary e Tilde rezavam junto ao corpo da velha operária, vagabunda e louca, e a irmã Pompília espargia água benta e cobria piedosamente o rosto lívido e hediondo da morta.

201 Traduzido do italiano: obrigada.

Capítulo XXXV
PELA RELIGIÃO

Depois da visita do inglês, D. Mariana ficara apreensiva. O filho fora já duas vezes à *Green House* e andava agora risonho, amável, mais apurado, pondo nas suas *toilettes* sombrias a nota alegre de uma gravata clara, picada por um rubi cintilante.

Uma tarde, lia ela o seu romance folhetim do *Jornal do Commercio*, recostada na cadeira de balanço da sua sala de jantar, quando Tilde entrou e foi sentar-se a seu lado, segurando-lhe carinhosamente nas mãos.

— Que temos, Tilde?

— Uma novidade... meu pai consentiu afinal na minha entrada para a ordem; mas como isso não se fará senão lá para o fim do ano, eu desejava pedir-lhe que me desse a bordar o enxoval do seu filho... Isso reverterá em favor dos meus pobres...

— Enxoval do meu filho? Mas você está farta de saber que eu não consinto que ele peça a tal especuladora. Ontem já me falou nisso e eu respondi-lhe categoricamente que não. Espere a minha morte. Não quero hereges na família. Admira-me que você, que é religiosa e quer consagrar toda a sua vida a Deus, se lembre de patrocinar semelhante casamento!... O meu Eduardo tem um espírito livre e afastou-se das minhas ideias... mas enfim, esse é homem e todo se consagra à ciência, que se parece também um pouco com a religião. Mas a uma mulher, Tilde, é que Deus faz muita falta. O Brasil precisa de mães de família crentes e firmes na sua fé. Casa onde se não reze, não pode ser casa abençoada.

— É só o que tem a dizer de Mary?

— E é pouco? Ela é uma descrente e, por mais que me digam, é uma estrangeira. Li em um escritor português estas palavras, que me ficaram bem gravadas na memória: *A língua e a religião são as duas cadeias de bronze, que unem, no correr dos tempos, as gerações passadas* às presentes, *e estes laços que se prolongam através das eras, são a Pátria*[202]. Eu gosto da tradição. Meus

202 Trecho do conto "O Pároco da Aldeia", do escritor português Alexandre Herculano (1810-77), publicado em 1851.

pais eram portugueses aferrados à fé católica; eu mantive sempre em casa o respeito pelo altar... Eduardo mesmo, bem no fundo da sua alma, deve guardar ainda, embora pareça murcha, a crença em Deus. A crença, Tilde, mesmo quando a supõem morta, reverdece à primeira rega de lágrimas... Não! Não consentirei nunca em que Eduardo se case com uma protestante, uma herege, uma mulher de outra língua e outros costumes.

— Mary é católica.

— Venha com essas! Ninguém a viu nunca numa igreja. O pai é protestante.

— Mas se o pai é protestante, a mãe era católica. D. Mariana, ela segue a religião da família materna...

— A mãe morreu antes que a filhe soubesse rezar o Padre-Nosso. Esse casamento encher-me-ia de vergonha. Eu não criei meu filho com tanto esmero para o deixar entrar numa família assim. As religiões, como as raças, devem separar-se.

— D. Mariana, seu filho não será feliz com outra mulher, e aquela reúne tantas qualidades invejáveis, que a senhora não deve se opor. Mary é formosa, é simples, é instruída, é ativa, é rica e é caritativa. Não lhe sorri tal conjunto de perfeições?

— Não. Nem creio que as tenha todas, ninguém as tem todas; e se ela as alardeia, é falsa...

— Paciência. Eu não entrarei para a ordem senão depois de assistir ao casamento... Esperarei.

Como este diálogo, Tilde teve outros muitos sem lograr convencer D. Mariana. Eduardo, bem acolhido em *Green House*, repetia as suas visitas voltando cada vez mais enamorado para a sua casinha da rua de S. Luís.

Carolina surpreendia no quarto do amo um aroma diferente, e cravos vermelhos murchos ao calor de um seio feminino apareciam às vezes entre as fronhas ou ao lado da carteira, na mesinha de cabeceira.

Na *Casa Verde* houvera como que um renascimento de juventude. Mary espalhava ondas de riso. Mme. Girard, percebendo tudo, comunicou a sua descoberta à Rita, que levantou os ombros, murmurando com desdém:

— Há que tempo eu sei disso! Coitado de Ioiô velho e de Iaiá, que não tornam a ver a neta!

Quem não sabia de nada era Mr. Lane que, em palestras demoradas com o moço médico, começou a desconfiar que as aspirações científicas daquele espírito sério valiam bem as suas arrojadas aspirações comerciais. Que Diabo! Era um homem aquele e um homem perfeito, são de corpo, de caráter e de entendimento. Foi ainda Mme. Girard que, com a sua loquacidade parisiense, lhe abriu os olhos para aquele par de namorados.

Mr. Lane esperava a solução desse romance, sem dar nada a entender à filha, quando leu um dia em um jornal que a família do Major Figueiredo mandava rezar uma missa por alma da sua filha Laurinda, e essa missa seria rezada em Niterói, por ter se dado ali, dois meses antes, o passamento da moça.

Mary pediu a Mme. Girard que a acompanhasse e, às oito horas da manhã, entrava na igreja com o seu livro de orações nas mãos.

Havia pouca gente, toda estranha ao ato. A família Figueiredo ocupava um cantinho na capela-mor. D. Miloca, balofa e amarelada, entre os crepes do luto, o Major cada vez mais encarquilhado e pequeno, e a Loló embelezada com novas fulgurações nos seus olhos de recém-casada.

Mary conhecia-os de os ter ido visitar logo após a morte de Laurinda, cujo enterro fora feito por Mr. Lane; mas conservou-se um pouco distante, ajoelhando-se ao pé de uma senhora de rosto coberto pela mantilha dos comungantes. Mal sabia ela que através da renda dessa mantilha dois olhos interessados lhe seguiam todos os movimentos, espantados de a verem cumprir todos os preceitos da missa com o rigor de uma verdadeira católica!

A doçura de Mary, mesmo silenciosa, penetrava na alma de D. Mariana como se fosse um canto de órgão, desses que incitam à prece e ao louvor.

Acabada a missa, a família Figueiredo agradeceu à Mary as suas orações. D. Miloca estava inconsolável por não ter sido até então descoberto o paradeiro de Guilherme Boston, cuja carne ela desejaria picar aos bocadinhos... aos bocadinhos em uma vingança em que sangrava todo o seu amor materno. Mas onde estaria ele? Onde estaria?

Mr. Lane, que esperava a família do Major Figueiredo no adro da igreja, vendo sair a filha, e logo após D. Mariana, apresentou Mary à mãe do médico. A moça, em um impulso de apaixonada alegria, levou aos lábios a mão fria da pobre senhora, que se deixava vencer num encanto a que não podia resistir.

Nessa mesma tarde, Eduardo ouvia o consentimento da sua velha para o pedido formal de Miss Lane, e Tilde era chamada para se encarregar do enxoval dos noivos...

Foi ela quem escolheu as bretanhas[203], as rendas e os bordados, escondendo a sua comoção sob um riso calmo de santa.

203 Tecido branco muito fino de linho.

Capítulo XXXVI
O CASAMENTO

Rompia o mês de setembro. Tilde e a irmã Pompília entraram cedo na igreja Matriz, carregando grandes feixes de flores. Já lá encontraram o jardineiro do Sr. Matias, com a cesta transbordante de cravos vermelhos e flores de laranjeira.

Na velha igreja passou então com a lufada de primavera vinda de fora, naquele aroma e naquelas cores, uma rajada de frescura que a remoçava. Não houve altar, não houve nicho, não houve degrau ou recanto onde não caísse uma flor.

A irmã Pompília contemplava Tilde com veneração; e, acabado o serviço, disse-lhe em um rasgo de expressão:

— Você é um anjo; fazer isso por uma amiga, sim, mas por uma rival...

— Engana-se, minha irmã; Mary não é minha rival; sinto por ela uma ternura de irmã. O meu amor por Eduardo... passou... tenho-lhe amizade e isto, que foi ao princípio uma resignação forçada, é hoje um sentimento natural.

— Creio na sua sinceridade. Foi um milagre de Deus; demos-lhe graças de mãos postas...

Finda a oração, levantavam-se as duas, quando sentiram bulha de carros; olharam; o sacristão abrira a porta de par em par. Daí a momento Mary aparecia toda coberta de sedas e rendas brancas, pelo braço de Mr. Lane; atrás dela, o noivo dava o braço à D. Mariana e seguia-se uma grande comitiva de convidados.

A Rita, com os olhos vermelhos, repimpada em um rico vestido de gorgorão preto, com que a noiva a presenteara, carregava nas mãos prestimosas um ramo de gardênias brancas, para dar a Mary em nome do seu Ioiô e de sua Iaiá velha, que por certo chorariam a essa hora na Bahia, por não assistirem ao casamento da neta. Ela tomava ares maternos e Mr. Lane, sempre correto e bondoso, dera à ama carinhosa da filha e à mestra lugares de honra e de distinção.

Combinara-se que, dias depois do casamento, Mary partiria com o marido e a Rita para a Bahia, a visitar os velhos, e que Mme. Girard fosse passar uns meses em Paris, para matar saudades, voltando depois, segundo afirmava querer, para a companhia de Mary. Quero educar-lhe os filhos, dizia ela a todos, despertando ciumadas de Rita.

Quando os noivos se aproximaram do altar, rebentou no coro o canto do órgão; D. Mariana voltou para lá o rosto radiante. Sim, era dessa maneira que ela queria o casamento de Eduardo, com música, com flores, que toda a Igreja Católica embelezavam.

A um canto, Carlos Ramos dizia à mulher, a ex-viúva Torres:

— Vê tu: na vida como nos romances, tudo acaba em casamento ou em morte. Este acabou bem, tendo principiado mal. Vês aquele rapaz acolá, com uma pequena ao lado?

— Vejo, ela parece comê-lo com os olhos!

— Ama-o muito. Ele era um cigano, Luís Ulka, vai casar-se religiosamente com a companheira, testemunhados pelo Eduardo e a Mary... É um tolo; ser boêmio ainda é a única coisa digna de um rapaz de vinte anos...

A cerimônia terminou e as primeiras flores que caíram sobre o véu de Mary foram as atiradas pelas mãos generosas de Tilde. As duas moças abraçaram-se e, enquanto Mary dizia à outra "obrigada", Tilde murmurava com sinceridade:

— Sê feliz.

FIM

Anexo: **Vocábulos de linguagem cigana que se encontram neste romance:**

Bata, bato – mãe, pai.
Bengue – demônio, espírito mau.
Boque – penúria, miséria, fome.
Busnão – preto, negro.
Cabén – comida, alimento.
Caiar – comer.
Calin – cigana.
Chavina – moça, rapariga, filha.
Chibe – fala, palavra, língua.
Chidar – pôr fora, despedir.
Chucá – anteposto a qualquer substantivo ou adjetivo, eleva-lhe a expressão.
Corpo estranho – pessoa de outra raça.
Dai – mãe, sinônimo de *Bata*.
Danes – dentes.
Descovinhar – soltar.
Despandinhar – abrir.
Dinhar – dar.
Diquinhar – ver.
Duvel – Deus, o Cristo.
Gade – camisa.
Gajin – brasileiro, pessoa estranha ou de outra raça não cigana.
Gode – alarido, grito, berreiro.
Jungalipén – fealdade.
Juvacanin – feiticeira, endemoninhada, possessa.
Kambulin – amoroso, querido, amor.
Lacrin – moça, rapariga.
Manguinhar – rogar, suplicar, pedir, esmolar.
Mardador – assassino.
Mistões – muito bem, muito bom.
Muladar – matar, assassinar.
Nachindoi – fugido.
Panin – água.
Quindin – pobre, miserável.
Ronin – mulher.
Simar – Ter, ser.
Xuti – leite.

Agradecemos aos apoiadores do Catarse, que ajudaram a viabilizar essa edição:

Noêmia Maestrini, Beth Araújo, Cláudio Lopes de Almeida, Júlia Moreira Ramos de Souza, Carlos Alberto Figueiredo Pinto, Dianzorena, Denis Jucá, Felipe Augusto Kopp, Ruth Danielle Freire Barbosa Bezerra, Fabio Di Pietro, Maria Carolina Amendolara, Daniel Prestes da Silva, Maria Celina Monteiro Gordilho, Anna Faedrich Martins Lopez, Gabriela Simonetti Trevisan, Nilton Resende, Luíza Dias, Ana Carolina Silva Chuery, Haroldo Ceravolo, Flavio Foschia, André Franciosi, Carolina Montagna, Cristiana Faria Valente do Couto, Maria Inês Farias Borne, Bruno Guaranys, Alex Dumbrosck, Luish Moraes Coelho, Pedro Lopes, Marco Antonio Konopacki, Renata Sanches, Luciana Fátima, Bianca Diara, Virgínia Souza Montarde Flores, Edienliv Adelia de Sáles Lins, Alexandra Mettrau G. G. P. Guedes, Claudia Araujo, Heniane Passos Aleixo, Danielle Dayse, Patricia Maria Peixoto Azevedo, Claudia Magalhães Khair Cunha, Luana Muzy, Fernando da Silveira Couto, Diogo Vasconcelos Barros Cronemberger, Jaqueline de Almeida Oliveira, Oracir A. P. Prado, Maria Beatriz Fontes de Andrade, Flavio Azevedo.